D1177252

Zu diesem Buch

Manches kann schiefgehen, wenn wir miteinander reden. Geglückte Kommunikation hängt nicht nur vom «guten Willen» ab, sondern auch von der Fähigkeit zu durchschauen, welche seelischen Vorgänge und zwischenmenschlichen Verwicklungen ins Spiel kommen, wenn Ich und Du aneinandergeraten.

Die Psychologie der zwischenmenschlichen Kommunikation hat etwas anzubieten, wenn wir persönlich und sachlich besser miteinander klarkommen wollen. «Miteinander reden 1» enthält das Handwerkszeug dafür: Analysen typischer Störungen und Anleitungen zur Selbstklärung, zur Sach- und Beziehungsklärung. Wenn jemand etwas von sich gibt, dann enthält seine Mitteilung vier psychisch bedeutsame Seiten: Selbstoffenbarung, Sachinhalt, Beziehungshinweis und Appell. Von den typischen Problemen, die mit jedem dieser vier Aspekte verbunden sind, greift dieser erste Band von «Miteinander reden» diejenigen auf, die uns alle mehr oder minder stark beschäftigen. Demgegenüber richtet Band 2 sein Augenmerk auf die unterschiedlichen Kommunikationsstile verschiedener Menschen und entwirft jeweils auf die Stile abgestimmte Möglichkeiten der Persönlichkeitsentwicklung.

Kommunikationspsychologische Erkenntnisse dienen zwar Familien- und Kommunikationstherapeuten als Instrumente, sie gehören jedoch nicht in die Geheimfächer der Psychologie eingeschlossen, sondern in die Hand von jedermann. Als Brücke zwischen Wissenschaft und Lebenswelt sind beide Bände verständlich geschrieben, mit vielen Beispielen, Abbildungen und Übungen.

Prof. Dr. Friedemann Schulz von Thun, geboren 1944, ist Hochschullehrer am Fachbereich Psychologie der Universität Hamburg. Als Leiter des Arbeitskreises «Kommunikation und Klärungshilfe im beruflichen Bereich» sucht er die Verbindung von Forschung, Lehre und Praxis. Derzeitige Arbeitsschwerpunkte: verständliche Informationsvermittlung, zeitgemäße Formen dialogischer Menschenführung, Weiterentwicklung von Methoden des Verhaltenstrainings. Er ist zusammen mit Christoph Thomann Autor des rororo sachbuchs «Klärungshilfe. Handbuch für Therapeuten, Gesprächshelfer und Moderatoren in schwierigen Gesprächen» sowie Autor und Moderator zahlreicher Fernsehsendungen zu Themen der Kommunikationspsychologie.

Friedemann Schulz von Thun

Miteinander reden 1

Störungen und Klärungen

Allgemeine Psychologie der Kommunikation

Rowohlt

Redaktion: Brigitte Nölleke
Graphik: Maren Sundmacher, Karikatur auf S. 95: Norbert R. Brüllke, Hamburg
Umschlagentwurf: Arno Meyer zu Küingsdorf

295.–329. Tausend April 1992

Originalausgabe
Veröffentlicht im Rowohlt Taschenbuch Verlag GmbH,
Reinbek bei Hamburg, Oktober 1981
Copyright © 1981 by Rowohlt Taschenbuch Verlag GmbH,
Reinbek bei Hamburg
Satz Times (Linotron 404)
Gesamtherstellung Clausen & Bosse, Leck
Printed in Germany
1090-ISBN 3 499 17489 8

Inhalt

Einführung
und persönlicher Hintergrund

Den Psychologen sagt man nach, sie würden das, was jeder weiß, in einer Sprache sagen, die niemand versteht. Diese Gefahr besteht vor allem dann, wenn man über etwas schreibt, was jedermann aus eigenem Erleben kennt. Trotzdem möchte ich es in diesem Buch umgekehrt versuchen.

Zwar handelt das Buch von Vorgängen, an denen jeder täglich teilnimmt: von zwischenmenschlicher Kommunikation, von der Art, sich zu verständigen und miteinander umzugehen. Und so werden Sie durch dieses Buch kaum etwas wirklich «Neues» erfahren. Vielmehr werden Sie dem «Alten», dem Altbekannten, dem tagtäglich Erlebten neue Seiten abgewinnen; Dinge in einem Licht sehen, die bisher im Halbdunkel verborgen waren. – Aber hat die Psychologie etwas anzubieten, um die zwischenmenschliche Kommunikation nicht nur wissenschaftlich zu erhellen, sondern auch «besser» zu machen? Sie hat. Zwar hat sich wohl bisher kaum jemand durch das Studium psychologischer Lehrmeinungen und experimenteller Befunde in seiner Kommunikationsfähigkeit verbessert. Aber einiges Rüstzeug und einige Wegweiser stehen bereit für den, der lernen (und umlernen) will.

Ich hätte keine Lust gehabt, dieses Buch zu schreiben, wenn nicht sein Inhalt für mein persönliches Leben Bedeutung hätte. Als ich zum Abschluß meiner Schulzeit das «Zeugnis der Reife» erhielt, bestand meine Kommunikationsfähigkeit vor allem darin, in einer raffinierten, gelehrsamen Sprache über Sachverhalte zu reden, zu denen mir jede Erlebnisgrundlage fehlte. Statt das Erlebte zu verstehen und auszudrücken, lernten wir, das Nicht-Erlebte altklug zu kommentieren. Ich will darüber nicht nur schimpfen, vielleicht hat diese Fähigkeit meine Hochschulkarriere begünstigt; aber dies wäre kein Grund, die Rituale der Selbstentfremdung in der Universität zu verewigen. Das Reifezeugnis in der Hand, fühlte ich mich «ungebildet» in Fragen des zwischenmenschlichen Umgangs. Für das Thema «Wie gehe ich mit mir selbst und anderen um?» war kaum eine Schulstunde reserviert gewesen. Und bei dem Entschluß, Psychologie zu studieren, hat bestimmt die innere Unruhe darüber mitgespielt, daß ich unsicher war und im dunkeln tappte, was sich zwischen mir und anderen Menschen abspielte. Zwar stellte sich das Ziel, das ich mir mit dem Studium wohl insgeheim gesetzt hatte – immer Herr der Lage zu sein und überlegen die Übersicht zu behalten – als irrtümlich heraus. Ich lernte, daß ich gerade in der Verfolgung dieses Zieles in Schwierigkeiten geriet. Dennoch (und gerade dadurch) hat mir die psychologische Grundausrüstung, die in diesem Buch enthalten ist, selber geholfen, in zwischenmenschlicher Hinsicht besser klarzukommen. Die verstandesmäßigen Einsichten öffnen zwar noch nicht die Pforten zum Himmelreich; im Gegenteil erlebe ich oft schmerzlich, wie ich gefühlsmäßig «nachhinke»: Während sich der Fortschritt der gedanklichen Einsichten in Siebenmeilenstiefeln vollzieht, folgen die Gefühle und das Verhalten noch dem alten Trott und kommen nur im Schneckentempo, Millimeter für Millimeter, hinterher. Und so sind viele Lernziele, die in diesem Buch umrissen werden, im wesentlichen nur durch Selbsterfahrung und Verhaltenstraining erreichbar. Dennoch bin ich der Überzeugung, daß rationale Einsichten die Persönlichkeitsbildung einleiten und abstützen können. Auch habe ich die Erfahrung gemacht, daß Leute (wie ich), deren «Heimspiel» im intellektuellen Bereich liegt, sich eher durch kognitive Wegweiser auf ein emotionales Gelände verführen lassen. Als ein solcher Wegweiser versteht sich dieses Buch.

Nun zum Vorwurf der unverständlichen Sprache. Zwei Erfahrungen haben mich dazu veranlaßt, mir eine gelehrsame, wissenschaftliche Sprache weitgehend «abzuschminken». 1969 rief mein Lehrer, Professor Reinhard Tausch, in Hamburg ein Forschungsprojekt ins Leben mit der Frage: Wie können Informationen verständlich vermittelt werden? Nach einigen Jahren hatten wir heraus, daß Verständlichkeit auf vier Säulen steht: *Einfachheit* (in der sprachlichen Formulierung); *Gliederung-Ordnung* (im Aufbau des Textes); *Kürze-Prägnanz* (statt weitschweifiger Ausführlichkeit) und *Zusätzliche Stimulanz* (anregende Stilmittel). Wichtiger als diese «Entdeckung» war, daß es gelang, die vier «Verständlichmacher» meßbar und trainierbar zu machen. Die Grundzüge des Hamburger Verständlichkeitskonzeptes sind im Kap. B II, 2, S. 140 ff. mit einigen Beispielen zusammengefaßt – für eine ausführliche Darstellung (mit Trainingsprogramm) sei auf Langer, Schulz von Thun und Tausch (1981) verwiesen. – Dieses Forschungsprojekt hatte einen nachhaltigen Einfluß auf meinen eigenen Stil, Vorlesungen zu halten und wissenschaftliche Veröffentlichungen zu schreiben.

Als zweites kam hinzu, daß ich in zahlreichen Trainingskursen für

Eltern, Lehrer und Berufspraktiker aller Art bald merkte, daß wissenschaftlich-gelehrsame Ausführungen nicht ankamen. Überhaupt haben diese Kursusteilnehmer großen Einfluß auf dieses Buch genommen. Das Modell der zwischenmenschlichen Kommunikation, das ich vorstellen werde, ist aus der Begegnung von Wissenschaft und Praxis allmählich entstanden.

Im Jahre 1970 trat ein Hamburger Industrieunternehmen an die Gruppe um Reinhard Tausch heran mit der Anfrage, ob wir einen psychologischen Beitrag zur Kommunikationsfähigkeit der Mitarbeiter leisten können. Zunächst waren wir uns im unklaren: Galt die Anfrage dem damals noch in den Kinderschuhen steckenden Hamburger Verständlichkeitskonzept? Oder galt die Anfrage den Erkenntnissen von Reinhard und Anne-Marie Tausch zu einem partnerschaftlichen Umgangsstil? Es stellte sich heraus, daß beides gemeint war. Menschliche Kommunikation hat eben mehrere Seiten; Paul Watzlawick formulierte diesen Sachverhalt damals als ein «Axiom»: «Jede Kommunikation hat einen Inhalts- und einen Beziehungs-Aspekt...» (Watzlawick u. a. 1969).

Für meine Kollegen Bernd Fittkau, Inghard Langer und für mich stellte sich damals die Frage: Wie können wir die verschiedenen Ansätze der Psychologie, die Beiträge etwa von Carl Rogers, Alfred Adler, Ruth Cohn, Fritz Perls und Paul Watzlawick so «unter einen Hut» bringen, daß sie für die praktischen Kommunikationsprobleme in einer Zusammenschau dienlich würden? Mit der Zeit schälten sich vier Problemgruppen heraus, die den Vorgang der zwischenmenschlichen Kommunikation gleichsam von vier Seiten her beleuchten:

1. Sachaspekt. Wie kann ich Sachverhalte klar und verständlich mitteilen? Für diesen Aspekt der Kommunikation hatten wir unser Hamburger Verständlichkeitskonzept zu bieten.

2. Beziehungsaspekt. Wie behandle ich meinen Mitmenschen durch die Art meiner Kommunikation? Je nachdem, wie ich ihn anspreche, bringe ich zum Ausdruck, was ich von ihm halte; entsprechend fühlt sich der andere entweder akzeptiert und vollwertig behandelt oder aber herabgesetzt, bevormundet, nicht ernst genommen. Reinhard und Anne-Marie Tausch hatten in ihrer «Erziehungspsychologie» (1977) das Geschehen in der Schule daraufhin untersucht – und zwar deshalb, weil sie die Persönlichkeitsentwicklung des Schülers vorrangig durch diesen Beziehungsaspekt beeinflußt sahen.

3. Selbstoffenbarungsaspekt. Wenn einer etwas von sich gibt, gibt er auch etwas von *sich* – dieser Umstand macht jede Nachricht zu einer kleinen Kostprobe der Persönlichkeit, was dem Sender nicht nur in Prüfungen und in der Begegnung mit Psychologen einige Besorgnis verursacht. Mit dem zunehmenden Einfluß der Humanistischen Psychologie in Deutschland wurde uns klar, daß ein «Leben hinter Fassaden» zwar die Selbstoffenbarungsangst eindämmen kann, aber mit großen Kosten für die seelische Gesundheit und für die zwischenmenschliche Verständigung verbunden ist. – Mit diesem Aspekt ist das Thema der Echtheit (Authentizität) angesprochen.

4. Appellaspekt. Wenn einer etwas von sich gibt, will er in der Regel auch etwas bewirken. Das Problem von Einfluß und Manipulation stellt sich nicht nur in der Werbung und Propaganda, nicht nur in Erziehung und Unterricht, sondern auch bei allerlei menschlichen Eigenarten bis hin zu neurotischen Symptomen, von denen man spätestens seit Alfred Adler weiß, daß sie nachhaltige Wirkungen auf die menschliche Umgebung des Patienten ausüben und daß in dieser heimlichen Zielstrebigkeit vielleicht ihr Wesen begründet liegt.

All diese Probleme im Kopf und eine ferne Erinnerung daran, daß Karl Bühler «drei Aspekte der Sprache» (1934) unterschieden hatte (Symbol, Symptom, Appell), kam ich schließlich auf den Gedanken, den Teilnehmern unserer Trainingskurse die «Nachricht» als quadratisches Gebilde darzustellen, wobei ich die Sichtweisen von Watzlawick und Bühler kombinierte:

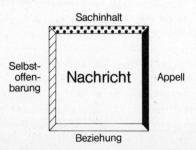

Abb. 1: *Vier Seiten der Nachricht – ein Modellstück der zwischenmenschlichen Kommunikation.*

Ich muß gestehen, daß ich über die «Geburt» dieses Quadrates sehr zufrieden gewesen bin (Schulz von Thun 1977). Es eignet sich sowohl zur Analyse konkreter Mitteilungen und zur Aufdeckung einer Vielzahl von Kommunikationsstörungen als auch zur Gliederung des gesamten Problemfeldes. Als psychologisches Handwerkszeug bildet es das Herzstück des vorliegenden Buches.

Drei Dinge sind beim Anblick des Quadrates sofort ersichtlich:

Erstens, daß «Klarheit» der Kommunikation eine vier-dimensionale Angelegenheit ist. Wenn jemand zu einem anderen sagt: «Ich habe fünfmal bei dir angerufen!» – so ist der *Sachverhalt* klar und verständlich. Weniger klar mag dem Empfänger sein, was der Sender von sich selbst mitteilen will (Enttäuschung? Hinweis auf den eigenen Eifer?) – unklar auch, was der Sender vom Empfänger hält (vielleicht der Vorwurf: «Wo treibst du dich bloß immer herum?» – Oder: «Du bist mir sehr wichtig!») und was er erreichen will (vielleicht: «Ruf doch mal von dir aus an!»). So mag beim Empfänger das Gefühl entstehen: «Ich verstehe zwar jedes Wort – aber was will er mir damit eigentlich sagen?» – Und vielfach haben die Empfänger die Tendenz, in die unklaren Seiten einer Nachricht etwas hineinzuhören, was aus dem reichen Schatz ihrer Phantasien, Erwartungen und Befürchtungen stammt – so empfangen sie gleichsam sich selbst und füllen ihre Seele mit dem eigenen Material.

Zweitens, daß in ein und derselben Nachricht viele Botschaften gleichzeitig enthalten sind, die sich um das Quadrat herumgruppieren. Dies ist ein folgenschwerer Tatbestand, denn der arme Empfänger hat auf alle (innerlich) zu reagieren und kommt dabei leicht durcheinander. Eindrucksvoll und verwirrend war für mich als kleiner Junge ein Erlebnis in der Straßenbahn. Ich saß neben meinem Großvater, einige Erwachsene hatten keinen Sitzplatz. Wütend fuhr ein Herr meinen Großvater an: Es sei unerhört, daß kleine Kinder den älteren Leuten den Sitzplatz wegnähmen. Mein Großvater ging mit ebenso lauter Stimme zum Gegenangriff über: «Wollen Sie hier meckern?» So ging es noch hin und her, und dann sagte mein Großvater mit einem Male zu meiner großen Verblüffung: «Sie haben ja recht!», ließ mich aufstehen und fügte hinzu: «Aber deswegen brauchen Sie nicht so zu meckern!» – Hier erlebte ich zum erstenmal, daß man offenbar gleichzeitig im Unrecht sein *und* recht haben kann – Nachrichten sind eben vierseitig, und mein Großvater stimmte dem Mann auf der Sach- und Appellseite zu, nicht hingegen auf der Beziehungsseite. – Wenn der Empfänger es verfehlt, seine unterschiedlichen inneren Reaktionen für sich selbst klar zu kriegen, wird er auch nicht klar nach außen reagieren können, und dann kommen Sender und Empfänger in ein heilloses Durcheinander. Da ist es dann bei schwierigen Auseinandersetzungen, von denen viel abhängt, keine Schande, einen Kommunikationspsychologen als Entflechtungshelfer und als Hebamme klarer Botschaften hinzuzuziehen. Vor allem von Paaren, Familien und Arbeitsgruppen wird dies zunehmend in Anspruch genommen.

Drittens ist zu sehen, daß die Seiten des Quadrates gleich lang sind. Damit ist die These verbunden, daß die vier Aspekte als prinzipiell gleichrangig anzusehen sind (wenn auch in jeder einzelnen Situation der eine oder andere Aspekt im Vordergrund stehen mag). Dieser Auffassung entgegen steht die Überbetonung des Sachaspektes in der Schule und im Arbeitsleben. Daß die heutige Schule zu «kopflastig» ist, auf die Wissensvermittlung zuviel und auf das soziale Lernen zu wenig Gewicht legt, hat sich herumgesprochen. Auch im Arbeitsleben zählt offiziell nur die Sache. Zwar sind die Probleme der Selbstdarstellung und der Beziehungsgestaltung damit nicht aus der Welt – im Gegenteil, die seelische Energie ist zu einem guten Teil von diesen Problemen absorbiert. Da aber diese menschlichen Angelegenheiten als «unsachlich» verpönt sind, gehen sie in den Untergrund, führen ein unterschwelliges, heimliches Leben, indem sie sich im Leib des trojanischen Pferdes der Sachlichkeit verstecken. Anliegen der Kommunikationspsychologie ist es, diese Verpönung aufzuheben und aus der eindimensionalen Sach-Kommunikation eine lebendig-blutvolle vierseitige Kommunikation zu machen. Allerdings sind viele von uns wegen des langjährigen einseitigen Sach-Trainings im Umgang mit den anderen drei Seiten der Nachricht wenig geübt. Dies wird in Trainings-, Selbsterfahrungs- und Therapiegruppen nachgeholt, in denen die rückständigen Persönlichkeitsbereiche aufholen können.

Verbesserung der zwischenmenschlichen Kommunikation durch Psychologie? Kommunikationspsychologie erhebt nicht nur den Anspruch, die Vorgänge zwischen Sender und Empfänger wissenschaftlich zu erhellen, sondern auch Rüstzeug und Wegweiser für eine Verbesserung der zwischenmenschlichen Kommunikation bereitzustellen. Wann aber ist eine Kommunikation besser oder schlechter? Als wir vor zehn Jahren mit unseren Trainingskursen begannen, waren wir – ohne uns das deutlich bewußt zu machen – der Auffassung, daß gute Kommunikation eine Sache der «ansprechenden Verpackung» sei. So hielten wir es für ungünstig, wenn jemand zu einem anderen sagte: «Nun reden Sie doch nicht so ein dummes Zeug!» Wir hielten es für günstiger, wenn er statt dessen etwa sagen würde: «Ich bin nicht ganz sicher, ob ich Ihnen in allen Punkten zustimmen kann» (s. Abb. 2).

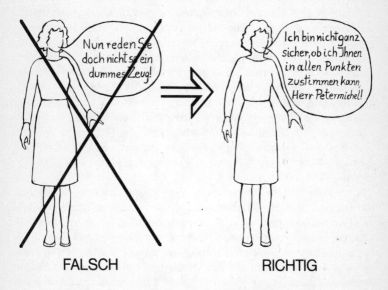

Abb. 2: *Geheime Leitvorstellungen für eine Verbesserung der Kommunikation (unsere Auffassung vor zehn Jahren – heute überholt).*

Wir dachten: Wenn wir die Teilnehmer für die gefühlsmäßigen Unterschiede dieser beiden Versionen empfindsam machen und den wünschenswerten Stil in geeigneten Übungen trainieren würden, dann hätten wir zur Verbesserung der Kommunikation und der seelischen Hygiene einen wichtigen Beitrag geleistet.

Aus heutiger Sicht sieht die Sache etwas schwieriger aus. Der emotionale Unmut, der in der ersten Version zum Ausdruck kommt, ist eine seelische Realität. Wie kann ich mit dieser Realität umgehen? Wie kann ich meinen Unmut wahrnehmen (also merken, was mit mir los ist), wie kann ich auseinanderhalten, was er mit mir und was er mit dir zu tun hat? Wie kann ich dich einweihen, ohne dir damit gleich die Schuld aufzubürden? Die Version «Richtig» in Abb. 2 verleugnet etwas von der emotionalen Realität. Dies mag geeignet sein für manchen reibungslosen Schnellverkehr, ist jedoch kaum tauglich als Modell für einen seelisch günstigen Umgang mit mir selber und mit anderen. Im Gegenteil: Ich muß befürchten, daß der unausgedrückte Unmut im seelischen Untergrund weiter wuchert und das Zusammensein aus dem Verborgenen belastet. Diese «Tiefendimension» der zwischenmenschlichen Kommunikation hatten wir damals wenig im Auge. Und so waren wir den Teilnehmern weniger in der gefühlsmäßigen Auseinandersetzung mit sich selber behilflich als vielmehr im Einüben konzeptgemäßer Formulierungen. Als Trainer waren wir selber Vorbild für einen solchen Kommunikationsstil: Die Wahrnehmung und die Auseinandersetzung mit unseren eigenen Gefühlen haben wir teilweise vermieden, erst recht die Bekanntgabe unserer Innenwelt. Statt dessen waren wir darauf aus, das Training «mit Anstand über die Bühne» zu bringen, und das hieß für uns: eine souveräne, einfühlsame und gleichbleibend freundliche Art zur Schau zu stellen (ich hoffe, ich übertreibe etwas!).

Der Weg über «ansprechende Verpackungen» war ein Irrweg, statt dessen werden «Klarheit» und «Stimmigkeit» zu neuen Maßstäben, an der sich eine sinnvolle Kommunikation zu messen hat. Mit «Stimmigkeit» ist nicht nur die Übereinstimmung meiner Kommunikation mit meiner inneren Verfassung, meinen Zielen und Werten gemeint, sondern auch mit der Verfassung meines Gegenübers und mit der «Wahrheit der Situation» (s. S. 123). – Als aussichtsreiches Heilmittel gegen eine gestörte Kommunikation hat sich die *Metakommunikation* herausgestellt, d. h. die Kommunikation über die Kommunikation, über die Art, wie wir miteinander umgehen. Die Kommunikationstherapeuten Mandel und Mandel schrieben 1971: «Explizite Metakommunikation ist völlig unüblich, man schämt sich ihrer. Es würde geradezu einer Evolution gleichkommen, gelänge es, sie in der nächsten Generation zur Gewohnheit zu machen.» (S. 62)

Das vorliegende Buch vermittelt Werkzeuge zur Förderung von innerer und äußerer Klarheit und ist eine Einführung in die Kunst der Metakommunikation. Es richtet sich zwar zunächst an Psychologen und angehende Psychologen, zu deren Beruf es gehört, Gruppen zu leiten, Kommunikationstrainings durchzuführen, Paare, Familien und Arbeitsgruppen in der Art ihres Miteinanders zu fördern. Jedoch sind Zaungäste aller Art erwünscht. Sie können Einblick nehmen, mit welcher «Brille» wir Kommunikationspsychologen und -therapeuten zwischenmenschliche Vorgänge betrachten, wie wir Störungen und Pannen ausmachen und mit welchem Hintergrundwissen wir Änderungen vorschlagen. Vieles von diesem Handwerkszeug gehört in die Hand von jedermann, und einige Lehrer haben angefangen, etwas davon an ihre Schüler weiterzugeben. Mir liegt sehr daran, Psychologie aus der Hand zu geben, anstatt sie (wie Ruth Cohn das nennt) «im Geheimkabinett einzuschließen». Ich bin mir der Gefahr bewußt, daß Psychologie zuweilen «in die falschen Hände» gerät, in den Dienst der Manipulation und inhumaner Tendenzen gestellt wird – und sich stellen läßt. Ich sehe auch die Gefahr, daß die wissenschaftliche Beschäftigung mit zwischenmenschlichen Vorgängen zu einer Verwissenschaftlichung der Mitmenschlichkeit führen kann und zu neuen Imponiersprachen der Eingeweihten. Einen Vorgeschmack auf solche möglichen Fehlentwicklungen gibt die Satire auf S. 256. Genauso bin ich aber überzeugt, daß die Chancen überwiegen, daß das Erlernen von Klarheit und besserer Verständigung der Persönlichkeitsbildung und der mitmenschlichen Beziehung dient.

Noch ein Wort zur Reichweite der nachfolgenden Kapitel. Wer zwischenmenschliche Kommunikation verbessern will, kann an drei verschiedenen Stellen ansetzen:

1. Ansatz am Individuum. Das heißt: Ich fange bei mir selber an bzw. berate und trainiere einzelne Menschen. Hier besteht einerseits die Chance, unterentwickelte Persönlichkeitsbereiche zu vervollkommnen und den einzelnen mehr und mehr zu befähigen, Herr und Meister seiner selbst zu werden (Anliegen der Humanistischen Psychologie), andererseits die Gefahr, die Ursachen gestörter Kommunikation nur beim Individuum zu suchen. So werden zuweilen Schüler als «gestört» dem Psychologen überwiesen und erhalten dadurch – neben der Hilfe – auch den Prägestempel der Pathologie (vgl. Kap. B III, 5, S. 192. Unbeachtet bleibt dabei, daß der störende Schüler vielleicht nur das auffälligste Symptom einer gestörten Beziehung zwischen Lehrer und Schüler oder der Schüler untereinander ist. Diese Blickfelderweiterung führt zum

2. Ansatz an der Art des Miteinanders. Der «Patient» ist hier nicht ein einzelnes «schwarzes Schaf», sondern der Umgangsstil einer ganzen Gruppe (vgl. «Patient Familie», Richter 1970). Das hier charakteristische «Denken in Systemen» ist grundlegend für Paar-

und Familientherapie (Bandler u. a. 1978) und für die moderne Schulberatung (Brunner u. a. 1978; Redlich und Schley 1979).

Auch bei dieser Kommunikationstherapie ist im Blick zu behalten, daß bestimmte Umgangsformen möglicherweise gar nicht so sehr der (prinzipiell) freien Gestaltung der Kommunikationspartner unterliegen, sondern sozusagen «von oben» vorprogrammiert sind. Diese abermalige Blickfelderweiterung führt zum

3. Ansatz an den institutionellen/gesellschaftlichen Bedingungen.
Veränderungswürdig erscheinen hier weder der einzelne noch die Interaktion zwischen mehreren, sondern die Zustände, unter denen die Menschen zusammenkommen und die ihnen bestimmte Umgangsformen aufzwingen oder zumindest nahelegen. So mag eine hierarchisch gegliederte Arbeitswelt, die einigen wenigen den Aufstieg ermöglicht, die aber gleichzeitig auf Kooperation angewiesen ist, eine Kommunikation mit «doppeltem Boden» nahelegen: vorgeblich kooperativ, aber heimlich rivalitätsorientiert (vgl. Schulz von Thun 1978).

Auch für die Institution Schule läßt sich zeigen, daß sie «heimliche Lehrpläne» vorsieht, die die Lehrer-Schüler-Beziehung und die Beziehung der Schüler untereinander von vornherein belastet und «gestörte Kommunikation» vorprogrammiert (vgl. Tillmann 1976; Brunner u. a. 1978). – Von diesem Standpunkt aus läßt sich begründet argumentieren, daß die oben erwähnten Heilmittel (psychologische Schülerhilfe, Kommunikationstrainings für Lehrer, Interaktionstherapie für Lehrer-Schüler-Beziehungen) zu kurz greifen und das wahre Übel nicht bei der Wurzel packen. Notwendig wären statt dessen institutionelle Reformmaßnahmen oder – wenn sich herausstellt, daß die Institution der zwangsläufigen Logik des Gesellschaftssystems entspricht – grundlegende gesellschaftspolitische Umorientierungen, die auf politischer Ebene zu erstreiten sind.

Für einige meiner Studenten ist das Buch bereits an dieser Stelle «gestorben», wenn ich erkläre, daß es vor allem für die Ansätze 1 und 2 Rüstzeug bietet. Sie sehen darin eine (für die bürgerliche Psychologie typische) «Psychologisierung» der Probleme, die an Symptomen kuriert, den Blick für die eigentlichen Ursachen des Übels verstellt und dadurch ein krankmachendes System am Leben erhält. Ich sehe diese Gefahr auch, wenn die psychologischen Ansätze mit einer Blindheit für die im 3. Ansatz betonten Faktoren und Zusammenhänge verbunden sind. Als genauso gefährlich sehe ich es an, wenn der 3. Ansatz mit einer Blindheit für die Faktoren und

Zusammenhänge der beiden ersten Ansätze verbunden ist (Schulz von Thun 1980). Kann man glaubwürdig und vertrauenserweckend für eine Veränderung der Gesellschaft eintreten, ohne bei sich selbst und im kleinen Kreis der unmittelbaren Reichweite anzufangen?

Wer «ganze Arbeit» leisten will, wird die drei Ansätze miteinander verbinden müssen. Ich halte es für vertretbar, wenn ein psychologischer Beitrag die Ansätze 1 und 2 ausarbeitet, im Bewußtsein, daß damit noch nicht die ganze Arbeit getan ist.

Teil A:
Grundlagen

I. Die Anatomie einer Nachricht
(oder: Wenn einer etwas von sich gibt ...)

Der Grundvorgang der zwischenmenschlichen Kommunikation ist schnell beschrieben. Da ist ein *Sender*, der etwas mitteilen möchte. Er verschlüsselt sein Anliegen in erkennbare Zeichen – wir nennen das, was er von sich gibt, seine *Nachricht*. Dem *Empfänger* obliegt es, dieses wahrnehmbare Gebilde zu entschlüsseln. In der Regel stimmen gesendete und empfangene Nachricht leidlich überein, so daß eine Verständigung stattgefunden hat. Häufig machen Sender und Empfänger von der Möglichkeit Gebrauch, die Güte der Verständigung zu überprüfen: Dadurch, daß der Empfänger zurückmeldet, wie er die Nachricht entschlüsselt hat, wie sie bei ihm angekommen ist und was sie bei ihm angerichtet hat, kann der Sender halbwegs überprüfen, ob seine Sende-Absicht mit dem Empfangsresultat übereinstimmt. Eine solche *Rückmeldung* heißt auch *Feedback*.

Abb. 3: *Beispiel für eine Nachricht aus dem Alltag: Die Frau sitzt am Steuer, der Mann (Beifahrer) ist Sender der Nachricht.*

Schauen wir uns die «Nachricht» genauer an. Für mich selbst war es eine faszinierende «Entdeckung», die ich in ihrer Tragweite erst nach und nach erkannt habe, *daß ein und dieselbe Nachricht stets viele Botschaften gleichzeitig enthält.* Dies ist eine Grundtatsache des Lebens, um die wir als Sender und Empfänger nicht herumkommen. Daß jede Nachricht ein ganzes Paket mit vielen Botschaften ist, macht den Vorgang der zwischenmenschlichen Kommunikation so kompliziert und störanfällig, aber auch so aufregend und spannend.

Um die Vielfalt der Botschaften, die in einer Nachricht stecken, ordnen zu können, möchte ich vier seelisch bedeutsame Seiten an ihr unterscheiden. Ein Alltagsbeispiel (s. Abb. 3).

Der Mann (= Sender) sagt zu seiner am Steuer sitzenden Frau (= Empfänger): «Du, da vorne ist grün!» – Was steckt alles drin in dieser Nachricht, was hat der Sender (bewußt oder unbewußt) hineingesteckt, und was kann der Empfänger ihr entnehmen?

1. Sachinhalt
(oder: Worüber ich informiere)

Zunächst enthält die Nachricht eine Sachinformation. Im Beispiel erfahren wir etwas über den Zustand der Ampel – sie steht auf grün. Immer wenn es «um die Sache» geht, steht diese Seite der Nachricht im Vordergrund – oder sollte es zumindest.

Auch im Augenblick übermittle ich in diesem Kapitel an den Leser zahlreiche Sachinformationen. Sie erfahren hier Grundlagen der Kommunikationspsychologie. – Dies ist jedoch nur ein Teil von dem, was sich gegenwärtig zwischen mir (dem Sender) und Ihnen (den Empfängern) abspielt. Wenden wir uns daher dem zweiten Aspekt der Nachricht zu:

2. Selbstoffenbarung
(oder: Was ich von mir selbst kundgebe)

In jeder Nachricht stecken nicht nur Informationen über die mitgeteilten Sachinhalte, sondern auch Informationen über die Person des Senders. Dem Beispiel können wir entnehmen, daß der Sender offenbar deutschsprachig und vermutlich farbtüchtig ist, überhaupt, daß er wach und innerlich dabei ist. Ferner: daß er es vielleicht eilig hat usw. Allgemein gesagt: In jeder Nachricht steckt ein Stück Selbstoffenbarung des Senders. Ich wähle den Begriff der Selbstoffenbarung, um damit sowohl die gewollte *Selbstdarstellung* als auch die unfreiwillige *Selbstenthüllung* einzuschließen. Diese Seite der Nachricht ist psychologisch hochbrisant, wie wir sehen werden.

Auch während Sie dieses jetzt lesen, erfahren Sie nicht nur Sachinformationen, sondern auch allerhand über mich, Schulz von Thun, den Autor. Über meine Art, Gedanken zu entwickeln, bestimmte Dinge wichtig zu finden. Würde ich Ihnen dieses mündlich vortragen, könnten Sie aus der Art, wie ich mich gäbe, vielleicht Informationen über meine Fähigkeiten und meine innere Befindlichkeit entnehmen. Der Umstand, daß ich – ob ich will oder nicht – ständig auch Selbstoffenbarungsbotschaften von mir gebe, ist mir als Sender wohl bewußt und bringt mich in Unruhe und in Bewegung. Wie werde ich dastehen als Autor? Ich möchte Sachinformationen vermitteln, jawohl, aber ich möchte auch einen guten Eindruck machen, möchte mich als eine Person präsentieren, die etwas anzubieten hat, die weiß, wovon sie schreibt, und die gedanklich und sprachlich «auf der Höhe» ist.

Mit dieser Seite der Nachricht verbinden sich viele Probleme der zwischenmenschlichen Kommunikation. In einem späteren Kapitel (S. 106ff) werde ich darstellen, wie der Sender versucht, mit dieser Problematik fertigzuwerden. Wie er, in dem Bemühen, sich von der besten Seite zu zeigen, allerlei Techniken der Selbsterhöhung und Selbstverbergung anwendet – nicht immer zu seinem eigenen Besten.

3. Beziehung
(oder: Was ich von dir halte
und wie wir zueinander stehen)

Aus der Nachricht geht ferner hervor, wie der Sender zum Empfänger steht, was er von ihm hält. Oft zeigt sich dies in der gewählten Formulierung, im Tonfall und anderen nichtsprachlichen Begleitsignalen. Für diese Seite der Nachricht hat der Empfänger ein besonders empfindliches Ohr; denn hier fühlt er sich als Person in bestimmter Weise behandelt (oder mißhandelt). In unserem Beispiel gibt der Mann durch seinen Hinweis zu erkennen, daß er seiner Frau nicht recht zutraut, ohne seine Hilfe den Wagen optimal zu fahren.

Möglicherweise wehrt sich die Frau gegen diese «Bevormundung» und antwortet barsch: «Fährst du oder fahre ich?» – wohlgemerkt: ihre Ablehnung richtet sich in diesem Fall nicht gegen den Sachinhalt (dem wird sie zustimmen!). Sondern ihre Ablehnung richtet sich gegen die empfangene Beziehungsbotschaft.

Allgemein gesprochen: Eine Nachricht senden heißt auch immer, zu dem Angesprochenen eine bestimmte Art von Beziehung auszudrücken. Streng genommen ist dies natürlich ein spezieller Teil der Selbstoffenbarung. Jedoch wollen wir diesen Beziehungsaspekt als davon unterschiedlich behandeln, weil die psychologische Situation des Empfängers verschieden ist: Beim Empfang der Selbstoffenbarung ist er ein nicht selbst betroffener *Diagnostiker* («Was sagt mir deine Äußerung über *dich* aus?»), beim Empfang der Beziehungsseite ist er selbst «betroffen» (oft im doppelten Sinn dieses Wortes).

Genaugenommen sind auf der Beziehungsseite der Nachricht zwei Arten von Botschaften versammelt. Zum einen solche, aus denen hervorgeht, was der Sender vom Empfänger hält, wie er ihn sieht. In dem Beispiel gibt der Mann zu erkennen, daß er seine Frau für hilfsbedürftig hält. – Zum anderen enthält die Beziehungsseite aber auch eine Botschaft darüber, wie der Sender *die Beziehung zwischen sich und dem Empfänger* sieht («so stehen wir zueinander»). Wenn jemand einen anderen fragt: «Na, und wie geht es in der Ehe?» – dann enthält diese Sach-Frage implizit auch die Beziehungsbotschaft: «Wir stehen so zueinander, daß solche (intimen) Fragen durchaus möglich sind.» – Freilich kann es sein, daß der Empfänger mit dieser *Beziehungsdefinition* nicht einverstanden ist, die Frage für deplaciert und zudringlich hält. Und so können wir nicht selten erleben, daß zwei Gesprächspartner ein kräftezehrendes Tauziehen um die Definition ihrer Beziehung veranstalten (s. Kap. BIII, 4, S. 179ff).

Während also die Selbstoffenbarungsseite (vom Sender aus betrachtet) *Ich-Botschaften* enthält, enthält die Beziehungsseite einerseits *Du-Botschaften* und andererseits *Wir-Botschaften*.

Was spielt sich jetzt, während Sie diesen Text lesen, auf der Beziehungsseite der Nachricht ab? Indem ich überhaupt diesen Beitrag geschrieben und veröffentlicht habe, gebe ich zu erkennen, daß ich Sie hinsichtlich unseres Themas für informationsbedürftig halte. Ich weise Ihnen die Rolle des Schülers zu. Indem Sie lesen (und weiterlesen), geben Sie zu erkennen, daß Sie eine solche

Beziehung für den Augenblick akzeptieren. Es könnte aber auch sein, daß Sie sich durch meine Art der Entwicklung von Gedanken «geschulmeistert» fühlen. Daß Sie bei sich denken: »Mag ja ganz richtig sein, was der da schreibt (Sachseite der Nachricht), aber die dozierende Art fällt mir auf den Wecker!» Ich habe selbst erlebt, daß manche Empfänger allergisch reagieren, wenn ich die Sachinformation übertrieben verständlich darstelle; das Gefühl mag sein: «Er muß mich für dumm halten, daß er die Informationen so einfach, gleichsam ‹idiotensicher› darstellt.» Sie sehen, wie selbst bei sachorientierten Darstellungen die Beziehungsseite der Nachricht das Geschehen mitbestimmen kann.

4. Appell
(oder: Wozu ich dich veranlassen möchte)

Kaum etwas wird «nur so» gesagt – fast alle Nachrichten haben die Funktion, auf den Empfänger *Einfluß zu nehmen*. In unserem Beispiel lautet der Appell vielleicht: «Gib ein bißchen Gas, dann schaffen wir es noch bei grün!»

Die Nachricht dient also (auch) dazu, den Empfänger zu veranlassen, bestimmte Dinge zu tun oder zu unterlassen, zu denken oder zu fühlen. Dieser Versuch, Einfluß zu nehmen, kann mehr oder minder offen oder versteckt sein – im letzteren Falle sprechen wir von Manipulation. Der manipulierende Sender scheut sich nicht, auch die anderen drei Seiten der Nachricht in den Dienst der Appellwirkung zu stellen. Die Berichterstattung auf der Sachseite ist dann einseitig und tendenziös, die Selbstdarstellung ist darauf ausgerichtet, beim Empfänger bestimmte Wirkung zu erzielen (z.B. Gefühle der Bewunderung oder Hilfsbereitschaft); und auch die Botschaften auf der Beziehungsseite mögen von dem heimlichen Ziel bestimmt sein, den anderen «bei Laune zu halten» (etwa durch unterwürfiges Verhalten oder durch Komplimente). Wenn Sach-, Selbstoffenbarungs- und Beziehungsseite auf die Wirkungsverbesserung der Appellseite ausgerichtet werden, werden sie *funktionalisiert*, d.h. spiegeln nicht wider, was ist, sondern werden zum Mittel der Zielerreichung. Darüber ausführlich in Kap. B IV, 1, S. 209 ff.

Der Appellaspekt ist vom Beziehungsaspekt zu unterscheiden, denn mit dem gleichen Appell können sich ganz unterschiedliche Beziehungsbotschaften verbinden. In unserem Beispiel mag die Frau den Appell an sich vernünftig finden, aber empfindlich auf die

Bevormundung reagieren. Oder umgekehrt könnte sie den Appell für unvernünftig halten («ich sollte nicht mehr als 60 fahren»), aber es ganz in Ordnung finden, daß der Mann ihr in dieser Weise Vorschläge zur Fahrweise macht.

Natürlich enthält auch dieses Buch etliche Appelle. Sie werden in den folgenden Kapiteln noch deutlicher werden. Ein wesentlicher Appell lautet zum Beispiel: Versuche, in kritischen (Kommunikations-)Situationen, die «leisen» Selbstoffenbarungs-, Beziehungs- und Appellbotschaften direkt anzusprechen bzw. zu erfragen, um auf diese Weise «quadratische Klarheit» zu erreichen!

Die nun hinlänglich beschriebenen vier Seiten einer Nachricht sind im folgenden Schema zusammengefaßt:

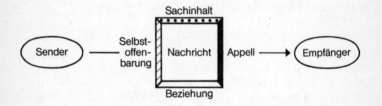

Abb. 4: *Die vier Seiten (Aspekte) einer Nachricht – ein psychologisches Modell der zwischenmenschlichen Kommunikation.*

Dieses Modell ist angeregt durch Bühler (1934) und Watzlawick u. a. (1969). Bühler unterscheidet «drei Aspekte der Sprache»: *Darstellung* (= Sachinhalt), *Ausdruck* (= Selbstoffenbarung) und *Appell*. Watzlawick unterscheidet zwischen dem *Inhalts-* und dem *Beziehungs*aspekt von Nachrichten. Der «Inhaltsaspekt» ist gleichbedeutend mit dem «Sachinhalt» des vorliegenden Modells. Der «Beziehungsaspekt» ist dagegen bei ihm weiter definiert und umfaßt im Grunde alles drei: «Selbstoffenbarung», «Beziehung» (im engeren Sinne) und «Appell», und damit auch den «metakommunikatorischen» Anteil an der Nachricht, der Hinweise darauf gibt, wie sie aufzufassen ist. Den Vorteil des hier vorgestellten Modells sehe ich darin, daß es die Vielfalt möglicher Kommunikationsstörungen und -probleme besser einzuordnen gestattet und den Blick öffnet für verschiedene Trainingsziele zur Verbesserung der Kommunikationsfähigkeit.

5. Die Nachricht als Gegenstand der Kommunikationsdiagnose

Halten wir fest: Ein und dieselbe Nachricht enthält viele Botschaften; ob er will oder nicht – der Sender sendet immer gleichzeitig auf allen vier Seiten. Die Vielfalt der Botschaften läßt sich mit Hilfe des Quadrates ordnen. Dieses «Drumherum» der Botschaften bestimmt die psychologische Qualität einer Nachricht. Zur Verdeutlichung dieser kommunikationspsychologischen Arbeitsweise nehmen wir noch einmal die Nachricht des Beifahrers: «Du, da vorne ist grün!» unter die kommunikationspsychologische Lupe:

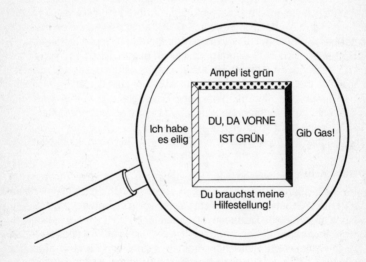

Abb. 5: *Das Botschaftsgeflecht einer Nachricht, wie es unter der kommunikationspsychologischen Lupe sichtbar wird.*

Bisher habe ich aus Gründen der Vereinfachung so getan, als ob das Drumherum von Botschaften bei jeder Nachricht eindeutig wäre. Das Gegenteil ist der Fall. Wie wir sehen werden, kann das gesendete und das empfangene Botschaftsgeflecht erheblich verschieden sein (s. Kap. A II, 3, S. 61ff).

Übungen

Legen Sie die folgenden Nachrichten unter die kommunikationspsychologische Lupe:

a) Ehepaar sitzt abends beim Fernsehen. Sagt der Mann: «Erna, das Bier ist alle!»

b) Lehrer geht den Flur entlang, um in seiner Klasse Unterricht zu halten. Da kommt ihm die zehnjährige Astrid entgegen und sagt aufgebracht: «Herr Meier, die Resi hat ihren Atlas einfach in die Ecke gepfeffert!»

c) Welches Gespräch, das Sie kürzlich mit jemandem geführt haben, kommt Ihnen in den Sinn? Besinnen Sie sich auf je *eine* Äußerung, die Ihr Gesprächspartner und Sie selbst getan haben und analysieren Sie sie kommunikationspsychologisch!

d) Der folgende Ausschnitt stammt aus einem telefonischen Beratungsgespräch.* Die Ratsuchende, ein 26jähriges Mannequin, unverheiratet, schwanger im dritten Monat, hat ihren Konflikt vorgetragen: Soll oder darf sie das Kind abtreiben? Betrachten Sie die Reaktion des Ratgebers unter kommunikationspsychologischen Gesichtspunkten:

Ratgeber: «Ich muß Ihnen ganz ehrlich sagen: Nicht daß ich prinzipiell was gegen Abtreibung hätte, es gibt Situationen, wo man sie also mehr als befürworten sollte, nicht? Aber zum Gesamtmenschenbild gehört das Kind mit hinzu, und Sie sagten mir vorhin, wenn ich Sie recht verstanden habe, Sie lieben zwar diesen Kindesvater, aber würden ihn nicht heiraten ...»

Ratsuchende: «Nein, ich möchte eigentlich *überhaupt* nicht heiraten, ich fühle mich sehr wohl, so wie ich lebe.»

Ratgeber: «Ja, wissen Sie, Sie genießen zwar jetzt 'ne gewisse Freiheit, aber 'ne gewisse Freiheit verleitet auch sehr schnell dazu, daß man – ich möchte jetzt nicht sagen: völlig verantwortungslos wird – das stimmt nicht. Daß man, äh – man fühlt sich doch nur dann recht wohl in diesem Leben – ich weiß nicht, vielleicht ist das bei Ihnen noch nicht so ganz durchgekommen, wenn man für eine ganz bestimmte Sache auch mal verantwortlich zeichnet, daß man für etwas da ist – ich meine, Sie haben jetzt Ihren Beruf, nicht? Aber wie gesagt, der Beruf – ich weiß nicht recht, in welchem Alter man da so nicht mehr gefragt ist, aber ich könnte mir doch in etwa denken, so in vier, fünf Jahren wäre das soweit, daß Sie dann eben nicht mehr so schön lächeln können, wie Sie jetzt müssen ...»

---

* Tonbandmitschnitt aus einem Forschungsprojekt von Dr. Frauke Teegen und Dr. Dorothee Wiehand-Kranz.

5.1. Nachrichten und Botschaften

Ich benütze beide Begriffe in der folgenden Weise: Die «Nachricht» ist das ganze vielseitige Paket mit seinen sprachlichen und nicht-sprachlichen Anteilen. Eine Nachricht enthält viele Botschaften gleichzeitig. Sie ist Gegenstand der Kommunikationsdiagnose, indem wir das Drumherum der Botschaften unter die Lupe nehmen. – Was aber ist die Analyseeinheit? Handelt es sich bei der Nachricht um einen einzigen Satz, oder können es zwei oder mehrere Sätze sein? Antwort: Dies ist nicht festgelegt, hängt ab von der praktischen Zielsetzung. Es kann sich um ein einziges Wort (z. B. «Raus!!») oder um einen einzigen «vielsagenden» Blick handeln, man kann aber auch eine ganze Rede oder einen Brief zugrundelegen.

Explizite und implizite Botschaften. Botschaften können in der Nachricht *explizit* oder *implizit* enthalten sein. Explizit heißt: ausdrücklich formuliert. Implizit heißt: ohne daß es direkt gesagt wird, steckt es doch drin oder kann zumindest «hineingelegt» werden.

Die Unterteilung explizit/implizit ist unabhängig von der quadratischen Unterteilung: Auf allen vier Seiten der Nachricht sind explizite wie implizite Botschaften möglich. So kann ich (explizit) sagen: «Ich bin aus Hamburg» – oder aber (implizit) durch meinen sprachlichen Dialekt den Hamburger verraten. Genauso kann ich (explizit) jemandem sagen, was ich von ihm halte oder aber (implizit) in Tonfall und Formulierungen so «von oben herab» reden und auf diese Weise nicht minder eindrucksvoll zu erkennen geben, wie ich zu ihm stehe. Genauso kann ich einen Appell explizit («Erna, hol Bier!») oder implizit senden («Erna, das Bier ist alle»).

Man könnte geneigt sein anzunehmen, daß die expliziten Botschaften die eigentlichen Hauptbotschaften sind, während die impliziten Botschaften etwas weniger wichtig am Rande mitlaufen. Dies ist keineswegs der Fall. Im Gegenteil – die «eigentliche» Hauptbotschaft wird oft implizit gesendet. Manche Sender haben geradezu eine Meisterschaft darin entwickelt, ihre Aussage durch implizite Botschaften an den Mann zu bringen, um sie notfalls dementieren zu können («Das habe ich nicht gesagt!»).

Nonverbale Nachrichtenanteile. Für implizite Botschaften wird oft der nicht-sprachliche Kanal bemüht: Über die Stimme, über Betonung und Aussprache, über begleitende Mimik und Gestik werden teils eigenständige und teils «qualifizierende» Botschaften vermittelt. Mit «qualifizierend» ist gemeint: Die Botschaften geben Hinweise darauf, wie die sprachlichen Anteile der Nachricht «gemeint» sind. Ein Satz wie «Das sollst du mir büßen!» hängt in seiner Bedeutung entscheidend davon ab, wie die nichtsprachlichen Begleitsignale aussehen bzw. sich anhören (s. auch S. 37). «Nonverbale Kommunikation» hat sich in letzter Zeit zu einem bedeutsamen Forschungsgebiet und zu einem (besonders für die therapeutische Kommunikation) wichtigen Beobachtungsfeld entwickelt.

Läßt sich das Modell auch auf rein nicht-sprachliche Nachrichten anwenden? Ja. Hier ist allerdings meist die Sach-Seite leer. Angenommen, jemand weint. Alle restlichen drei Seiten dieser Nachricht können wichtige Botschaften enthalten. Selbstoffenbarung: vielleicht Traurigkeit, seelisches Elend, vielleicht Freude – jedenfalls emotionale Bewegtheit. Beziehung: vielleicht eine Bestrafung des Empfängers («Da siehst du, was du angerichtet hast, du gemeiner Kerl!»). Appell: Vielleicht handelt es sich bei dem Weinen auch um eine (bewußte) Strategie, um Zuwendung oder Schonung zu erhalten (s. Abb. 6).

Abb. 6: *Drei Seiten einer nicht-verbalen Nachricht.*

«Man kann nicht nicht kommunizieren.» Dieses «Grundgesetz» der Kommunikation (Watzlawick 1969) ruft uns in Erinnerung, daß jedes Verhalten Mitteilungscharakter hat. Ich muß gar nicht etwas sagen, um zu kommunizieren. Jedes Schweigen ist «beredt» und stellt eine Nachricht mit mindestens drei Seiten dar. Angenommen, ich betrete ein Zugabteil. Jemand sitzt darin, und ich begrüße ihn mit einer freundlichen Bemerkung. Er reagiert nicht und liest weiter in seiner

Zeitung. Die Nachricht, die ich «höre», liegt in Abb. 7 unter der kommunikationspsychologischen Lupe:

Abb. 7: *Jedes Verhalten hat Mitteilungscharakter, hier: Das Schweigen im Zugabteil.*

Jedes in einem zwischenmenschlichen Kontext gezeigte Verhalten hat einen quadratischen Charakter und wird als solches aufgenommen.

5.2. Kongruente und inkongruente Nachrichten

Das gleichzeitige Enthaltensein von sprachlichen und nichtsprachlichen Anteilen an der Nachricht eröffnet einerseits die Möglichkeit, daß sich diese Anteile gegenseitig ergänzen und unterstützen, andererseits aber auch die verwirrende Möglichkeit, daß sie einander widersprechen.

Eine Nachricht heißt *kongruent*, wenn alle Signale in die gleiche Richtung weisen, wenn sie in sich stimmig ist. So paßt ein wütender Blick und eine laute Stimme zu dem Satz «Ich will dich nicht mehr sehen, du Schuft!»

Besondere Beachtung dagegen haben in der kommunikationspsychologischen Literatur der letzten Zeit Nachrichten erfahren, die *inkongruent* sind, wo also die sprachlichen und nicht-sprachlichen Signale nicht zueinander passen, in Widerspruch zueinander stehen. So mag jemand auf die Frage «Ist irgendwas los mit Ihnen?» antworten: «Es ist alles in Ordnung!», aber durch Tonfall und Mimik deutlich ausdrücken, daß doch etwas nicht in Ordnung ist (s. Abb. 8a). – Auch der umgekehrte Fall ist vorstellbar und häufig anzutreffen (Abb. 8b).

Abb. 8: *Beispiele für inkongruente Nachrichten.*

In Anlehnung an Haley (1978) soll dieser Sachverhalt nun noch einmal etwas theoretischer und systematisch betrachtet werden. Wir haben zwischenmenschliche Kommunikation bisher deshalb als so verwickelt erfahren, weil jede gesendete Nachricht ein ganzes Geflecht von Botschaften darstellt. Jetzt wird die Sache noch einmal um eine Stufe komplizierter: Der Sender kommuniziert – ob er will oder nicht – immer auch auf zwei Ebenen gleichzeitig: Auf der Mitteilungsebene und auf der Meta-Ebene. Die Botschaften dieser beiden Ebenen «qualifizieren» einander, d. h. geben wechselseitig Interpretationshilfen darüber, wie die Botschaft der anderen Ebene gemeint ist. Die Menschen sagen nicht nur etwas, sondern qualifizieren das Gesagte auch.

Die Botschaften können einander in kongruenter oder in inkongruenter Weise qualifizieren. Auf welche Weise werden Mitteilungen qualifiziert? Haley unterscheidet vier Möglichkeiten:

Qualifikation durch den Kontext: Wenn ein Ehemann angesichts einer angebrannten Kohlroulade sagt: «Ich bewundere deine Kochkünste!», dann qualifiziert der Kontext das Gesagte in inkongruenter Weise. Hier ist es also nicht ein Bestandteil der Nachricht selbst, der zu anderen Bestandteilen unstimmig ist, sondern sind es offenkundige Sachverhalte in der Situation.

Qualifikation durch die Art der Formulierung. Die Art, wie jemand einen Sachverhalt formuliert, qualifiziert das Gesagte. Zum Beispiel wird jemand nach einer Magenverstimmung gefragt, wie es ihm gehe. Die Antwort lautet: «Ich bin todkrank!» Die übertreibende Formulierung qualifiziert den Inhalt der Aussage in inkongruenter Weise. Oder in einer Diskussion um die Frage, ob man den Strafvollzug humaner gestalten sollte, sagt jemand: «Ich wäre dafür, aus den Gefängnissen Sanatorien zu machen, weil doch kriminelle Taten einen Beweis dafür darstellen, daß der arme Täter krank ist und nichts dafür kann. Also muß er doch geheilt und gepflegt werden.» – Wenn wir als Empfänger diese Aussage hören, werden wir unsicher: Ist das so seine Meinung, oder karikiert und ironisiert er einen Standpunkt, den er sich selbst gerade nicht zu eigen machen möchte? Die überspannte Formulierung («Sanatorium») stellt eine wahrscheinlich inkongruente Qualifizierung dar.

Qualifizierung durch Körperbewegungen (Mimik und Gestik). Etwa kann eine positive Beziehungsaussage («ich mag dich») von einer ablehnenden Körperbewegung begleitet sein. (Weitere Beispiele s. Abb. 8.)

Qualifizierung durch den Tonfall. «‹Wir werden uns freuen, Sie zu sehen›, sagte die Fürstin trocken. Der kühle Ton, in dem ihre Mutter sprach, berührte Kitty peinlich, und sie konnte nicht umhin, wieder gutzumachen, was er etwa verdorben haben mochte. Sie wandte den Kopf um und sagte lächelnd: ‹Auf Wiedersehen!›» – So ergeht es dem jungen Ljewin in Tolstois «Anna Karenina» (o. J., S. 36). Natürlich ist ihm bewußt, daß der sprachliche Inhalt der Nachricht («Wir werden uns freuen...») den artigen Gepflogenheiten des Umgangs unter Adeligen genüge tut, hingegen die «eigentliche» Botschaft stets nur dem Tonfall entnommen werden kann. Kommunikationstherapeuten sind darin geübt, auf derartige Inkongruenzen zu achten und den Sender darauf aufmerksam zu machen («Du sagst, Helmut, du seist sehr traurig – und lachst dabei?»). Oft fühlt sich der Angesprochene ertappt und getadelt und «will es auch nicht wieder tun». Jedoch sind Inkongruenzen nicht wie eine «dumme

Angewohnheit» zu behandeln. Wichtiger ist herauszufinden, was dahintersteckt. Bevor wir einen Blick auf die seelische Dynamik des Senders werfen, wollen wir uns zunächst in die Situation des Empfängers versetzen.

Der Empfänger in der Zwickmühle. Inkongruente Nachrichten sind für den Empfänger natürlich verwirrend – soll er der Mitteilungsebene oder der Metaebene Glauben schenken? Vollends in eine Zwickmühle gerät er, wenn man die Appellseite der Nachricht mit in Betracht zieht: Im Beispiel der Abb. 8a scheint der sprachliche Teil der Nachricht zu sagen: «Kümmere dich nicht weiter um mich!» – der nichtsprachliche Teil dagegen wirkt wie ein Hilferuf und legt den Appell nahe: «Kümmere dich um mich!» – Angesichts derart widersprüchlicher Handlungsaufforderungen (s. Abb. 9) ist der Empfänger in einer bösen Situation. Wie immer er reagiert, der andere kann ihm einen Strick daraus drehen. Kümmert er sich, bekommt er eine Abfuhr («Ich habe doch deutlich gesagt, es ist alles o.k., Herrgott noch mal!») – Kümmert er sich nicht, spielt der andere den Beleidigten und «straft» auf diese Weise.

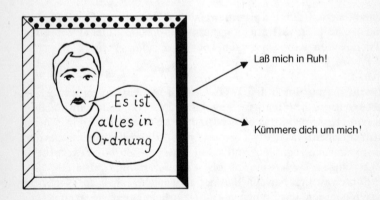

Abb. 9: *Inkongruente Nachrichten enthalten widersprüchliche Handlungsaufforderungen und schaffen dadurch eine verrücktmachende Doppelbindung.*

Solche Verwirrspiele sind unter dem Fachbegriff «Doppelbindung» (double-bind, vgl. Watzlawick 1969) in den letzten Jahren eingehend untersucht und mit der Entstehung von schizophrenem Verhalten beim Empfänger in Zusammenhang gebracht worden. Inkongruente Nachrichten wirken vermutlich vor allem dann als Krankmacher, wenn der Empfänger vom Sender abhängig ist, der Situation nicht entfliehen kann und nicht zur Metakommunikation fähig ist; dies alles trifft vor allem auf Kinder im Elternhaus zu. Nach dieser Sichtweise stellt die Schizophrenie eine Art Notlösung dar, um mit der «verrückten» Situation fertig zu werden.

Inneres Kuddelmuddel beim Sender. Was veranlaßt nun den Sender, derartige Verwirrpakete zu produzieren? Die erste Frage lautet immer: Welchen Vorteil könnte ein solches Verhalten mit sich bringen? Inkongruente Nachrichten haben den Vorteil, daß der Sender sich nicht ganz festlegt. Notfalls kann er dementieren und sagen, so habe er das nicht gemeint.

Ein weiterer Vorteil ist aus dem Beispiel aus «Anna Karenina» (vgl. S. 37) zu ersehen: Die Fürstin kann ihre eigentliche Botschaft («Bleiben Sie uns vom Halse») an den Mann bringen, ohne gegen die Standesregeln der Höflichkeit zu verstoßen. Devise: Es tun, aber es hinterher nicht gewesen sein («Wieso? Ich habe doch *ausdrücklich* gesagt, wir würden uns freuen, Sie zu sehen!»). Eine solche Kommunikation mit «doppeltem Boden» ist dem Sender teils nicht bewußt – oft sind es die unbewußten, uneingestandenen Wünsche, die sich durch den nicht-sprachlichen Kanal zur Geltung bringen.

Dies ist auch bei folgender Situation der Fall: Der Sender hat «zwei Seelen in seiner Brust», ist mit sich selber nicht ganz im reinen. Einerseits möchte er dieses, andererseits aber auch jenes, verschiedene Strebungen und Gefühle ziehen nicht am gleichen Strang. Es herrscht inneres Kuddelmuddel. Sofern der Sender dieses Kuddelmuddel noch nicht sortiert hat, kann es geschehen, daß es unsortiert nach außen dringt. Die inkongruente Nachricht erweist sich so als ein Verschmelzungsprodukt aus zwei Botschaften.

So mögen im Beispiel der Abb. 9 die beiden inneren Zustände des Senders sein: 1. Mich beschwert etwas, und 2. ich möchte darüber jetzt nicht reden. Diese beiden inneren Zustände führen zu dem Verschmelzungsprodukt der inkongruenten Nachricht (s. Abb. 10).

Inkongruente Nachrichten entstehen also vorzugsweise dann, wenn die *Selbstklärung* des Senders noch nicht zum Abschluß gekommen ist, er sich aber trotzdem veranlaßt sieht, etwas von sich zu geben.

Ein anderes Beispiel. Zwei typische Seelen in der Brust von Eltern sind (Halpern 1978):

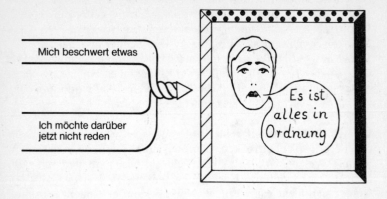

Abb. 10: *Die inkongruente Nachricht als Kompromißprodukt für zwei miteinander verschmolzene innere Zustände.*

☐ «Ich möchte, daß du selbständig und erwachsen wirst, daß du auf eigenen Beinen stehst und von mir unabhängig wirst.»
☐ «Ich möchte, daß du mich immer brauchst, mich nicht verläßt und von mir so abhängig bleibst, wie ich von dir abhängig bin.»

Die entsprechende Doppelbotschaft auf der Appellseite, denen sich heranwachsende Kinder häufig ausgesetzt sehen, lautet (s. Abb. 11):

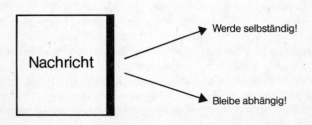

Abb. 11: *Typischer Doppelappell von Eltern an ihre heranwachsenden Kinder.*

So mag ein Elternteil einem jungen Erwachsenen sagen: «Ich möchte, daß du tust, was das beste für dich ist – ich werde mit der Einsamkeit schon fertig.» Halpern schreibt: «Das Kind, das diese Doppelbotschaft empfängt: ‹Tu, was für dich am besten ist› und ‹Wenn du es tust, wirst du mich unerträglicher Einsamkeit aussetzen›, findet sich in einer Doppelbindung.» (1978, S. 14)

Bei den Eltern melden sich sozusagen zwei Persönlichkeitsinstanzen gleichzeitig zu Wort. Die eine Instanz ist die reife Erwachsenenpersönlichkeit, die in der Unabhängigkeit und Selbstfindung der Kinder ein erstrebenswertes Ziel sieht. Die andere Instanz ist das kleine Kind in der Person des Elternteiles, der Angst vor dem Verlassenwerden und dem Getrenntsein hat und der durch Taktiken, die Schuldgefühle hervorrufen sollen, versucht, das Streben des Kindes nach Unabhängigkeit im Keime zu ersticken.

Was läßt sich tun, um ein solches inneres Kuddelmuddel zu entwirren? Indem der Empfänger dem Sender seine Verwirrung zurückmeldet, ermöglicht er diesem, genauer «hinzufühlen», was ihn bewegt, und zu mehr innerer Klarheit zu kommen. Selbstklärung erfolgt leichter im Gespräch als im «stillen Kämmerlein» – auf dieser Einsicht beruht auch die Gesprächstherapie. Allerdings muß der Sender eine solche Selbstklärung wollen – jeder gutgemeinte Versuch, sie jemandem aufzuzwingen, führt dazu, daß dieser «dicht macht» und seinen dunklen Innenraum vor jeder Ausleuchtung mit Zähnen und Krallen verteidigt.

Im Umgang mit den zwei Seelen in der Brust geht die Gestalttherapie (Perls 1971) systematisch und eindrucksvoll vor: Der Sender führt einen inneren Dialog auf zwei Stühlen. Abwechselnd setzt er sich bald auf den einen, bald auf den anderen Stuhl und läßt die beiden Instanzen, die er in sich spürt, wechselseitig sprechen und miteinander einen Dialog führen (s. Abb. 12). So mag auf dem einen Stuhl die reife Erwachsenenpersönlichkeit sitzen, die den Wunsch hegt, das Kind erwachsen werden zu lassen. Auf dem anderen Stuhl sitzt das «Kindheits-Ich», das genau die entgegengesetzten Ziele verfolgt.

Durch einen solchen Dialog, der nicht selten mit starker emotionaler Heftigkeit geführt wird, wird der Sender sich bewußt, daß tatsächlich beide Seelen in seiner Brust wohnen, zu ihm gehören – und er kann sie getrennt wahrnehmen und ·nicht in der diffusen Verschmolzenheit wie zuvor.

Nach einer solchen Selbstklärung kann der Sender kongruenter kommunizieren, indem er statt nur einer jetzt zwei Botschaften

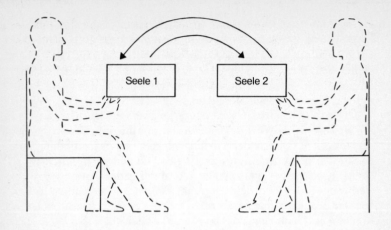

Abb. 12: *Dialogtechnik in der Gestalttherapie: Die «zwei Seelen in der Brust» halten einen Dialog.*

getrennt sendet: «Einerseits möchte ich haben, daß du selbständig wirst. Andererseits zerreißt es mir auch das Herz, wenn ich sehe, wie du dich abnabelst und ich allein zurückbleibe.» – Seine beiden Botschaften derart klar vor Augen, kann der Sender nun auch besser entscheiden, welche Konsequenzen er aus diesem Konflikt ziehen will. Nun weiß auch der Empfänger, woran er ist.

Übungen

1. Gibt es Angelegenheiten in Ihrem Berufs- oder Privatleben, bei denen Sie «zwei Seelen in der Brust» fühlen? Wie wirkt sich dies auf Ihre Kommunikation aus?

Wenn Sie zu zweit oder in einer Gruppe üben: Spielen Sie Ihr typisches Verhalten einmal vor und übertreiben Sie dabei etwas!

2. (Mindestens zu zweit:) Machen Sie – immer abwechselnd – eine verbale Äußerung und gleichzeitig eine nonverbale widersprechende Botschaft (Beispiel: «Ich habe große Lust zu dieser Übung!» – dazu ein Gesicht wie sieben Tage Regenwetter).

Ziehen Sie nach und nach alle Register!

3. Die Frau fragt ihren Mann: «Hast du Lust, mit mir ins Kino zu kommen?» Antwort: (in mürrischem, überdrüssigem Ton) «Jaa, mei-net-we-gen!» Welches «innere Kuddelmuddel» vermuten Sie? Wie könnte die klare Antwort lauten? – Achten Sie auf inkongruente Nachrichten bei sich selbst und in Ihrer Gesprächsumgebung!

II. Mit vier Ohren empfangen

Wir haben das Nachrichten-Quadrat überwiegend aus der Sicht des Senders betrachtet: Er teilt Sachinformationen mit; stellt sich dabei gleichzeitig selbst dar; drückt aus, wie er zum Empfänger steht, so daß sich dieser in der einen oder anderen Weise behandelt fühlt; und versucht Einfluß auf das Denken, Fühlen und Handeln des anderen zu nehmen.

Da alle vier Seiten immer gleichzeitig im Spiele sind, muß der kommunikationsfähige Sender sie sozusagen alle beherrschen. Einseitige Beherrschung stiftet Kommunikationsstörungen. So nützt es z. B. wenig, sachlich recht zu haben, wenn man gleichzeitig auf der Beziehungsseite Unheil stiftet. Genausowenig nützt es, auf der Selbstoffenbarungsseite eine gute Figur zu machen, z. B. sich als geistreich und gelehrsam zu präsentieren, und dabei unverständlich in der Sachbotschaft zu bleiben.

Betrachten wir das Quadrat aus der Sicht des Empfängers. Je nachdem auf welche Seite er besonders hört, ist seine Empfangstätigkeit eine andere: Den Sachinhalt sucht er zu verstehen. Sobald er die Nachricht auf die Selbstoffenbarungsseite hin «abklopft», ist er personaldiagnostisch tätig («Was ist das für eine(r)?» bzw. «Was ist im Augenblick los mit ihm/ihr?»). Durch die Beziehungsseite ist der Empfänger persönlich besonders betroffen («Wie steht der Sender zu mir, was hält er von mir, wen glaubt er vor sich zu haben, wie fühle ich mich behandelt?»). Die Auswertung der Appellseite schließlich geschieht unter der Fragestellung «Wo will er mich hinhaben?» bzw. in Hinblick auf die Informationsnutzung («Was sollte ich am besten tun, nachdem ich dies nun weiß?»).

Der Empfänger ist mit seinen zwei Ohren biologisch schlecht ausgerüstet: Im Grunde braucht er «vier Ohren» – ein Ohr für jede Seite (s. Abb. 13).

Je nachdem, welches seiner vier Ohren der Empfänger gerade vorrangig auf Empfang geschaltet hat, nimmt das Gespräch einen sehr unterschiedlichen Verlauf. Oft ist dem Empfänger gar nicht bewußt, daß er einige seiner Ohren abgeschaltet hat und dadurch die Weichen für das zwischenmenschliche Geschehen stellt. Ich möchte diese Vorgänge im folgenden genauer untersuchen.

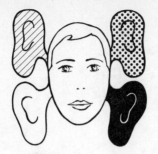

Was ist das für einer? Was ist mit ihm?

Wie ist der Sachverhalt zu verstehen?

Wie redet der eigentlich mit mir? Wen glaubt er vor sich zu haben?

Was soll ich tun, denken, fühlen auf Grund seiner Mitteilung?

Abb. 13: *Der «vierohrige Empfänger».*

1. «Freie Auswahl» des Empfängers

Was zwischenmenschliche Kommunikation so kompliziert macht, ist: Der Empfänger hat prinzipiell die freie Auswahl, auf welche Seite der Nachricht er reagieren will. Ein Alltagsbeispiel aus einer Schule: Der Lehrer geht den Flur entlang und will in das Klassenzimmer. Da kommt ihm die elfjährige Astrid entgegen und sagt (s. Abb. 14): «Herr Lehrer, die Resi hat ihren Atlas einfach in die Ecke gepfeffert!»

Wie reagiert der Lehrer? In Lehrertrainingskursen habe ich charakteristische Unterschiede beobachtet:

☐ Manche Lehrer reagieren auf den *Sachinhalt*: «Und hat sie das mit Absicht getan?» (Nimmt die Sachinformation zur Kenntnis und bittet um weitere Sachinformationen.)

☐ Manche Lehrer reagieren auf die *Selbstoffenbarung* Astrids: «Du bist ganz schön böse darüber, Astrid?» – Oder: «Du bist ja eine Petzliese!»

☐ Einige Lehrer reagieren auf die *Beziehungsseite*: «Warum erzählst du *mir* das? Ich bin doch nicht euer Polizist!» – Oder: «Ich freue mich, daß du zu mir Vertrauen hast...»

45

Abb. 14: *Astrid und der Lehrer. Auf welche der vier Seiten der Nachricht wird der Lehrer reagieren?*

☐ Die meisten Lehrer reagieren *appellhaft*: «Ich werde gleich mal sehen, was da los ist!»

Kommen wir noch einmal zurück auf unser Auto-Beispiel (s. Abb. 3, S. 25). «Du, da vorne ist grün!» hatte der Mann gesagt. Angenommen, die Frau antwortet etwas ungehalten: «Fährst du oder fahre ich?» – Dies wäre eine Beziehungs-Reaktion: Sie wehrt sich damit gegen die Bevormundung, die sie auf der Beziehungsseite der Nachricht spürt.

Sie hätte aber auf den Sachinhalt (z.B. «Ja, hier ist grüne Welle, das ist ganz angenehm») oder auf die Selbstoffenbarung (z.B. «Du hast es eilig?») oder den Appell (z.B. durch Gas geben) reagieren können.

Diese freie Auswahl des Empfängers führt zu manchen Störungen – etwa dann, wenn der Empfänger auf eine Seite Bezug nimmt, auf die der Sender das Gewicht nicht legen wollte. Oder wenn der Empfänger überwiegend nur mit einem Ohr hört, und damit taub ist (oder sich taub stellt) für alle Botschaften, die sonst noch ankommen. Die ausgewogene «Vierohrigkeit» sollte zur kommunikationspsychologischen Grundausrüstung des Empfängers gehören. Von Situation zu Situation ist dann zu entscheiden, auf welche Seite(n) zu reagieren ist.

2. Einseitige Empfangsgewohnheiten

Bei vielen Empfängern ist – unabhängig von den Situationserfordernissen – ein Ohr auf Kosten der anderen besonders gut ausgebildet. Betrachten wir im folgenden die einzelnen «Ohren» und welche Folgen ihre einseitige Spezialisierung mit sich bringt.

2.1 Das «Sach-Ohr»

Viele Empfänger (vor allem Männer und Akademiker) sind darauf geeicht, sich auf die Sachseite der Nachricht zu stürzen und das Heil in der Sachauseinandersetzung zu suchen. Dies erweist sich regelmäßig dann als verhängnisvoll, wenn das eigentliche Problem nicht so sehr in einer sachlichen Differenz besteht, sondern auf der zwischenmenschlichen Ebene liegt.

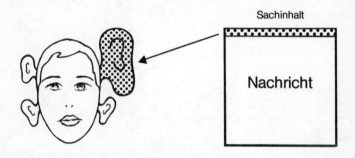

Abb. 15: *Der sach-ohrige Empfänger.*

Das folgende Beispiel ist zwar eine Karikatur, aber im Kern gar nicht einmal so praxisfremd:

Frau: «Liebst du mich noch?»

Mann: «Ja, weißt du, da müßten wir erst einmal den Begriff ‹Liebe› definieren, da kann man ja nun sehr viel drunter verstehen...»

Frau: «Ich mein doch nur, welche Gefühle du mir gegenüber hast...»

Mann: «Nun, Gefühle – das sind ja zeit-variable Phänomene, darüber gibt es keine generellen Aussagen...» usw.

Beide reden aneinander vorbei. Weniger offensichtlich ist dies in Situationen, wo *beide* daran gehen, ein Beziehungsproblem mit Sachargumenten auszufechten. Da es sich hier um einen verbreiteten Kardinalfehler in der zwischenmenschlichen Kommunikation handelt, soll er an einem Beispiel ausführlich besprochen werden:

Die Mutter und die Tocher. Tochter, 16 Jahre, schickt sich an, die Wohnung zu verlassen, um sich mit Freunden zu treffen. Es ergibt sich folgender Dialog (s. Abb. 16):

Abb. 16: *Die Mutter und die Tochter.*

Mutter: «Und zieh dir 'ne Jacke über, ja! – Es ist kalt draußen.»

Tochter: (in etwas «patzigem» Tonfall): «Warum denn? Ist doch gar nicht kalt!»

Die Mutter ist nun ein bißchen ärgerlich; nicht nur über den patzigen Ton, sondern auch über soviel Unvernunft der Tochter, und ist mehr denn je davon überzeugt, daß sie dafür sorgen muß, daß sich die Tochter vernünftig verhält:

Mutter: «Aber Moni, wir haben nicht einmal 10 Grad, und windig ist es auch.»

Tochter: (heftig) «Wenn du mal aufs Thermometer geguckt hättest, dann wüßtest du, daß es sehr wohl 10 Grad sind – es sind sogar 11 1/2!»

Neben der sachlichen Korrektur steckt in dieser Nachricht auf der Beziehungsseite ein Gegenangriff. Die Mutter ist denn auch sehr verärgert über den «unverschämten» Ton und über den «Trotz» und über die kleinliche Rechthaberei der Tochter. Sie beschließt, der «unfruchtbaren Diskussion» ein Ende zu setzen:

Mutter: «Du hörst ja, was ich dir sage: Du ziehst jetzt die Jacke an!»

Tochter: (Ist stark empört über einen derartigen Befehlston und verläßt in hochgradigem Zorn die Wohnung – natürlich ohne die Jacke.)

Warum ist diese Kommunikation gescheitert? Warum konnte sich in so kurzer Zeit eine derartige Klimavergiftung einstellen? Analysieren wir den kleinen Vorfall mit Hilfe unseres Kommunikationsmodells. Die erste Äußerung der Mutter, von der das Gespräch seinen Ausgang nimmt, enthält auf den vier Seiten etwa folgende Botschaften (s. Abb. 17):

Wie reagiert nun die Tochter auf dieses Nachrichten-«Paket»? Wir kommen hier zu einem sehr entscheidenden Punkt. Die Tochter fühlt sich «wie ein kleines Kind» behandelt und reagiert sehr allergisch auf die bevormundende Behütung durch die Mutter. Wichtig ist: Die Ablehnung der Tochter richtet sich gegen die Botschaft auf der Beziehungsseite, nicht gegen den Sachinhalt und vielleicht auch gar nicht einmal gegen den Appell (möglicherweise hatte sie selbst vor, die Jacke anzuziehen). *Reagieren* aber tut die Tochter auf den Sachinhalt – hier widerspricht sie («ist doch gar nicht kalt»). Nun wurde der Konflikt dort ausgetragen, wo er überhaupt nicht vorhanden war, nämlich auf der Sachebene. Es wurde über Temperaturen verhandelt, während es doch in Wahrheit um die Beziehung zwischen Mutter und Tochter ging. Zur Vermeidung dieses Fehlers hätte die Tochter in ihrer ersten Reaktion antworten können:
«Ich finde deinen Vorschlag nicht verkehrt, aber hör auf, mir solche Anweisungen zu geben; ich fühle mich dann wie ein kleines Kind behandelt.»
Dies wäre ein gutes Beispiel für «mehrseitiges» Kommunizieren

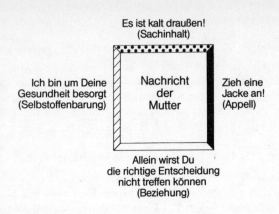

Es ist kalt draußen!
(Sachinhalt)

Ich bin um Deine
Gesundheit besorgt
(Selbstoffenbarung)

Nachricht
der
Mutter

Zieh eine
Jacke an!
(Appell)

Allein wirst Du
die richtige Entscheidung
nicht treffen können
(Beziehung)

Abb. 17: *Die erste Äußerung der Mutter unter kommunikationspsychologischer Lupe.*

gewesen. Die Tochter hätte auf diese Weise zum Ausdruck gebracht, daß es ihr nicht um die Frage «Jacke oder nicht Jacke» zu tun ist, sondern um den Wunsch, ohne Bevormundungen eigene Entscheidungen in eigener Sache zu treffen. Nicht, daß damit der Konflikt aus der Welt wäre; aber die Auseinandersetzung fände an der richtigen Stelle statt.

Übungen

1. Folgende Lehrer-Schüler-Interaktion ereignete sich in einer 10. Realschulklasse während des Unterrichts:

Lehrer: «Sag mal, Helmut, meinst du nicht, daß dauerndes Kaugummikauen ungesund ist?»

Schüler: «Nein, es soll sogar sehr gesund für die Zähne sein!»

Lehrer: «Ja, vor allem der Zucker da drin!»

Schüler: «Der enthält gar keinen Zucker, denken Sie mal!»

Lehrer: «Selbstverständlich enthält der Zucker, du Neunmalkluger – nach einer halben Stunde Kauen merkt man davon natürlich nichts mehr!»

Schüler: «Ich kaue erst 20 Minuten, Sie Zehnmalkluger!» (Grölendes Lachen in der Klasse)

a) Analysieren Sie die erste Äußerung des Lehrers nach kommunikationspsychologischen Gesichtspunkten!

b) Welche Art von Kommunikationsstörung zwischen Lehrer und Schüler liegt hier vor?

c) Welches alternative Verhalten würden Sie dem Lehrer an Stelle seiner ersten Äußerung empfehlen? (Bitte auch wörtliche Rede formulieren!)

2. (Zu zweit) Führen Sie zu zweit ein kurzes Gespräch. Was auch immer A sagt, B hört nur die sachlichen Anteile heraus und reagiert auf dieser Sachebene. Wie wirkt sich dies auf Ihr Gespräch aus? Kommt Ihnen das «irgendwie bekannt vor»?

2.2 Das «Beziehungs-Ohr»

Bei manchen Empfängern ist das auf die Beziehungsseite gerichtete Ohr so groß und überempfindlich, daß sie in viele beziehungsneutrale Nachrichten und Handlungen eine Stellungnahme zu ihrer Person hineinlegen oder übergewichten. Sie beziehen alles auf sich, nehmen alles persönlich, fühlen sich leicht angegriffen und beleidigt. Wenn jemand wütend ist, fühlen sie sich beschuldigt, wenn jemand lacht, fühlen sie sich ausgelacht, wenn jemand guckt, fühlen sie sich kritisch gemustert, wenn jemand wegguckt, fühlen sie sich gemieden und abgelehnt. Sie liegen ständig auf der «Beziehungslauer».

Übung

(Zu zweit oder in Gruppe) Verteilen Sie die Rollen – ein Sender und ein Empfänger. Der Sender hat die Aufgabe, den Empfänger anzusprechen und harmlose Dinge zu sagen. Der Empfänger soll auf der «Beziehungslauer» liegen und in jeder Nachricht eine gegen ihn gerichtete Gemeinheit wittern. Beispiele:

Sender	Empfänger
«Die Übung gefällt mir nicht»	«Wenn Sie sie lieber mit jemand anders machen wollen...»

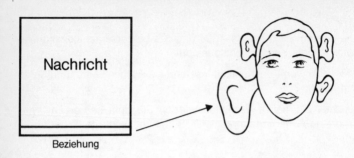

Abb. 18: *Der Empfänger mit dem großen Beziehungs-Ohr.*

«Schönes Wetter heute!»

«Ich weiß, daß ich oberflächlich bin – aber nur über das Wetter sprechen mag ich auch nicht.»

«Sie wirken heute sehr schwungvoll!»

«Ja, ich weiß, daß ich normalerweise einen schlaffen Eindruck mache!»

«Ich finde Sie wirklich nett!»

«Jetzt wollen Sie mich trösten!»

usw. (zum seelischen Hintergrund einer solchen Reaktionsweise s. Kap. B III, 5.3, S. 193 ff).

Der im letzten Abschnitt (2.1) dargelegte Kommunikationsfehler bestand darin, die Beziehungs-Auseinandersetzung auf die Sachseite zu verlagern. Empfänger mit dem überempfindlichen Beziehungs-Ohr machen den umgekehrten Fehler: Sie weichen einer Sachauseinandersetzung aus, indem sie auf die Beziehungsseite herabsteigen. Angenommen, ein Lehrer schlägt während des Unterrichts eine Übung vor. Ein Schüler reagiert angewidert: «Ach, schon wieder – das haben wir doch schon hundertmal gemacht!» – Der Lehrer verbittet sich den unverschämten Ton, weist den Schüler zurecht und nimmt dann seine Unterrichtstätigkeit wieder auf. Wohl ist es verständlich und berechtigt, daß der Lehrer die Störung auf der Beziehungsseite der Nachricht anspricht, sich hier «nicht alles bieten läßt». Damit ist er jedoch nur der einen Seite gerecht geworden; wie steht es mit dem sachlichen Kern der Kritik (Sachseite der Nachricht)? Und wie will der Lehrer auf den Appell reagieren, der sich mit der Kritik verbindet? Der Appell dieses Abschnittes lautet nicht: Leg dir eine Hornhaut zu, reagiere gelassen, wenn dich eine Beziehungsbotschaft trifft. Sondern er lautet: Sieh zu, ob du nicht das Beziehungs-Ohr derart gespitzt hast, daß du schon das Gras wachsen hörst. Oftmals hat eine Nachricht eher Selbstoffenbarungscharakter (s. zum Beispiel die erste Äußerung in der Übung auf S. 51 – da wäre das andere Ohr haupt-zuständig.

Hat die Nachricht Selbstoffenbarungs- oder Beziehungscharakter?

In manchen Fällen scheitern Sender und Empfänger in der Klärung der Frage, ob eine Nachricht überwiegend Selbstoffenbarungs- oder überwiegend Beziehungscharakter hat. Beispiel: Der eine Ehepartner zieht sich auf sein Zimmer zurück. Liegt die Hauptbotschaft dieses Verhaltens auf der Selbstoffenbarungsseite («Ich brauche Ruhe, möchte für mich alleine sein – das hat nichts mit dir und unserer Beziehung zu tun») oder auf der Beziehungsseite («Ich kann dich jetzt nicht ab»)? Beides wäre möglich (s. Abb. 19) – und beide Empfangsfehler dürften gleich häufig vorkommen:

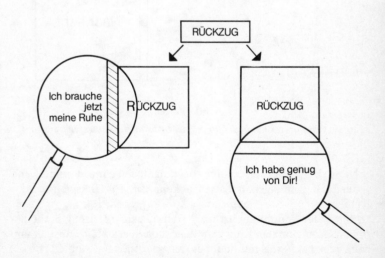

Abb. 19: *Ein und dasselbe Verhalten kann als reine Selbstoffenbarung oder als Beziehungssignal aufgefaßt werden; hier: Jemand zieht sich zurück.*

1. Das Verhalten als Ausdruck für die Beziehung interpretieren («er mag mich nicht mehr»), obwohl es nur des Senders Eigenart und Bedürfnislage widerspiegelt («ich brauche meine Ruhe»).

2. Das Verhalten als Eigenart des Senders interpretieren («er ist halt ein Eigenbrötler»), obwohl es beziehungsbedingt ist («ich mag dich nicht so nahe haben»).

Übrigens belegt das Beispiel die Nützlichkeit, in einem psychologischen Modell die Selbstoffenbarungs- von der Beziehungsseite zu trennen.

2.3 Das «Selbstoffenbarungs-Ohr»

Verglichen mit dem überempfindlichen Beziehungs-Ohr kann es seelisch gesünder sein, ein gut gewachsenes Selbstoffenbarungs-Ohr zu haben, welches die Nachricht unter dem Aspekt aufnimmt: «Was sagt sie mir über *dich*?» (s. Abb. 20).

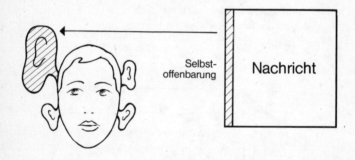

Abb. 20: *Empfänger mit dem Ohr auf der Selbstoffenbarungsseite.*

Diese Empfangsweise kann sogar dann angebracht sein, wenn explizite Beziehungsbotschaften ankommen. Ein Beispiel aus der Familie:

Der Vater kommt gereizt nach Hause, sieht Spielzeug herumliegen und schnauzt sein Kind an: «Was ist das hier für ein Saustall, und der Dreck hier – was bist du für ein Schmierfink!» (s. Abb. 21)

Solange ein Kind nicht älter als fünf Jahre ist, wird es diese Nachricht mit dem Beziehungs-Ohr hören müssen, sich schlecht und schuldig fühlen und deprimiert schlußfolgern: «So einer bin ich

Abb. 21: *Die betroffene und die diagnostizierende Empfangsweise auf eine persönliche Anklage.*

also!» Ich werde später zeigen, daß das *Selbstkonzept* eines Menschen (also das Bild, was er von sich selber hat) ein Produkt von frühen Beziehungsbotschaften darstellt. Ein älteres Kind hat unter Umständen die Fähigkeit, mit «diagnostischem» Ohr zu hören: «Er muß einen schlechten Tag im Büro gehabt haben, daß er seine Wut so an mir ausläßt.» Dieses Kind nimmt die wütende Nachricht des Vaters nicht auf seine Kappe, sondern bucht sie sozusagen auf der Selbstoffenbarungsseite ab. Die automatische Schlußfolgerung «So einer bin ich also» ist hier außer Kraft gesetzt und ersetzt durch «So einer bist *du* also!»

Es wäre viel gewonnen, wenn wir die gefühlsmäßigen Ausbrüche, die Anklagen und Vorwürfe unserer Mitmenschen mehr mit dem Selbstoffenbarungs-Ohr zu empfangen in der Lage wären. Dann könnten wir dem anderen eher seine Gefühle zugestehen, könnten uns ruhig darauf einlassen, ohne gleich in große Sorge um unsere «weiße Weste» und um unser seelisches Heil zu geraten. Wir wären weniger mit unserer eigenen Rehabilitation beschäftigt und könnten statt dessen besser zuhören und so besser dahinterkommen, was mit dem anderen wirklich los ist.

Die Kehrseite: Immunisierung durch das (ausschließlich) diagnostische Ohr. Freilich enthält die soeben empfohlene Empfangsweise auch eine Gefahr: ins gegensätzliche Extrem zu verfallen und gar nichts mehr an sich herankommen zu lassen. Angenommen, jemand gibt mir eine Rückmeldung (Feedback), wie ich auf ihn wirke. Höre ich das Feedback nur mit dem Beziehungs-Ohr, dann bin ich den Urteilen meiner Mitmenschen über mich ziemlich ausgeliefert: Automatisch fühle ich mich getroffen und übernehme das Urteil in mein Selbstbild («So einer bin ich also»). Wie erwähnt, verhilft ein zusätzlich gespitztes Selbstoffenbarungs-Ohr zu der Möglichkeit, das Feedback *auch* als eine Selbstoffenbarung des Feedback-Spenders anzusehen. Manche Menschen tun hier des Guten zuviel und haben es sich angewöhnt, ausschließlich mit diesem Ohr zu hören: «Was muß das für ein Mensch sein, daß er zu einer solchen Meinung über mich gelangt!?» Psychoanalytisch orientierte Therapeuten alter Schule pflegen diese Empfangsweise. Angenommen, der Klient greift ihn aufgebracht an und sagt: «Sie sind ein Schuft, Sie lassen mich hier hängen!» – dann stellt sich der Therapeut auf dem Beziehungs- und Appell-Ohr taub und reagiert in dem Sinne: «Ich glaube, wir müssen doch noch einmal Ihre Vater-Problematik gut durcharbeiten, die Sie im Augenblick auf mich übertragen.»

Ein Beispiel aus Tolstois «Anna Karenina» (o. J., S. 122): «‹Entschuldigen Sie mich, Doktor – aber das kann wirklich zu nichts führen. Sie stellen mir dieselben Fragen nun schon zum drittenmal.› Der berühmte Arzt nahm die Bemerkung keineswegs übel. ‹Krankhafte Erregung›, sagte er zu der Fürstin, als Kitty hinausgegangen war. ‹Im übrigen habe ich mir mein Urteil gebildet...›»

Im Extrem kann sich der Empfänger durch die ausschließliche Benutzung des Selbstoffenbarungs-Ohres jede Betroffenheit ersparen. Was in der richtigen Balance das Zuhören und eine konstruktive Kommunikation fördert, verkommt im Extrem zu einer Oberhandtechnik, die den anderen nicht als Partner ernst nimmt, sondern als zu diagnostizierendes Objekt herabwürdigt – nach der Devise: Wer auf mich böse ist oder anderer Meinung ist als ich, offenbart damit sein krankes Hirn.

Psychologisieren. Ein ähnlicher Mißbrauch des (ausschließlichen) Selbstoffenbarungs-Ohres stellt das Psychologisieren dar. Damit ist gemeint: Eine Sachaussage nur danach zu untersuchen und zu «entlarven», welcher psychische Motor als treibende Kraft dahintersteckt («das sagst du ja nur, weil du...») – und zwar ohne das Gesagte sachlich zu würdigen. Angenommen, jemand kritisiert das kapitalistische Wirtschaftssystem. Eine psychologisierende Reaktion darauf wäre etwa die folgende: «Mit dieser Kritik offenbaren Sie im Grunde nur, daß Sie nach einer verwöhnten Kindheit jetzt nicht damit fertig werden, daß das Leben nicht nur Schlaraffenland ist. Weil Sie persönlich nicht klarkommen, suchen Sie die Schuld am System!» – Zwar ist es richtig, daß jede sachliche Kritik *auch* eine Selbstoffenbarung des Senders enthält. Dies berechtigt aber nicht, solche Kritik ausschließlich mit dem Selbstoffenbarungs-Ohr zu hören und in der Sache keine Stellung zu nehmen.

Aus der Sowjetunion ist bekannt geworden, daß im Umgang mit Dissidenten nicht nur psychologisiert, sondern sogar «psychiatrisiert» wird: Kritik am System wird als Selbstoffenbarung von Geisteskrankheit aufgenommen und entsprechend «behandelt».

Aktives Zuhören. Kommen wir zu den Chancen zurück, die sich mit dem Selbstoffenbarungs-Ohr verbinden. Eine wichtige Kommunikationsfähigkeit für Gesprächstherapeuten (Rogers, s. Tausch 1979) und für Erzieher (Gordon 1972) ist das aktive Zuhören. Hier wird das Selbstoffenbarungs-Ohr besonders ausgebildet, jedoch nicht diagnostizierend und entlarvend eingesetzt («so einer bist du also»), sondern in dem Bemühen, sich in die Gefühls- und Gedankenwelt des Senders nicht-wertend einzufühlen. Dadurch verhilft der Empfänger dem Sender, mehr zu sich selber zu kommen. In der Gesprächspsychotherapie ist der Therapeut u. a. ständig dabei, die in Sachaussagen verborgenen Gefühlsinhalte einfühlend zu entdecken und gleichsam rückzuübersetzen:

Klientin: «...und mein Mann kann sich auch nicht darum kümmern – der kommt meistens erst sehr spät nach Hause...»

Therapeut: «Sie fühlen sich ziemlich alleingelassen mit den ganzen Problemen?»

Klientin: «Ja – nun, er hat wirklich viel zu tun und muß ja auch vorankommen.»

Therapeut: «Sie versuchen sich selbst zu sagen: ‹Du mußt dafür Verständnis haben, daß er sich nicht kümmert?›» usw.

Die Grundeinstellung des Therapeuten bei diesem aktiven Zuhören lautet – kommunikationspsychologisch ausgedrückt:

☐ Auch wenn du überwiegend auf der Sachseite sendest, so entdecke ich doch Selbstoffenbarungs-Anteile in deiner Nachricht (dahinterstehende Gefühle und Einstellungen). Ich versuche vor allem, diese Anteile herauszuhören und dir zurückzumelden, so daß du sie direkter vor Augen hast, dich damit weiter auseinandersetzen kannst und so zu einem vertieften Verständnis deiner selbst kommen kannst.

Dieses aktive Zuhören ist über den therapeutischen Kontext hinaus von großer Bedeutung zur Verbesserung auch der tagtäglichen zwischenmenschlichen Kommunikation. Es wäre viel gewonnen, wenn der Empfänger – bevor er seinen «eigenen Senf» dazu gibt – zunächst einmal in der Lage wäre, sich präzise in die Welt des anderen einzufühlen und diese Welt gleichsam mit dessen Augen zu sehen (Empathie).

Peick (1979) fand bei einer Analyse veröffentlichter Gesprächstherapien heraus (Minsel 1974), daß die Therapeuten fast ausschließlich auf die Selbstoffenbarungsbotschaften der Klienten reagierten, hingegen «taub» waren für implizite Beziehungs- und Appellbotschaften. Sie kritisiert diese «reduzierte» und «beziehungslose» Kommunikation und plädiert für ein aktives Zuhören mit allen vier Ohren.

Gelegentlich gibt es Kommunikationsstörungen in Verbindung mit dem aktiven Zuhören. Wer darin gerade ausgebildet ist, neigt zu einer mechanischen Handhabung und zu einer «Anwendung» dieses Verhaltens auch in solchen Situationen, wo es weder stimmig ist mit der eigenen Verfassung noch mit dem Gesprächsanliegen des Gegenübers. Jedes trainierbare Verhalten läuft Gefahr, den Irrweg der «ansprechenden Verpackungen» (s. S. 16ff) zu wiederholen (ausführlich dazu s. das Nachwort, S. 255ff, speziell zum aktiven Zuhören S. 262).

2.4 Das «Appell-Ohr»

Der Empfänger «auf dem Appell-Sprung». Von dem Wunsch beseelt, es allen recht zu machen und auch den unausgesprochenen Erwartungen der Mitmenschen zu entsprechen, ist manchem Empfänger mit der Zeit ein übergroßes Appell-Ohr gewachsen. Sie hören auf der Appellseite geradezu «das Gras wachsen», sind dauernd auf dem «Appell-Sprung».

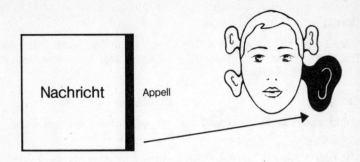

Abb. 22: *Der appell-ohrige Empfänger.*

Kleinste Signale werden auf ihre Appell-Komponente hin untersucht. Ein Gast guckt sich um, der Gastgeber reagiert: «Was suchst du? Einen Aschenbecher? Warte, ich hole einen.»

Kinder werden oft gelobt, wenn sie «zuvorkommend» sind, d. h. ein Gefühl dafür entwickeln, was der Erwachsene wohl gerne hätte. Für eine partnerschaftliche, klare Kommunikation ist dies keine gute Vorübung. Der Empfänger mit dem übergroßen Appell-Ohr ist meist wenig bei sich selbst, hat keine «Antenne» für das, was er selbst will und fühlt. Als ich die Schule verließ, hatte ich eine große Meisterschaft entwickelt zu merken, welche Reaktionen die anderen von mir erwarteten. So lachte ich nach jeder scherzhaft gemeinten Bemerkung an der richtigen Stelle. Mit dem Herausfinden der «richtigen Stelle» war ich jedoch derart beschäftigt, daß ich gar keine Energie mehr frei hatte, um herauszufinden, ob ich die Bemerkung überhaupt witzig fand. Diese Frage stellte sich mir gar nicht! Die Wahrnehmung des leisen Appelles löste gleichsam automatisch die appellgemäße Reaktion aus, ohne daß die eigene Persönlichkeit dazwischengeschaltet wäre. So ist es das Anliegen der Humanistischen Psychologie, uns von den eingefahrenen, klischeehaft-konventionellen Schnellreaktionen zu befreien und uns statt dessen Reaktionen zu ermöglichen, die nicht nur außengeleitet, sondern auch innengeleitet und gleichsam mit dem ganzen Gewicht der eigenen Persönlichkeit versehen sind. Dies ist für den Sender nicht unbedingt bequemer, aber vielleicht schätzt auch er es, einen Menschen und keinen Automaten vor sich zu haben. (Über einen wünschenswerten Umgangsstil mit Appellen siehe Kap. B IV, 5, S. 245ff.)

Übung

Genau wie die Übung auf S. 51, nur mit dem Unterschied, daß der Empfänger diesmal «auf der Appell-Lauer» liegt und entsprechend appellhaft reagiert. Beispiele:

Sender	Empfänger
«Haben Sie Lust zu der Übung?»	«O, wir können sie gerne überschlagen!»
«Ist noch Kaffee in der Kanne?»	«Ich koche sofort noch welchen!»
«Schönes Wetter heute!»	«Ja, wir können nach dem Kaffee gerne noch spazierengehen.»
«Wir können ja auch den Kaffee mit auf den Spaziergang nehmen!»	(lacht herzlich)

Finale Betrachtungsweise. Einem ganz anderen Gebrauch des Appell-Ohres begegnen wir bei der finalen (auf den Zweck hin gerichteten) Betrachtungsweise. Es war schon die Arbeitsmethode Alfred Adlers, bei auffälligen Verhaltensweisen und Krankheitssymptomen die «Wozu-Frage» zu stellen: «Wozu dient dir deine Migräne? Was erreichst du damit bei deiner Umgebung?» Adler hat uns damit die Augen dafür geöffnet, daß manches Verhalten, das eine «Störung» zu offenbaren scheint (Selbstoffenbarung), eine zunächst nicht offensichtliche Appellseite hat, die eine (unbewußt gewünschte) Wirkung erzeugt. – Ein «final gespitztes Appell-Ohr» kann solche Vorgänge bewußt machen und kann den Empfänger davor schützen, manipuliert zu werden und durch appellmäßige Reaktionen unfreiwillig ein böses Spiel mitzuspielen. Dieser Gedanke wird in Kap. B IV, 3, S. 221ff weiter ausgeführt.

Der Funktionalitätsverdacht. Wenn der Empfänger das finale Appell-Ohr extrem benützt, unterstellt er jeder Nachricht und jeder Verhaltensweise eine heimliche, «berechnende» Absicht. Jemand weint – der Empfänger interpretiert «Jetzt drückt er auf die Tränendrüse». – Wir haben es «Funktionalisierung» genannt, wenn die Botschaften auf der Sach-, Selbstoffenbarungs- und Beziehungsseite auf die Appellwirkung hin ausgerichtet werden. Prinzipiell steht jede Nachricht unter dem Funktionalitätsverdacht. Ich komme zu Beginn des Appell-Kapitels (s. Kap. B IV, S. 209ff) ausführlich auf diese Problematik zurück.

3. Die ankommende Nachricht: Ein «Machwerk» des Empfängers

Die Nachricht, so haben wir gesehen, «hat es in sich»: Eine Vielfalt von Botschaften auf allen vier Seiten steckt darin, teils explizit, teils implizit, teils absichtlich vom Sender hineingetan, teils unabsichtlich mit «hineingerutscht». Dieses ganze Paket kommt nun beim Empfänger an. Aber im Unterschied zu Paketen, die mit der Post ankommen, ist der empfangene Inhalt hier nicht gleich dem abgesendeten Inhalt. Wir haben gesehen, was der Empfänger allein schon dadurch mit der Nachricht alles machen kann, daß er seine vier Ohren in unterschiedlich starkem Maße auf Empfang schaltet.

Jetzt kommt noch hinzu, daß der Empfänger einige der Seiten der Nachricht in den «falschen Hals» kriegen kann. Wie kommt das?

Um zu kommunizieren, muß der Sender seine zu übermittelnden Gedanken, Absichten, Kenntnisse – kurz: einen Teil seines inneren Zustandes – in vernehmbare Zeichen übersetzen. Diese Übersetzungstätigkeit heißt: Kodieren. Die Zeichen sind es, die zum Empfänger «auf die Reise» geschickt werden. Was nicht mit auf die Reise gehen kann, das sind die Bedeutungen, die der Sender mit den Zeichen verbindet. Vielmehr ist ein empfangendes Gehirn notwendig, das in der Lage ist, Bedeutungen in die Zeichen neu hineinzulesen. Diese Empfangstätigkeit heißt: Dekodieren. Bei diesem Akt der Bedeutungsverleihung ist der Empfänger in starkem Maße auf sich selbst gestellt; das Ergebnis der Dekodierung hängt ab von seinen Erwartungen, Befürchtungen, Vorerfahrungen – kurzum: von seiner ganzen Person. So mag es geschehen, daß manche Botschaft überhaupt nicht ankommt (etwa wenn der Empfänger den «mürrischen Unterton» nicht mitkriegt); oder daß er mehr «hineinliest» in die Nachricht, als der Sender hineinstecken wollte (etwa wenn der Empfänger einen «Vorwurf» auf der Beziehungsseite heraushört, den der Sender nicht erheben wollte); oder daß er sich angegriffen fühlt, obwohl der Sender nur einen «lustigen» Gesprächsanlaß suchte.

Fassen wir zusammen: In die ankommende Nachricht investiert der Empfänger gleichsam seine ganze Person – sie ist zu einem gut Teil «sein eigenes Werk».

Das folgende Beispiel illustriert, wie gesendete und empfangene Nachricht völlig unterschiedlich ausfallen können (s. Abb. 23):

Abb. 23: *Ehepaar beim Mittagessen.*

Der Mann fragt beim Mittagessen: «Was ist denn das Grüne hier in der Soße?» Die Frau: «Mein Gott, wenn es dir hier nicht schmeckt, kannst du ja woanders essen gehen!»

Nehmen wir an, der Mann habe eine reine Informationsfrage stellen wollen (Kapern sind ihm unbekannt). Wir können dann den geschilderten Vorfall analysieren, indem wir die gesendete und die empfangene Nachricht einander gegenüberstellen (s. Abb. 24):

Reagieren konnte die Frau natürlich nur auf die empfangene Nachricht. Da ihre Antwort auf den Beziehungsteil der Nachricht gerichtet war, wird das Mißverständnis sofort offenbar und damit auch prinzipiell reparabel. Anders wäre es gewesen, wenn die Frau – innerlich wütend und verletzt, aber dennoch bemüht, sachlich zu bleiben – knapp geantwortet hätte: «Das sind Kapern.» Weder für den Mann noch für die Frau noch für einen Außenstehenden wäre offenkundig, daß sich hier ein Mißverständnis ereignet hat. Vielleicht wird der Mann nach einiger Zeit merken, daß seine Frau

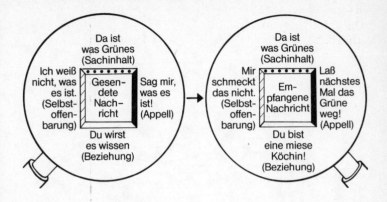

Abb. 24: *Die vier Seiten der gesendeten und der empfangenen Nachricht in einer Gegenüberstellung.*

verstimmt ist. Dann wird er vielleicht fragen: «Ist irgendwas?» Und es besteht noch eine Chance zur nachträglichen Metakommunikation. Vielfach aber bleiben solche *verdeckten Mißverständnisse* unaufgeklärt und stören künftig die Beziehung aus dem Verborgenen. Verdeckte Mißverständnisse entstehen durch einseitige (an Stelle von vierseitiger) Kommunikation (s. Abb. 25).

Mißverständnisse sind das Natürlichste von der Welt, sie ergeben sich fast zwangsläufig schon aus der Quadratur der Nachricht. Sender und Empfänger sollten daher beim Aufdecken und Besprechen von Mißverständnissen nicht davon ausgehen, daß sich eine peinliche Panne ereignet hat, für die man den Nachweis der eigenen Schuldlosigkeit erbringen sollte. Wer «recht hat» ist weder eine entscheidbare noch eine wichtige Frage. Es stimmt eben beides: Der eine hat dieses gesagt, der andere jenes gehört.

3.1 Einige Ursachen für Empfangsfehler

Wenn die Nachricht anders ankommt, als sie gemeint war, kann das sehr verschiedene Ursachen haben. Wenn Sender und Empfänger aus verschiedenen Sprachmilieus stammen, liegen Verständigungsfehler besonders nahe. Schichtenspezifische Sprachgewohnheiten behindern den Umgang von Angehörigen verschiedener Schichten

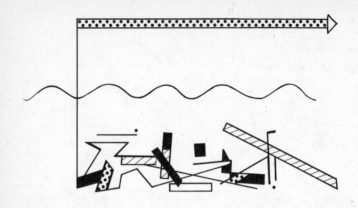

Abb. 25: *Verdeckte Mißverständnisse: Das explizite Sachgespräch (über der Oberfläche) geht weiter, die schweren Mißverständnisse (der «Bruch» unter der Oberfläche) bleiben unentdeckt.*

und Subkulturen nicht nur auf der Sachebene, sondern auch und vor allem auf der Beziehungsebene.

Darüber hinaus möchte ich drei Faktoren erwähnen, die häufig als Störquelle wirken: Das Bild, das der Empfänger von sich selbst hat (Selbstkonzept), das Bild, das der Empfänger vom Sender hat und das Phänomen der korrelierten Botschaften.

Das Selbstkonzept des Empfängers. Beim hochempfindlichen Beziehungs-Ohr ist uns bereits das Phänomen begegnet, wie der Empfänger sein eigenes Selbstbild als Deutungsschlüssel für die einlaufenden Nachrichten benutzt (vgl. S. 51 f). Jemand, der nicht viel von sich hält, neigt dazu, auch akzeptierende und harmlose Botschaften so auszulegen, daß sie sein negatives Selbstbild bestätigen. Hier dreht sich ein Teufelskreis: Ein negatives Selbstbild verschafft seinem Besitzer immer wieder negative Erfahrungen, die dieses Selbstbild bestätigen und stabilisieren (s. a. Kap. B III, 5.3, S. 193 ff).

Das Bild, das der Empfänger vom Sender hat. «Ich weiß, wie er es meint, denn ich kenne ihn.» – Je besser wir jemanden kennen, desto leichter ist es offenbar, das Gemeinte im Geäußerten zu entdecken. Oft gründet sich das Bild vom anderen auf einer relativ geringen

Informationsbasis. Auf Grund der Kleidung, des Geschlechtes, des Alters und einiger Lebensäußerungen neigen wir dazu, das unvollständige Bild zu ergänzen. Dié wenigen Informationen verraten uns, in welche «Schublade» wir ihn tun sollen, und diese Schublade enthält ergänzende Informationen und Vermutungen, so daß sich das Bild vervollständigt.

Das so entstandene Bild vom anderen liefert mir den Schlüssel für die Interpretation seiner Nachrichten. Ich weiß, wie es gemeint ist, denn ich kenne ja (scheinbar) meine Pappenheimer.

Beispiel: Ein Lehrer fragt auf einer Klassenreise einen seiner Schüler, der ihm während der Freizeit begegnet: «Woher kommst du denn?» – Vom Lehrer war diese Frage teilnahmsvoll und freundlich gemeint und als Einleitung für eine entspannte Unterhaltung gedacht. Vermutlich hätte der Schüler die Frage auch so verstanden, wenn sie von einem Mitschüler gestellt worden wäre. Nun aber funkte durch sein Gehirn: «Das ist der Lehrer – ein Erwachsener!» Und er empfängt die Nachricht auf folgende Weise:

Abb. 26: *Die vom Schüler empfangene Nachricht.*

Auf Grund seiner Erfahrungen mit Erwachsenen und Erziehern war der Schüler es gewöhnt, daß derartige Fragen inquisitorisch und kontrollierend gemeint sind und in der Regel Kritik und Verbote nach sich ziehen. Entsprechend mißtrauisch und «gewappnet» fragt er zurück: «Wieso?» – Resigniert dachte der Lehrer: «Ich komme einfach nicht heran an den Burschen!»

Korrelierte Botschaften. Subtile Mißverständnisse entstehen gelegentlich dadurch, daß der Empfänger die Botschaft auf einer Seite der Nachricht korrekt empfängt, gleichzeitig aber auf den anderen Seiten der Nachricht weitere Botschaften mithört, welche mit der Kernbotschaft häufig gekoppelt sind (korrelierte Botschaften).

Beispiel: Mit einer Aufforderung (Kernbotschaft) ist häufig ein Versäumnis-Tadel (korrelierte Botschaft auf der Beziehungsseite) verbunden. Der Appell «würdest du bitte dein Zimmer aufräumen!» hat häufig den Vorwurf im Schlepptau «Du hättest schon längst...» Dies ist ein Grund, warum Empfänger häufig so gereizt auf Appelle reagieren.

Auf Grund dieser Korrelation hat es ein Sender schwer, wenn er nur den Appell, nicht aber den Versäumnis-Vorwurf senden will.

Ein Student saß in der U-Bahn neben einer Dame, die einen Hund bei sich führte. Der Hund schnupperte an den Beinen des Studenten und drohte wohl auch zu lecken. Der Student war dagegen empfindlich und bat die Frau, ihren Hund etwas von ihm wegzuhalten. Die Frau reagierte sehr beleidigt. Sie hatte auf der Beziehungsseite die Botschaft mitgehört: «Wie können Sie nur so rücksichtslos sein und den Hund in meiner Nähe lassen!»

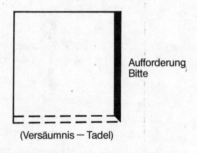

Aufforderung
Bitte

(Versäumnis — Tadel)

Abb. 27: *Korrelierte Beziehungsbotschaft (gestrichelt) bei einer Aufforderung.*

Ein anderes Beispiel: Negative Gefühle (als Kernbotschaft auf der Selbstoffenbarungsseite), die durch das Verhalten des anderen ausgelöst worden sind, treten häufig gekoppelt auf mit einer Täterschafts-Zuweisung auf der Beziehungsseite. «Ich habe mich über dich geärgert» (= «und du hast mir das angetan, du Böser!»).

Da diese Koppelung so geläufig ist, ist es kein Wunder, daß der Empfänger diese Täterschaftszuweisung auf der Beziehungsseite fast automatisch auch dann mithört, wenn sie nicht gemeint ist. «Ich war traurig, daß du nicht gekommen bist!» mag ohne jeden Vorwurf als bloße Selbstoffenbarung gemeint sein. Könnte der Empfänger dieses entsprechend mit dem Selbstoffenbarungs-Ohr empfangen, könnte er darauf liebevoll und akzeptierend eingehen. Da er aber die korrelierte Botschaft mithört: «Wie konntest du mir das antun?», reagiert er gereizt und defensiv («Ja, mein Gott, mein Leben besteht doch nicht nur aus Freizeit – wie denkst du dir das denn eigentlich?»).

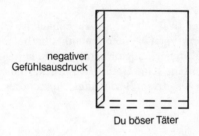

Abb. 28: *Zuweisung einer Täterschaft als korrelierte Beziehungsbotschaft bei negativer Gefühlsoffenbarung.*

Ein letztes Beispiel: Häufig ist an negative Gefühlsäußerungen auch der Appell gekoppelt: «Tu etwas dagegen, schaff Abhilfe!» «Ich fühle mich so allein» hat häufig die Aufforderung «Geh nicht weg» im Schlepptau. Entsprechend fühlt sich der Empfänger bei negativem Gefühlsausdruck häufig aufgefordert, einen Rat zu geben oder Abhilfe zu schaffen. Wenn ihn dies aber überfordert, reagiert er leicht ablehnend oder mit billigen Tröstungen («Ist doch Unsinn – ist doch alles nicht so schlimm!»). Hier hindert ihn der vermeintliche Appell-Druck, mit seinem Selbstoffenbarungs-Ohr «aktiv zuzuhören» (s. S. 57). Der korrelierte Appell lautet nämlich häufig gar nicht: «Schaff Abhilfe!», sondern: «Hör mir zu!»

Auf Grund derartiger Korrelationen ist die Verständigung sehr schwierig, wenn der Sender eine geläufige Korrelation sprengen möchte. Ohne Metakommunikation wird es nicht möglich sein.

Beispiel für eine Metakommunikation: «Wenn ich sage, ich bin enttäuscht, dann meine ich damit nicht, du wärst schuld daran. Ich

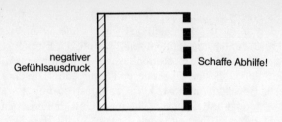

negativer
Gefühlsausdruck

Schaffe Abhilfe!

Abb. 29: *Der vermeintliche Schaff-Abhilfe-Appell als korrelierte Botschaft zur negativen Gefühlsoffenbarung.*

möchte nur sagen, was mit mir im Augenblick los ist.» – Nach einer mehrmaligen derartigen Metakommunikation haben es Partner zuweilen geschafft, die geläufige Korrelation zu sprengen. Dann ist es möglich, daß der eine seine Gefühle ausdrückt, ohne daß der andere mit empfindlich gespitztem Beziehungs-Ohr zuhören muß.

III. Die Begegnung mit dem Empfangsresultat
(Feedback)

Wir haben gesehen, daß schon die empfangene Nachricht ein Machwerk des Empfängers ist. Erst recht gilt dies für seine innere Reaktion auf die empfangene Nachricht. Davon soll im folgenden die Rede sein.

Als Sender tappen wir ziemlich im dunkeln, wie das, was wir von uns geben, ankommt, und was wir beim Empfänger «anrichten». Natürlich gilt dies nicht für jede kleine Nachricht, die wir von uns geben, obwohl sich das hier geschilderte Problem bis in die kleinste Zelle der Kommunikation, der Einzelnachricht, zurückverfolgen läßt. Aber wenn wir mit einem anderen Menschen eine Weile kommuniziert haben und unser Gesamtverhalten ihm gegenüber zu einer Superzelle zusammenfassen, dann wissen wir in der Regel nicht recht, wie die empfangene Superzelle aussieht. Nachrichten sind in gewisser Hinsicht mit jenen Pilzsorten vergleichbar, die je nachdem, ob man sie roh ißt oder sie zuvor kocht, genießbar oder giftig sind. Und als Sender wissen wir nie: Hat der Empfänger gekocht oder roh gegessen?

1. «Psycho-chemische Reaktionen»

Das, was die Nachricht «anrichtet», richtet der Empfänger also teilweise selbst an. Die innere Reaktion auf eine Nachricht erweist sich hier als ein Wechselwirkungsprodukt zwischen der Saat (gesendeter Nachricht) und dem psychischen Boden, auf den diese Saat beim Empfänger fällt. In einem anderen Bild ausgedrückt: In der Chemie ist das seltsame Phänomen bekannt, daß zwei für sich genommen harmlose Stoffe, wenn sie zusammentreffen, zu einer hochexplosiven Verbindung werden. In derselben Weise können wir uns Vorgänge in der Kommunikation vorstellen: Was die Nachricht «anrichtet», ist eine Art psycho-chemischer Reaktion, die entsteht, wenn zwei «Stoffe» zusammenkommen. Beispiel (s. Abb. 30): Wenn ein Empfänger kritisiert wird, der sehr stark von der Überzeugung durchdrungen ist, daß es schlimm und selbstwertbeeinträchtigend ist, Fehler zu machen, dann wird Verwundung und eventuell Aggression als psycho-chemische Reaktion auftreten, er wird «explodieren».

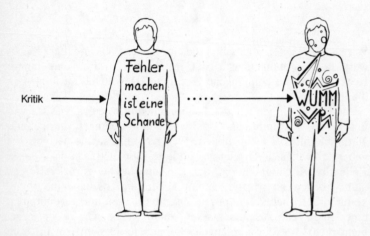

Abb. 30: *Beispiel für eine «psycho-chemische Reaktion» in der Innenwelt des Empfängers.*

Trifft dieselbe Kritik auf einen Empfänger, der es sich zugesteht, Fehler zu machen und darin keine Selbstwert-Einbuße erlebt, kann die Reaktion harmloser und konstruktiver ausfallen.

Besonders Ellis (1977) hat auf die Rolle solcher inneren Überzeugungen hingewiesen. Wenn derartige Sätze wie in Abb. 30 «in uns» sind, bestimmen sie in starkem Maße auch unsere gefühlsmäßigen Reaktionen auf das, was uns widerfährt. Als Psychotherapeut hat Ellis vor allem auf irrationale Überzeugungen hingewiesen, mit denen wir mehr oder minder indoktriniert sind und die neurotische Reaktionen nahelegen. Solche indoktrinierten Irrglauben sind z.B. (nach Ellis 1977):

«...es sei für jeden Erwachsenen absolut notwendig, von praktisch jeder anderen Person in seinem Umfeld geliebt oder anerkannt zu werden.» (S. 64)

«...daß man sich nur dann als wertvoll empfinden dürfe, wenn man in jeder Hinsicht kompetent, tüchtig und leistungsfähig ist.» (S. 66)

Ellis' Therapie zielt entsprechend darauf ab, solche Irrglauben in der Person auszumachen und durch realistischere Überzeugungen zu ersetzen, das «innere Selbstgespräch» auf eine rationale Grundlage zu stellen.

Verborgene Schlüsselreize. Manchmal reagiert ein Empfänger überraschend und unverständlich – für den Sender und zuweilen auch für sich selbst. Was ist passiert? Es hat eine «psychochemische» Reaktion stattgefunden mit einer Nachrichten-Komponente, die der Sender in seiner eigenen Nachricht gar nicht vermutet hätte oder auf die er das Schwergewicht seiner Äußerung nicht hat legen wollen.

Beispiel: Ich erinnere mich an einen kleinen Vorfall in meiner Familie, als ich noch halbwüchsig war. Mein Onkel bot mir eine Zigarette an. Ich war Nichtraucher aus Überzeugung. Bevor ich auf dieses Angebot reagieren konnte, griff meine Mutter ein mit den Worten (an meinen Onkel gewandt): «Nein, bitte nicht! Wir sind so froh, daß er nicht raucht!» Ich fühlte mich wütend und irgendwie gedemütigt, ohne mir selber meine Reaktion erklären zu können. Ich war doch selbst der Meinung meiner Mutter, wollte nicht rauchen und das Angebot ablehnen. Da mir mein Gefühl nicht «logisch» vorkam, habe ich mich gehütet, es auszusprechen. Aus heutiger Sicht ist mir natürlich klar, daß eine kleine Begleitbotschaft auf der Beziehungsseite zum «Schlüsselreiz» für meine Reaktion geworden war, nämlich die Beziehungsbotschaft: «Ohne meine Hilfe wirst du dich gegen die verführerische Welt nicht wehren können!» Mit ihrer gut gemeinten Intervention nahm sie mir ein Stück Autonomie.

Ganz ähnlich berichten Kraußloch u. a. (1976) aus ihrer «Jugendarbeit zwischen Kneipe und Knast», daß scheinbar «unmotivierte» Aggressionen von Jugendlichen gegenüber «friedlichen Bürgern» oft durch kleine Signale ausgelöst werden: Kopf- oder Handbewegungen oder ein kurzer «abfälliger» Blick werden von den Jugendlichen als Beleidigung empfangen: «Gestik und Mimik des Bürgers sind Signale, die die Jugendlichen im wahrsten Sinne «explodieren» lassen. Sie sind der Funke, der den Aggressionskreis schließt.» (S. 110) – Allein die Kleidung des «feinen Pinkels» ist eine Provokation, ruft des Jugendlichen Minderwertigkeitsgefühl wach.

Wir verstehen hier das Anliegen der Kommunikationspsychologie, sog. Neurosen und Verhaltensstörungen nicht (nur) als individuelle Eigenart, als Charaktermerkmal zu begreifen, sondern als Resultat einer Interaktion – einer zwischenmenschlichen Wechselwirkung. Unter der kommunikationspsychologischen Lupe (vgl. Abb. 5, S. 31) kommen u.U. die verborgenen Schlüsselreize zum Vorschein.

2. Drei Empfangsvorgänge auseinanderhalten

Aus dem Beispiel ergibt sich, daß es drei verschiedene Vorgänge sind, aus denen sich die innere Reaktion des Empfängers aufbaut:

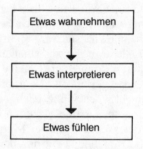

Für die innere Klarheit des Empfängers und für seine Fähigkeit zum Feedback ist diese Unterscheidung von großer Bedeutung.

Wahrnehmen heißt: etwas sehen (z.B. einen Blick) oder hören (z.B. die Frage: «Was ist das Grüne in der Suppe?»).

Interpretieren heißt: das Wahrgenommene mit einer Bedeutung versehen – z.B. den Blick als «abfällig» deuten oder die Frage nach dem Grünen in der Suppe als Kritik.

Diese Interpretation kann richtig oder falsch sein.

Wohlgemerkt, es geht nicht darum, Interpretationen zu vermeiden. Dies ist weder möglich noch wünschenswert, denn erst die Interpretation eröffnet die Chance, das «Eigentliche» zu verstehen. Vielmehr geht es um das Bewußtsein, daß es sich um eine Interpretation handelt – und daher richtig oder falsch sein kann.

Fühlen heißt, auf das Wahrgenommene und Interpretierte mit einem eigenen Gefühl antworten, wobei die eigene seelische «Bodenbeschaffenheit» mit darüber entscheidet, was für ein Gefühl ausgelöst wird (z. B. Wut angesichts des «abfälligen Blickes»). Dieses Gefühl unterliegt nicht der Beurteilung richtig oder falsch, sondern ist eine Tatsache.

In der Regel sind wir wenig geübt, diese drei Vorgänge in uns auseinanderzuhalten: sie verschmelzen zu einem Kuddelmuddel-Produkt.

Beispiel: Eine Frau berichtet ihrem Mann über eigene Pläne. Als er die Stirn ein wenig runzelt, versetzt sie erzürnt: «Nun mach doch nicht gleich wieder so ein angewidertes Gesicht!»

Ihre Rückmeldung ist ein Verschmelzungsprodukt aus Wahrnehmung, Interpretation und eigenem Gefühl (s. Abb. 31).

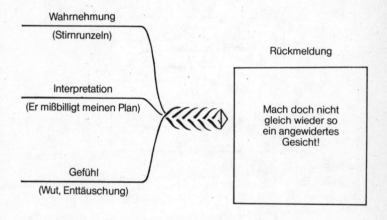

Abb. 31: *Die Rückmeldung als ein Verschmelzungsprodukt dreier Vorgänge im Empfänger.*

Warum ist es so wichtig, diese inneren Vorgänge zu sortieren? Damit der Empfänger sich darüber im klaren ist, daß seine Reaktion immer *seine* Reaktion ist – mit starken eigenen Anteilen. Und damit er Ansatzpunkte sieht, diese eigenen Anteile gegebenenfalls zu überprüfen: «Du runzelst die Stirn – paßt dir das nicht, was ich vorhabe?»

Jetzt kann er *bestätigen* («Ja, mir kommen diese und jene Beden-

73

ken...») oder *korrigieren* («Doch, doch – mir fiel nur gerade ein, daß wir dazu das Auto brauchen und ich noch keinen Inspektionstermin habe.») – oder auch *bei sich nachschauen* («Das Stirnrunzeln war mir gar nicht bewußt – ja, vielleicht bin ich etwas enttäuscht, daß du mir nicht vorher...»).

Ich halte es für eine ausgezeichnete Übung, den «inneren Dreierschritt» öfter einmal zu vollziehen:

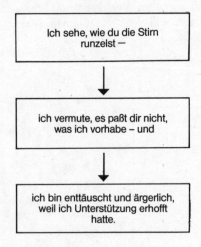

Ich sehe, wie du die Stirn runzelst —

↓

ich vermute, es paßt dir nicht, was ich vorhabe – und

↓

ich bin enttäuscht und ärgerlich, weil ich Unterstützung erhofft hatte.

Die drei beschriebenen Vorgänge sind die wichtigsten Elemente des «Bewußtseinsrades», wie es von Miller, Nunnally und Wachmann (1975) dargestellt wird. Diese Autoren gehen mit Recht davon aus, daß die innere Klarheit die wesentliche Voraussetzung für die zwischenmenschliche Kommunikation ist und legen deswegen ihren Schwerpunkt auf die «intrapersonelle Kommunikation»:

«Der erste Schritt in jeder Kommunikation besteht darin, herauszufinden, was ich anderen mitteilen will. In der (persönlichen) zwischenmenschlichen Kommunikation handelt es sich dabei oft um Informationen über die eigene Person, aber häufig haben die Leute große Mühe damit, klarzukriegen, welche Informationen sie über sich selbst überhaupt haben.» (S. 28, Übers.: S. v. Th.)

Übung

(Zu zweit): A und B sitzen einander gegenüber. In der ersten Runde äußert A eine Minute lang *nur Wahrnehmungen* von B (z. B. «Ich sehe, wie deine Augen nach unten gerichtet sind» – *Nicht aber:* «Ich sehe, wie du traurig guckst») – Danach kommt B dran, ebenfalls eine Minute.

In der zweiten Runde äußert A Wahrnehmungen *und* Interpretationen (z. B. «Ich sehe, du lachst – und ich vermute, du bist ein bißchen verlegen»); danach B, beide jeweils wieder etwa eine Minute.

In der dritten Runde folgt der Dreierschritt: Wahrnehmung – Interpretation – eigene Reaktion darauf (z. B. «Ich sehe deinen geraden Scheitel – ich vermute, du legst viel Wert auf äußere Korrektheit – und ich merke, daß mich das etwas abstößt bzw. anzieht»). – Wieder jeweils A und B, ein bis zwei Minuten.

Anschließend Erfahrungsaustausch.

3. Realitätsüberprüfung von Phantasien

Erst mit der Zeit bin ich dahintergekommen, daß ich oft gar nicht auf andere Menschen reagiere, wie sie sind, sondern auf die Phantasien, die ich mir von ihnen mache: «Er sieht müde aus, ich sollte ihn jetzt nicht mit Problemen belasten.» – «Ich werde sie nicht antelefonieren, bestimmt würde sie sich belästigt fühlen.»

Im oben beschriebenen Dreierschritt ist es der Punkt 2 (Interpretation), wo meine Phantasien über den anderen den Empfang der Nachricht mitbestimmen. Ich spreche von «Phantasien» (an Stelle von «Interpretationen»), wenn meiner Vermutung über Gedanken und Gefühle des anderen keine klar angebbare Wahrnehmung zugrundeliegt.

Für eine Verbesserung der Kommunikation geht es nicht darum, Phantasien so gut als möglich auszuschalten: Im Gegenteil, dies ist weder möglich noch wünschenswert. Vielmehr finde ich es nützlich, etwas über Phantasien und den Umgang mit ihnen zu wissen:

☐ Phantasien über den anderen sind etwas von *mir*.

☐ Sie können *zutreffend oder unzutreffend* sein.

☐ Es gibt zwei Möglichkeiten, mit Phantasien umzugehen: sie für sich zu behalten und das eigene Verhalten danach auszurichten – oder sie mitzuteilen und *auf Realität zu überprüfen* («Ich vermute, du bist müde und willst jetzt nicht über Finanzen reden – stimmt das?»).

Dies ist eine wichtige Schaltstelle der zwischenmenschlichen Kommunikation – einmal werden hier die Weichen für klare Kommunikation gestellt; aber auch für mich als einzelnen entscheidet sich hier die Frage von Kontakt und Isolation. Indem ich meine Phantasien als zutreffend annehme und für mich behalte, unterbreche ich den Kontakt und bleibe isoliert im selbsterbauten Käfig meiner Phantasien. Viele Menschen sitzen in diesem Käfig gefangen, ohne es zu wissen (leiden aber unter der «Oberflächlichkeit» ihrer Beziehungen) (s. Abb. 32).

Abb. 32: *Viele Menschen sind im Käfig ihrer Phantasien gefangen und vom Mitmenschen isoliert.*

Das Fatale an dieser «Methode» ist, daß unzutreffende Phantasien nie eine Korrektur erfahren und auf diese Weise scheinbar jedesmal bestätigt werden. Mehr noch: Sie neigen manchmal dazu, sich eine unheilvolle Realität zu schaffen – nach dem Muster einer *sich selbst erfüllenden Prophezeiung*. Beispiel: Jemand schaut bei seinem Nachbarn vorbei, vermutet dabei gleich: «Bestimmt störe ich!» – Diese

Phantasie beeinflußt sein Verhalten: Ohne innere Ruhe und halbherzig ist sein kurzer Besuch – es kommt keine behagliche Atmosphäre auf. Wenn sich dies einige Male wiederholt, fühlen sich die Nachbarn am Ende wirklich gestört, da sie mit dem Besuch kein erquickliches Beisammensein verbinden – der Teufelskreis einer sich selbst erfüllenden Prophezeiung hat sich geschlossen. Es ist aufregend zu entdecken, in welch starkem Maße wir *heimlicher Regisseur unseres Schicksals auch dort sind, wo wir ihm passiv zu erliegen scheinen.*

Phantasien als Kontaktbrücke. Es ist wundersam, wie grundverschieden wir mit unseren Phantasien umgehen können, einem Baumaterial, das sich gleichermaßen zur Herstellung von Käfigen wie von Kontaktbrücken verwenden läßt (s. Abb. 33).

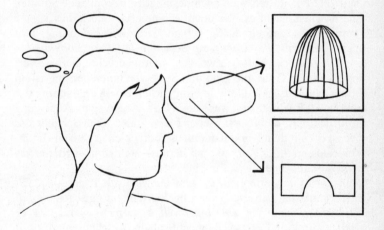

Abb. 33: *Phantasien über innere Vorgänge des Gesprächspartners können entweder zum Bau von «Käfigen» oder aber als «Kontaktbrücke» benutzt werden.*

Eindrucksvoll war für mich folgende Begebenheit: Ein Kollege aus der Schweiz war zu mir nach Hamburg gekommen – wir hatten verabredet, einen Kursus für meine Studenten zusammen zu leiten. Während wir an der Elbe spazierengingen, um den Kursus zu planen, sagte er mit einemmal: «Ich möchte gerne einmal meine Phantasien aussprechen, die ich über deine

Gedanken und Gefühle habe und die mich, wie ich merke, beunruhigen. Und ich möchte, daß du mir dann sagst, was davon wirklich der Fall ist.» – Und dann schlüpfte er in meine Rolle und legte los: Christoph (als Friedo): «Jetzt ist der Christoph also gekommen. Verabredet hatten wir das ja, aber das ist lange her – und jetzt fühle ich mich gebunden an die Verabredung, aber in Wirklichkeit ist es mir doch lästig, ihn in mein Konzept einzuweihen, seine Gesichtspunkte zu berücksichtigen – ich bin nicht mehr mein eigener Herr. Und wird er mir nicht die Studenten in ein anderes Fahrwasser treiben? ... (usw.) – so sprach, so «phantasierte» er noch eine Zeitlang und drückte dabei vieles von seinen Hoffnungen und Befürchtungen aus.

Ich hörte fasziniert zu, merkte, daß manches zutraf, obwohl ich mir das selbst noch gar nicht klargemacht hatte. Anderes wiederum traf nicht zu. – Ich brauche wohl nicht zu erwähnen, daß diese «Übung» uns in einen engen Kontakt gebracht hat.

Zuweilen begegne ich dem Einwand: «Aber was nützt es mir, unheilvolle Phantasien auch noch bestätigt zu bekommen? So offen ausgesprochen macht es alles noch schlimmer!» – Auch dies ist eine Phantasie, aus der ein Käfig gebaut wird. Die Erfahrung lehrt dreierlei: Erstens, *das Unausgesprochene belastet die Kommunikation stärker* («dicke Luft»). Zweitens, unausgedrückte Gefühle verwandeln sich in Gifte, die Leib und Seele von innen her angreifen. Drittens, ausgedrückte Gefühle ermöglichen eine Veränderung der emotionalen Realität: Erst wer seinen Haß, Ärger, seine Abneigung ausgedrückt hat, kann auch wieder Liebe fühlen. Der Behälter der Liebe ist oft mit dem Korken der unausgedrückten negativen Gefühle verschlossen – der Korken muß heraus, dann kann wieder etwas fließen, kommt wieder etwas in Fluß.

Nun noch der vierte Leitsatz zum Umgang mit Phantasien: Ob meine Phantasien zutreffen, kann nur der andere entscheiden. *Ich bin nicht Fachmann für seine Innenwelt,* kann nicht wissen, was er «wirklich» fühlt und «wirklich» möchte. Jede Botschaft von der Art «Ich weiß besser als du, was mit dir los ist» schadet der Kommunikation und grenzt an Psychoterror.

Übung

Besinnen Sie sich auf einen Menschen, demgegenüber Sie einige «ungute Gefühle» haben!

a) Schlüpfen Sie in die Rolle dieses Menschen und sprechen Sie (in Ich-Form) aus, was er über Sie denkt und fühlt mag – lassen Sie ihren Phantasien freien Lauf.

b) Überlegen Sie, ob und wie es angemessen sein könnte, diese (Ihre) Phantasien auf Realität zu überprüfen.

c) Falls Sie es «gewagt» haben: Welche Erfahrungen haben Sie bei diesem Gespräch gemacht?

4. Die Verantwortung des Empfängers für seine Reaktion

Aus den bisherigen Ausführungen sollte deutlich geworden sein: Die Reaktion des Empfängers auf die Nachricht ist zu einem guten Teil sein eigenes Werk. Deshalb ist es angemessen, wenn der Empfänger seinen Teil der Verantwortung für seine Gefühle und Reaktionen übernimmt und sie nicht dem Sender allein aufbürdet, nach dem Motto: «Nun sieh, was du angerichtet hast!» Diese Übernahme der Verantwortung ist nicht nur sachlich angemessen, sondern erleichtert auch die Kommunikation ungemein. Denn wenn der Empfänger im Sender den bösen Täter und in sich selbst nur das arme Opfer sieht, kommt es leicht zu einem zwischenmenschlichen Tribunal, das sich der Frage widmet: Wer hat schuld und wer hat recht? Deswegen liegt im Feedback dann eine Chance zur Verbesserung der Kommunikation, wenn es einen hohen Selbstoffenbarungsanteil hat. So ist es ein Unterschied, ob man sagt: «Sie haben mich beleidigt!» oder ob man sagt: «Ich fühle mich verletzt!» – In der ersten Äußerung unterstellt der Empfänger, daß er das zwangsläufige Opfer einer bösen Tat geworden ist und leugnet seinen eigenen Anteil an dem Gefühl. In der zweiten Äußerung stellt er einfach fest, was ist. Seine Verletztheit ist eine Realität, und er macht den Sender damit bekannt. Die Frage: «Was hat das mit mir – was hat das mit dir zu tun?» wird zunächst offen gelassen.

Ich-Botschaften. Derartige Nachrichten mit hohem Selbstoffenbarungsanteil werden «Ich-Botschaften» (Gordon 1972) genannt. Durch die Ich-Botschaft gibt man etwas von dem eigenen Innenleben preis. Die Ich-Botschaft steht im Gegensatz zur «Du-Botschaft», bei der eine Aussage über den anderen gemacht wird. Meistens findet hier ein blitzschneller Übersetzungsvorgang statt, bei dem eigene Gefühle (z.B. «Ich fühle mich übergangen») in *Beschreibungen über den anderen* (z.B. «Du bist rücksichtslos») überführt werden. Dies hat nicht nur den Nachteil, daß der andere sich angegriffen fühlt und in dem Wunsch nach Rehabilitation zur konstruktiven Problemlösung unfähig wird, sondern entfernt auch den Sender von sich selbst und seiner inneren Klarheit:

«Wenn ich... verstehen lerne, daß der Satz ‹Du bist blöd, nett, schwachsinnig, schizophren, kooperativ›, weniger über mich und meine Einstellung zum anderen aussagt als der Satz ‹Ich lehne dich ab, fühle mich angezogen usw.›, wird... *Selbstwahrnehmung* leichter. Häufig läßt sich nun im Gespräch klären, welche Anteile einer Aussage ‹zu mir gehören› und welche zum anderen.» (Dörner und Plog 1978, S. 31)

Du-Botschaften sind besonders ungünstig, wenn es sich um Diagnosen oder Interpretationen handelt. Beispiel: «Du baust eine Schutzwand auf, um nicht verletzt zu werden – aber sie hindert dich, eine menschliche Beziehung einzugehen.»

Eine solche Psychodiagnose mag richtig oder falsch sein – in jedem Fall ist die Begleitbotschaft («Ich weiß, was mit dir los ist») für den anderen meist unannehmbar. – Zum Konzept der Ich-Botschaft siehe auch S. 112 und 261 f.

Es ist offensichtlich, daß auch eine Rückmeldung – wie jede Nachricht – vier Seiten hat: Der Empfänger (= Feedback-Spender) weist auf Sachverhalte hin; gibt vor allem etwas von sich selbst kund, nämlich wie *er* auf die Nachricht reagiert, was *er* hineinlegt und was sie bei *ihm* auslöst (Selbstoffenbarung). Er drückt aus, wie er zum Sender steht (Beziehung), und oft hat das Feedback auch deutlichen Appell-Charakter, indem es die Aufforderung an den Sender enthält, etwas zu ändern oder beizubehalten.

Wir können jetzt das vorläufige Kommunikationsmodell der Abb. 4 (S. 30) vervollständigen, indem wir das (ebenfalls quadratische) Feedback mit aufnehmen und indem wir zwischen gesendeter und empfangener Nachricht unterscheiden:

Übung

Besinnen Sie sich auf drei Menschen, die Sie kennen.
a) Bezeichnen Sie jeden mit je zwei passenden Eigenschaftsworten, jeweils einem positiven und einem negativen. Zum Beispiel: Onkel Otto: nett, unpünktlich.

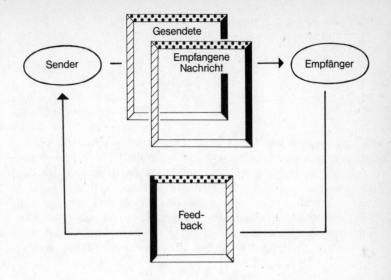

Abb. 34: *Vervollständigtes Modell der zwischenmenschlichen Kommunikation.*

b) Verwandeln Sie jetzt die Eigenschaftsworte (welche Du-Botschaften sind) nacheinander in «dahinterstehende» Ich-Botschaften.
Z. B. «nett» – «Ich fühle mich akzeptiert von Onkel Otto.»
«Unpünktlich» – «Schon mehrmals habe ich mich geärgert, wenn er später kam als angekündigt.»

IV. Interaktion
oder: Das gemeinsame Spiel
von Sender und Empfänger

Bisher haben wir die Nachricht kommunikationspsychologisch unter die Lupe genommen und damit sozusagen die kleinste Einheit der Kommunikation betrachtet. In diesem Abschnitt möchte ich den Blickwinkel etwas erweitern. Denn die Kommunikation ist ja nicht damit beendet, daß der eine etwas von sich gibt und beim anderen etwas ankommt. Im Gegenteil, nun geht es ja erst richtig los! Der Empfänger reagiert, wird dadurch zum Sender und umgekehrt, und beide nehmen aufeinander Einfluß. Wir sprechen von *Interaktion*.

1. Individuelle Eigentümlichkeiten als Interaktionsresultat

Gemäß unserer alltäglichen Sichtweise (psychologische Alltagstheorie) suchen und finden wir die Bestimmungsstücke des Verhaltens im Individuum selbst. Jemand sei hochnäsig, sagen wir, ein anderer kooperativ, Ernst sei ein Dauerredner, Waltraud sei dominant, Mimi dagegen hilflos und abhängig. Unter dem Einfluß der Psychologie sind wir damit vertraut, solche individuellen Eigentümlichkeiten als Resultat vergangener Kommunikationserfahrungen anzusehen und nicht etwa als angeboren und erbbedingt. So ist uns folgende Sichtweise nicht ungewohnt: Mimi ist so hilflos und abhängig, weil sie einen sehr autoritären Vater gehabt hat, der sie unterdrückte und nicht erwachsen werden ließ. – Die moderne Kommunikationspsychologie geht einen Schritt weiter. Sie erklärt persönliche Eigenarten als Ausdruck der *derzeitigen* kommunikativen Verhältnisse. Sie sagt: Es gehören immer mindestens zwei dazu, wenn sich einer in zwischenmenschlicher Hinsicht so oder so verhält. Wenn Mimi sich hilflos und abhängig gibt, dann wird sie es mit einem Partner zu tun haben, der dieses Spiel mitspielt – der sich kompetent und beschützend, vielleicht väterlich verhält. Und so gilt die Suche des Kommunikationspsychologen bei individuellen Schwierigkeiten zunächst immer auch den Mitspielern.

Üben wir uns an Hand einiger Beispiele in diesem Wechselwirkungsdenken! Jemand ist ein Dauerredner. – Wo sind die, die ihm schweigend und geduldig zuhören? Dauerredner gibt es nur so lange, wie andere sich komplementär verhalten. – Jemand anders ist dominant: Wer sind die, die sich unterdrücken lassen? – Jemand anders ist «unverschämt»: Offenbar gibt es Mitspieler, die sich alles bieten lassen.

Wie oft beklagen wir uns über die unangenehmen Eigenschaften unserer Mitmenschen. «Da lade ich ihn ein, und was meinst du, besitzt er doch die Unverschämtheit, seinen Hund mitzubringen! Dabei weiß er ganz genau, daß ich einen neuen Teppichboden und eine Hundehaare-Allergie habe!» – Die «Unverschämtheit» des anderen findet meist ihr Gegenstück in meiner Unfähigkeit, «nein» zu sagen und mein Interesse auszudrücken.

Die moderne kommunikationspsychologische Sichtweise von den zwischenmenschlichen Vorgängen lautet also: Kommunikation ist ein Wechselwirkungsgeschäft mit mindestens zwei Beteiligten. Persönliche Eigenarten, individuelle Verhaltensweisen sind interaktionsbedingt. Es gehören immer (mindestens) zwei dazu.

Diese Sichtweise ist 1. ent-individualisierend und 2. ent-moralisierend. Ent-individualisierend insofern, als zwischenmenschliche Verhaltensweisen nicht mehr in erster Linie aus den Eigenarten des Individuums erklärt werden, sondern aus den ungeschriebenen Regeln der gegenwärtigen Interaktion. Ent-moralisierend insofern: Nach der alten Sichtweise gibt es oft einen «bösen Täter» und ein «armes Opfer» («Dieser Dauerredner redet mich tot»). Da aber der Böse nur böse sein kann, wenn das arme Opfer sich zum Mitspielen bereit erklärt, ist eine moralische Beurteilung unangemessen. Es handelt sich um ein gemeinsames Spiel mit verteilten Rollen, und nicht selten hat das arme Opfer einiges Interesse daran, seine Rolle beizubehalten.

Der bisherige Gedankengang ist in Abb. 35 dargestellt:

Wo wir bisher den «schwierigen Mitmenschen» gesehen haben, sind wir nunmehr in der Lage, eine schwierige Beziehung zu sehen und nach dem Eigenanteil zu suchen:

Er ist ein Dauerredner	Warum wage ich ihn nicht zu unterbrechen?
Er ist dominant	Wie lasse ich mich unterdrücken?

Er ist so hilflos und abhängig   Wieso gehe ich ihm immer wieder auf den Leim und erledige seine Angelegenheiten?

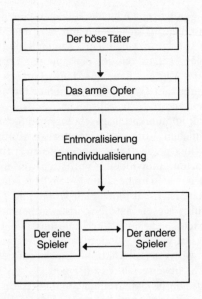

Abb. 35: *Die alte (individualisierende und moralisierende) Sichtweise und die neue kommunikationspsychologisch-interaktionistische Sichtweise.*

Für manche mag diese Sichtweise befremdlich und unbequem sein. Denn wo sie früher nur den bösen (gestörten, kranken) anderen gesehen haben, sollen sie nun die eigene Mit-«Schuld» in den Blick nehmen, genauer gesagt: den eigenen Mitspielbeitrag. Am Anfang ist dies eine zusätzliche Bürde, und kommunikationstheoretisch eingestellte Psychologen müssen mit einigem Widerstand rechnen, wenn sie sich von dem Auftrag distanzieren, die «Pathologie des anderen» (vgl. Selvini-Palazzoli u. a. 1978) zu beheben. Eltern und Lehrer, die ein «verhaltensgestörtes» Kind dem Psychologen überweisen, sind oft gar nicht erbaut, wenn dieser die Störung gar nicht erstrangig «im» Kind, sondern im «System» suchen und behandeln will. Denn nach dieser Auffassung ist nicht der «Symptomträger» krank, sondern das interaktionelle Netzwerk der ganzen Bezugsgruppe («Patient Familie», Richter 1970).

Neben der «Bürde» enthält die interaktionistische Sichtweise aber auch eine Chance: Indem ich meinen eigenen Mitspiel-Beitrag erkenne, erhalte ich mehr Macht, bin dem «schwierigen anderen» (dem Dauerredner und Dominanten, Hilflosen und Unverschämten) nicht mehr bloß ausgeliefert, komme aus der Opfer-Rolle heraus, die mich zwar von Verantwortung entlastet und mir moralische Überlegenheit sichert, die mich dafür aber auch leiden und nicht erwachsen werden läßt.

Wie steht es mit dieser Sichtweise bei realen Abhängigkeitsbeziehungen? Bin ich nicht z. B. zwangsläufiges Opfer eines tyrannischen Vorgesetzten? Die Chancen, auf die Interaktion Einfluß zu nehmen, sind hier nicht gleich verteilt. Dennoch findet sich bei näherem Hinsehen fast regelmäßig: Wo jemand Tritte austeilt, gibt es welche, die mehr als erzwungenermaßen «Tretfläche» bieten.

2. Interpunktion
(oder: Wer hat angefangen?)

Selbst wenn man von der individualistischen Betrachtungsweise abgekommen ist und den eigenen Beitrag zum gemeinsamen Spiel mit im Auge hat, selbst dann wird oft die Frage gestellt: «Wer hat angefangen?» Ein berühmtes Beispiel von Watzlawick (1969): Ein Ehepaar hat dauernd Streit. Die Frau nörgelt an ihrem Mann herum – wohingegen er sich zurückzieht (s. Abb. 36).

Was sich hier abspielt, wird von Mann und Frau unterschiedlich interpretiert. Der Mann: *«Weil* sie immer nörgelt, ziehe ich mich zurück.» – Die Frau: *«Weil* er sich immer zurückzieht, nörgele ich!» Beide interpretieren also ihr eigenes Verhalten *als Reaktion* auf das Verhalten des anderen. Watzlawick spricht von unterschiedlicher *Interpunktion* von Ereignisfolgen. «Interpunktieren» heißt: (willkürlich) das eine Verhalten als Ursache, das andere Verhalten als Folge oder Reaktion auslegen.

Es scheint eine menschliche Eigenart zu sein, das eigene Verhalten immer als Reaktion zu erleben. Dies erklärt zu einem guten Teil den merkwürdigen Umstand, daß sich in konfliktreichen Auseinan-

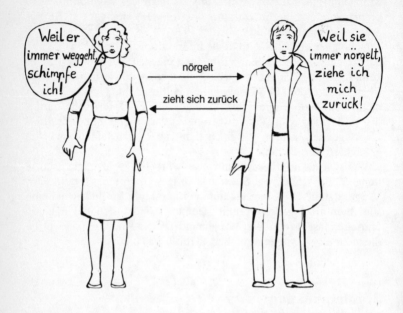

Abb. 36: *Frau und Mann interpunktieren ihre Interaktion verschieden.*

dersetzungen meist alle im Recht fühlen. – Hier ein paar weitere typische Beispiele für unterschiedliche Interpunktionen:

Eine neue Mitarbeiterin macht viele Fehler, die der Abteilung teuer zu stehen kommen. In der Abteilung herrscht Krach und Klimavergiftung. Interpunktion des Konfliktes seitens der Kollegen: «Weil sie uns nicht um Rat fragt und dann alles falsch macht, sind wir natürlich schlecht auf sie zu sprechen.» Interpunktion der neuen Mitarbeiterin: «Weil die mich alle ablehnen, wage ich nicht zu fragen, um keine abweisende Reaktion zu riskieren.»

In einer Arbeitsgruppe gibt es aktive, fleißige Gruppenmitglieder und eher passive, faule. Die aktiven: «Weil ihr so faul seid, bleibt alles an uns hängen.» Die passiven: «Weil ihr alles an euch reißt, haben wir resigniert und sagen uns: ‹Dann sollen sie ihren Kram allein machen!›»

Schlechte Atmosphäre in einer Schulklasse. Der Lehrer schimpft viel, die Schüler sind lustlos. Der Lehrer: «Weil ihr so apathisch und so wenig bei der

Sache seid, muß ich viel schimpfen.» Die Schüler: «Weil er dauernd ‹rum-meckert›, haben wir keine Lust mehr mitzumachen.»

Die Frage nach dem Anfang ist so unbeantwortbar wie die Frage, ob Henne oder Ei zuerst da gewesen sei. Nach der systemtheoretischen Sichtweise ist Kommunikation kreisförmig und ohne Anfang. Die Metakommunikation sollte daher nicht die Frage nach dem Anfang und nach der Schuld stellen, sondern darauf aus sein, das gemeinsame Spiel zu erkennen und Neuverabredungen zu treffen: «So und so treiben wir es miteinander, jeder reagiert auf den anderen und beeinflußt ihn dadurch. Wie können wir uns ändern, damit die Zusammenarbeit befriedigender wird?»

3. 1 + 1 = 3
(oder: Grundzüge der systemtheoretischen Betrachtungsweise – Zusammenfassung)

Grundlegend für die systemtheoretische Betrachtungsweise ist die Annahme, daß «Störungen» nicht so sehr die Eigenarten eines Individuums widerspiegeln, sondern sozusagen auf einer systematisch mißglückten Form des Aneinandergeratens beruhen. Die «übersummative» Gleichung:

$$1 + 1 = 3$$

besagt, daß es «in jeder Kommunikation eine Art sur-plus, eine Eigendynamik (gibt), die nicht nur aus der Summe der Anteile der einzelnen Kommunikationspartner zu erklären ist» (Brunner u. a. 1978, S. 52). Salopper ausgedrückt: Wenn Hans und Lene eine Beziehung eingehen, wenn ihre Persönlichkeiten «aufeinanderprallen», dann geschehen Dinge, die man kaum ahnen kann, wenn man Hans und Lene einzeln kennt. Und wenn einer von beiden «krank» oder depressiv oder unausstehlich wird, dann mag es weniger erfolgversprechend sein, den einen unter die Lupe zu nehmen, als die Art des Miteinander-Umgehens von beiden, ihre unbewußten «Spielregeln» (s. Abb. 37).

Dabei kann es sich zum Beispiel erweisen, daß die «Störung» des einen ein «sinnvolles» Mittel zur Aufrechterhaltung der Beziehung darstellt.

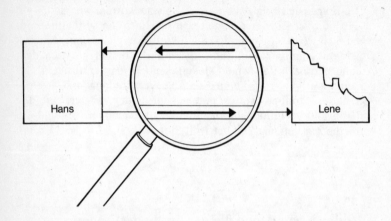

Abb. 37: *Systemtheoretischer Ansatz: Bei Störungen einzelner Individuen wird die Art des Miteinanders «unter die Lupe genommen» und verändert, nicht das einzelne Individuum.*

«Tatsächlich ist nämlich in Systemen mit homöostatischer Tendenz die ‹Pathologie› bestimmter Mitglieder die unabdingbare Voraussetzung für das Weiterbestehen des Gleichgewichts...» (Selvini-Palazzoli u. a. 1978, S. 64)

Die systemtheoretische Betrachtungsweise, die den Relationen zwischen den Elementen größere Aufmerksamkeit widmet als den Eigenschaften der Elemente selbst, unterstellt ferner *Kreisförmigkeit*, d.h. eine wechselseitige Einflußnahme, bei der die Frage nach dem Anfang ohne Sinn ist und nur willkürlichen Interpunktionen Vorschub leistet. Entsprechend entfällt eine moralische Betrachtungsweise, entfällt die Frage nach Schuld und Recht. Über die Schulklasse schreiben z. B. Selvini-Palazzoli u. a. (1978, S. 621):

«Die Beziehungen zwischen den Mitgliedern einer Klasse sind, wie alle Beziehungen innerhalb eines interaktiven Systems, kreisförmig: Reaktion und nachfolgendes Ereignis sind nicht voneinander zu trennen, und es ist ganz und gar willkürlich, die Abfolge von Verhaltensweisen nach Ursache und Wirkung, Herausforderung und Herausgefordertsein usw.

‹interpunktieren› zu wollen. Wer behauptet, daß das Verhalten von A Ursache des Verhaltens von B innerhalb der Schulklasse sei, will die Wirkung des Verhaltens von B auf A nicht wahrhaben. Wir müssen also

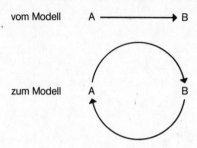

vom Modell   A ⟶ B

zum Modell   A   B

fortschreiten, und innerhalb dieses Modells ist es ganz einfach nicht möglich zu sagen, wer von beiden ‹angefangen› hat.»

Natürlich darf die systemtheoretische Sichtweise nicht verabsolutiert werden. Wie jemand kommuniziert und sich verhält, welche Eigenarten und «Neurosen» er hervorbringt, ist *auch* interaktionsbedingt, aber wohl kaum ausschließlich. Es darf angenommen werden, daß einige individuelle Merkmale und Persönlichkeitsausrichtungen in nahezu jedem Interaktionsgefüge «durchschlagen». Die «Gleichung» 1+1=3 zeigt ja, daß in der Summe *auch* die beiden Summanden der linken Seite enthalten sind.

Übungen

Besinnen Sie sich auf einen «schwierigen» Mitmenschen, mit dem Sie oft zu tun haben, vielleicht jemand, der Ihnen schon manches «angetan» hat.

Finden Sie heraus, worin Ihr eigener Beitrag zum mißlichen Verhalten des anderen besteht; wie haben Sie «mitgespielt»?

2. Kennen Sie eine Familie (oder ein Team, eine Gruppe) mit einem «schwarzen Schaf» (jemand, der «gestört» ist oder sich «unmöglich» benimmt)?

Wenden Sie die systemtheoretische Betrachtungsweise an, indem Sie sich fragen, wie dieses Verhalten aus dem Netz der Beziehungen verständlich wird!

V. Metakommunikation – die Gewohnheit der nächsten Generation?

Es gibt kaum ein Heilmittel, das für «kranke», gestörte Kommunikation von den Fachleuten so empfohlen wird wie (explizite*) Metakommunikation. Gemeint ist eine Kommunikation über die Kommunikation, also eine Auseinandersetzung über die Art, wie wir miteinander umgehen, und über die Art, wie wir die gesendeten Nachrichten gemeint und die empfangenen Nachrichten entschlüsselt und darauf reagiert haben. Zur Metakommunikation begeben sich die Partner gleichsam auf einen «Feldherrenhügel» (Langer), um Abstand zu nehmen von dem «Getümmel», in das sie sich verstrickt haben und in dem sie nicht mehr (oder nur zäh und schwierig) weiterkommen (s. Abb. 38).

Das Bild des Feldherrnhügels soll nicht zu dem Mißverständnis verführen, daß Sender und Empfänger hier wissenschaftlich-distanziert von einer hohen Warte das Geschehen analysieren, etwa in der Art: «Ich glaube, daß ich eher auf den nonverbalen Anteil deiner etwas inkongruenten Nachrichten reagiere und das Geschehen auf der Beziehungsebene anders interpretiere als du.» – Dies wäre eine akademische Spielart von Metakommunikation, aus der kein Heil zu erwarten ist (vgl. auch S. 256 ff).

Zwar haben wir in den vier Seiten der Nachricht, in der Unterscheidung der Empfangsvorgänge und in der systemorientierten Betrachtungsweise ein hervorragendes Rüstzeug für die Fähigkeit zur Metakommunikation. Dieses Rüstzeug ist aber nur dann hilfreich, wenn wir es als Wahrnehmungshilfe benutzen, um bewußter mitzukriegen, was sich in mir und zwischen uns abspielt; nicht hingegen, wenn wir eine neue Imponiersprache der Eingeweihten daraus entwickeln. Gute Metakommunikation verlangt in erster Linie einen vertieften Einblick in die eigene Innenwelt und den Mut zur Selbstoffenbarung. Mut insofern, als das Thema «Was geht –

---

* Explizite Metakommunikation insofern, als implizit ohnehin in jeder Nachricht ein metakommunikatorischer Anteil, ein «So-ist-das-gemeint-Anteil» steckt. – Wenn im folgenden von Metakommunikation die Rede ist, ist immer die explizite gemeint.

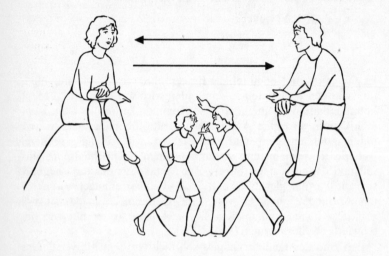

Abb. 38: *Die «Feldherrenhügel» der Metakommunikation: Sender und Emp-fänger machen die Art, wie sie miteinander umgehen, zum Gegenstand des Gespräches.*

hier und jetzt – in mir vor – wie erlebe ich dich und was spielt sich zwischen uns ab?» eine meist vermiedene direkte Konfrontation mit der oft als peinlich erlebten Realität darstellt. Als Preis winkt allerdings eine Befreiung von unausgedrückter Spannung und die Chance, aus der Störung dadurch herauszukommen, daß man wirk-lich «hindurchgegangen» ist.

Hier noch einige Zitate zum Thema Metakommunikation:

«Die Fähigkeit zur Metakommunikation ist... eine Conditio sine qua non aller erfolgreichen Kommunikation...» (Watzlawick 1969, S. 56)

«Es scheint kaum eine kommunikative Verhaltensklasse zu geben, die die meisten Menschen so *ungewohnt* finden, so scheuen und doch so *befreiend* erleben können, wie ein Gespräch über die Beziehung, wie explizite Meta-kommunikation.» (Mandel und Mandel 1971, S. 127)

«Explizite Metakommunikation ist völlig *unüblich,* man schämt sich ihrer. Es würde geradezu einer Evolution gleichkommen, gelänge es, sie in der nächsten Generation zur Gewohnheit zu machen.» (Mandel und Mandel a.a.O., S. 62)

«Der einzige Ausweg (aus der Gefahr, daß Beziehungsstörungen in der Schule die Inhaltsvermittlung sabotieren, Verf.) liegt unseres Erachtens – analog zu dem dialektischen Satz: ‹Wer sich nicht in Gefahr begibt, kommt darin um› – darin, daß man gerade durch die gestörten Beziehungen ‹hindurch› muß, um sie zu verändern, d.h., daß man lernen muß, Beziehungsdefinitionen und -störungen zu erkennen und darüber zu reden – dies wäre Metakommunikation –, um ihrer Wirkung nicht hilflos ausgeliefert zu sein.» (Brunner 1978, S. 63 f).

Den Enthusiasmus, der aus diesen Zitaten spricht, kann wohl jeder nachvollziehen, der einmal erlebt hat, daß er durch das Aussprechen einer Störung (mit bangem Herzen! Wird man mich nicht auslachen oder «zerfetzen»?) die «Wahrheit der Situation» gefördert und eine befreiende, intensive Auseinandersetzung ausgelöst hat – anstatt, wie früher, die kommunikative «Unbehaglichkeit» stumm oder mit guter Miene zum bösen Spiel zu erleiden. Meist ging es ja allen so, nur wußte dies keiner vom anderen.

Auf der anderen Seite gibt es keine Garantie, daß auf der Meta-Ebene nicht dieselben Fehler gemacht werden. Die Störung erfährt dann nur eine Ebenen-Verlagerung. In diesem Fall ist es angebracht, einen außenstehenden Kommunikationshelfer hinzuzuziehen. Dieser versteht sich als Hebamme klarer «quadratischer» Nachrichten und als einfühlsamer Anwalt förderlicher Interaktionsregeln (s. S. 126 f).

Zum Schluß ein Beispiel für eine Metakommunikation in einem Arbeitsteam. Ausgangspunkt ist ein «Funktionalitätsverdacht» (vgl. S. 60 f):

In dem Team hatte es sich so eingebürgert, daß unangenehme Aufgaben durch «Ausgucken» verteilt wurden, und in einer Mischung aus Ernst und Flachs wurde der «Dumme» mit viel Lob über seine «besonderen Fähigkeiten für gerade diese Aufgabe» entschädigt:

Kollege A: «Ich weiß nicht recht, ob ich mich über Ihr Lob freuen kann. Ich habe den Verdacht, daß wir jemanden immer dann hochloben, wenn wir einen Dummen gefunden haben.»

B (lacht): «Ob Sie da wohl von sich auf andere schließen?»

A: «Sie erleben das anders?»

B: «Ach, ich sehe das alles nicht so verbissen. Klar, wenn wir zu jemandem sagen: ‹Sie sind für diese Aufgabe doch besonders gut geeignet›,

93

dann weiß jeder, daß das vor allem gesagt wird, um jemanden zu motivieren. Das Auge zwinkert sozusagen dabei – das ist so 'ne Art Spiel, finde ich.»

A: «Vielleicht nehme ich das zu ernst – aber irgend etwas ärgert mich doch daran.»

C (zu A): «Ich bin froh, daß Sie das mal angesprochen haben. Ich finde, wir haben oft so eine Art zu witzeln, wenn es heikel wird. Ich mache da dann oft mit, obwohl ich ein ungutes Gefühl habe. Zum Beispiel neulich...» usw.

Übung

Dies ist eine Vorübung für Metakommunikation: Wenn Sie das nächste Mal ein Gespräch geführt haben, das Ihnen etwas «unter die Haut» gegangen ist, machen Sie sich anschließend ein paar Notizen, etwa zu folgenden Punkten:

Wie habe ich mich gefühlt während des Gesprächs? Was waren die Auslöser für diese Gefühle? War ich mir darüber im klaren, was mein Anliegen, meine «Botschaft» war? Habe ich sie vermitteln können? Was hätte ich im «Klartext» am liebsten sagen mögen? Was hat mich daran gehindert? Was würde ich jetzt, nach dem Gespräch gerne noch loswerden? Welche Phantasien habe ich darüber, welche Notizen sich der andere jetzt machen würde?

Dies ist Meta.
Sie soll uns . . .

. . . in verfahrenen Situationen

und angespannten Lagen
daran erinnern,

uns selbst einmal über die Schulter
zu schauen und darüber zu reden,
wie wir miteinander umgehen:
Metakommunikation

Teil B
Ausgewählte Probleme
der zwischenmenschlichen
Kommunikation

In diesem Teil B wollen wir jede der vier Seiten noch einmal für sich betrachten und einige ausgewählte psychologische Probleme erörtern, die sich jeweils damit verbinden. Im Gegensatz zum systematisch aufgebauten Teil A kann dieser Teil B interessengeleitet und in beliebiger Reihenfolge gelesen werden. Der Aufbau des Teiles B ist aus folgendem Strukturbild erkenntlich:

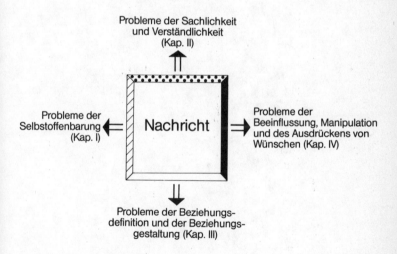

I. Die Selbstoffenbarungsseite der Nachricht

Sobald ich etwas von mir gebe, *gebe* ich etwas von *mir*. Jede Nachricht enthält (auch) eine Selbstoffenbarung – dies ist ein existentielles Phänomen, durch das jedes Wort zum Bekenntnis und jede Äußerung zur Kostprobe der Persönlichkeit wird. Diese Selbstoffenbarung kann mehr oder weniger bewußt, mehr oder weniger reichhaltig und tiefgreifend und mehr oder weniger getarnt und versteckt sein – aber sie kann nicht nicht sein.

Ich erlebe es wieder und wieder, daß allein das Wort «Selbstoffenbarung» Unruhe und Abwehr auslöst: «Soll hier etwa ein seelisches Striptease stattfinden?» Tatsächlich kosten den Sender wie den Empfänger der Umgang mit dieser Seite viele Energien. Sie ist psychologisch brisant.

Ich möchte die kommunikationspsychologischen Probleme der Selbstoffenbarung überwiegend aus der Sicht des Senders darstellen. Er sieht vor seinem geistigen Auge den Empfänger mit gespitztem Selbstoffenbarungs-Ohr (vgl. Abb. 20, S. 54) und steht vor der bangen Frage: «Wie stehe ich in den Augen des anderen da?» Über dieses fast allgegenwärtige Phänomen der Selbstoffenbarungsangst soll im folgenden zuerst gesprochen werden (Kap. 1, S. 100ff). In einem Exkurs soll die Entstehung dieser Angst in der kindlichen Sozialisation zurückverfolgt werden. Sodann stellt sich die Frage: Wie geht der Sender mit dieser Selbstoffenbarungsangst um, welche Selbstdarstellungs- und Angstabwehrtechniken stehen ihm zur Verfügung? Hier wird von Techniken der Selbstdarstellung die Rede sein, und es wird sich zeigen, daß der Sender – in allzugroßer Besorgtheit um diese Seite – sehr viele Energien für ihre Gestaltung verbraucht (Kap. 2, S. 106ff). Die Auswirkungen dieser seelischen Energieverschwendung werden sowohl für die Sache als auch für die Mitmenschlichkeit als gefährlich dargestellt (Kap. 3, S. 115). Worin besteht die Alternative? In Kapitel 4 (S. 116ff) werden kommunikationspsychologische Wegweiser vorgestellt und diskutiert, die eine bessere Verständigung ermöglichen sollen. Es zeigt sich, daß der Appell «Sei du selbst» nur dann befolgt werden kann, wenn dem Sender zunächst einmal eine Selbstoffenbarung vor sich selbst gelingt. Anders ausgedrückt: Um anderen den Zugang zu mir zu erlauben, muß ich erst einmal den Zugang zu mir selbst gefunden haben und immer aufs neue finden. – Wenn auch ein solches Ziel utopisch ist, so ist doch eine Annäherung möglich. Hier stellt sich die Frage nach den Wegen zur Selbsterkenntnis (Kap. 5, S. 123 ff).

1. Selbstoffenbarungsangst

Die emotionale Belastung des Senders wird am deutlichsten in Situationen, die hauptsächlich um der Selbstoffenbarung willen stattfinden. Paradebeispiel: die Prüfung. Des Senders Nachrichten werden hier mit dem Selbstoffenbarungs-Ohr ausgewertet: Was sagen mir deine Ausführungen über dich, deine Qualifikation, deine Kenntnisse? Der Sender hat Angst: Prüfungsangst. «Werde ich vor dem Urteil bestehen oder werde ich versagen?» Zwar sind Prüfungen, Bewerbungsgespräche, psychologische Tests usw. durch ein besonderes Schwergewicht auf der Selbstoffenbarungsseite gekennzeichnet; da aber Nachrichten auch im sonstigen Leben diese Seite beinhalten, nehmen wir ein Stück Prüfungsangst mit in alle zwischenmenschlichen Beziehungen. Diese Selbstoffenbarungsangst beruht auf der Vorwegnahme einer negativen Beurteilung durch den Mitmenschen, wobei ich als Sender selbst mein nächster Mitmensch und nicht selten mein strengster Richter bin.

So trauen sich viele nicht, den Mund aufzumachen. Eine Befragung Hamburger Schüler ergab, daß über 70% ein Problem darin sahen, sich vor anderen Leuten – Erwachsenen wie ihresgleichen – auszudrücken. Es scheint, als ob die bange Frage: «Wie stehe ich in den Augen der anderen da?» das Seelenleben übermächtig beherrscht.

Ein (Jura-)Student schreibt: «Viele Menschen haben regelrecht Angst davor, etwas nicht zu wissen, weil dieses ‹Nicht-Wissen› ja als Schwäche ausgelegt werden könnte. Daraus resultiert oft ein ‹gescheites› Daherreden ohne viel Sinn, nur um dem Verdacht zu entgehen, ein ‹Nicht-Wissender› zu sein... Auch in Kontakten zu anderen Menschen, besonders bei der Partnersuche, stelle ich oft eine ausgeprägte Angst fest, sich zu öffnen, da man ja ‹Schwächen› feststellen könnte. Nur nicht zuviel offenbaren, sonst könnte ja der andere ein schlechtes Bild von der eigenen Persönlichkeit erhalten.» (Aus einem Vorlesungstagebuch, 1980)

Besonders spürbar wird die Angst bei großer Empfängerschaft. Angenommen ich will auf einer politischen Versammlung oder einer Elternratssitzung etwas zur Sache sagen. Mein Herz klopft, bevor und während ich mich zu Wort melde. Biologisch gesehen hat Herzklopfen die Funktion, die Muskeln mit viel Blut zu versorgen, damit sie für den «Ernstfall» gerüstet sind. Diese Aufrüstung wird vom Gehirn dann befohlen, wenn es die Situation für «ernst» hält, nämlich wenn Verteidigung, Angriff oder Flucht als lebenserhaltendes Verhalten bevorsteht.

So sagt mir mein Körper sehr deutlich, was ich vielleicht mit dem Verstand für albern halte: Mein Sachbeitrag ist mir ein persönlicher «Ernstfall», eine Bedrohung meines Selbstwertgefühls. Des Senders Risiko drückt sich schon in dem überlieferten antiken Wort aus: «Si tacuisses, philosophus manisses» («Hättest du geschwiegen, würde man dich weiterhin für weise halten»).

Halten wir fest: Der Sender weiß, daß seine Nachrichten auch unter dem Aspekt der Selbstoffenbarung empfangen und gewertet werden, deshalb ist eine Art generalisierter Prüfungsangst allgegenwärtig – ich nenne sie Selbstoffenbarungsangst.

Übrigens rührt die Angst vor dem Psychologen daher: Man rechnet damit, daß er ausgebildet ist, Nachrichten unter dem Selbstoffenbarungsaspekt auszuwerten («Was auch immer ich von mir gebe – er wird mich doch gleich durchschauen und wissen, was mit mir los ist!»).

Teilweise ist die Selbstoffenbarungsangst nicht mehr spürbar, weil wir Kommunikationstechniken erlernt haben, die die Angst mindern oder gar nicht erst aufkommen lassen. Über solche Techniken handelt Kap. 2. Zunächst wollen wir einen kurzen Blick auf die Entstehungsgeschichte der Selbstoffenbarungsangst werfen.

1.1 Zur Entstehung der Selbstoffenbarungsangst

Wohl jeder hat die Selbstoffenbarungsangst schon gespürt, kennt sie aus eigenem Erleben, mehr oder minder. Woher kommt diese Angst? Ist sie angeboren? Menschliches Schicksal? Neurotisch und überflüssig?

Soweit ich sehe, liegen die Ursprünge der Selbstoffenbarungsangst bereits in früher Kindheit, sie ergibt sich als beinahe zwangsläufige Folge des *Zusammenstoßes* von kindlichem *Individuum* und *Gesellschaft*. Die Selbstoffenbarungsangst gehört zu den *bleibenden Unfallschäden dieses Zusammenstoßes*.

Zwar ist der «Zusammenstoß» unvermeidlich, jedoch ist die Härte des Aufpralles und ist die Verletzung sehr unterschiedlich, je nachdem, wie liebevoll und aufgeklärt die Erziehung und wie human die

Gesellschaft gestaltet ist. Ich möchte im folgenden zwei Teilaspekte dieses Zusammenstoßes von Individuum und Gesellschaft unterscheiden und jeweils die Entstehung der Selbstoffenbarungsangst sowie die Strategien ihrer Bewältigung daraus ableiten. Die eine Art des Zusammenstoßes ergibt sich aus dem kindlichen So-sein und den gesellschaftlichen Normen; das Kind merkt sehr bald, daß ein Teil seiner Persönlichkeit unerlaubt und böse ist und findet guten Grund, dieses ungeliebte Ich zu verstecken. Dieser Vorgang der Verdrängung unerwünschter Teile der Person ist in der psychoanalytischen Literatur ausführlich beschrieben worden.

Die andere Art von Zusammenstoß ergibt sich aus der kindlichen Hilflosigkeit und Unzulänglichkeit und den gesellschaftlichen Leistungsanforderungen. Das von dem Tiefenpsychologen Alfred Adler als menschliches Schicksal postulierte «Minderwertigkeitsgefühl» führt zu der Schlußfolgerung: «So (unzulänglich) wie ich bin, kann ich mich nicht vorzeigen!» und zu zahlreichen Versuchen, die Selbstaufwertung zu betreiben.

Verfolgen wir diese beiden Entwicklungslinien der Selbstoffenbarungsangst etwas ausführlicher.

Zusammenstoß zwischen kindlicher Eigenart und gesellschaftlichen Normen. Ein Grunderlebnis für jedes Kind ist die teilweise Unvereinbarkeit seiner Wünsche und Eigenarten mit den gesellschaftlichen Normen. «Bravsein, wenig verlangen, sich unterwerfen, nichts kaputtmachen, Wut unterdrücken, keine Sexualität zeigen usw., das sind die unendlich schwer zu verinnerlichenden Verbote, von denen es abhängt, ob ein Kind sich gut fühlen darf.» (Richter 1974, S. 80) Meist sind es in erster Linie die Eltern, die durch Lohn und Strafe, durch Liebe und Liebesentzug diese Normen vermitteln und dem Kind die Angst vor seinem ungeliebten Ich beibringen. Diese Angst ist berechtigt, keineswegs neurotisch und führt zur Anpassung und zur Unterdrückung der «bösen» Anteile. In diesem Prozeß werden die Eltern (und später die Nachbarn, Kindergärtner, Lehrer, Altersgenossen) zu einer Art Richter, vor deren Augen man zu bestehen hat, um Glück und Selbstwertgefühl zu erlangen. Und das Kind lernt, daß nur bestimmte Gefühle, Gedanken und Verhaltensweisen, die in ihm sind, den Beifall der Richter finden; andere sind «schlecht» und müssen unterdrückt und vor anderen verborgen werden (s. Abb. 39).

Nun geschieht aber noch ein weiteres: Das Kind macht im Laufe der Zeit die Urteile seiner Richter zu seinen eigenen, es «verinner-

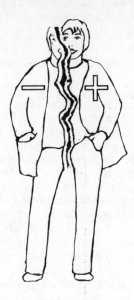

Abb. 39: *Das Kind merkt bald, daß nur ein Teil seiner Person liebenswert ist. Folge: Abspaltung von Persönlichkeitsanteilen.*

licht» sie. Verbotene Gefühle und Handlungsimpulse brauchen zur Unterdrückung keinen Richter von außen mehr, sie lösen automatisch Schuld- und Schamgefühle aus: Der Richter ist in uns in Gestalt eines Gewissens, Ehrgefühls oder Über-Ichs. Durch diese Über-Ich-Bildung kommt die Angst nicht mehr so stark auf, denn Impulse, die Strafe nach sich ziehen, werden rechtzeitig unterdrückt – ein Deckel auf der Schlangengrube.

Der Richter ist also in uns, aber: wir projizieren ihn auch wieder nach außen, dorthin, wo wir ihm ursprünglich begegnet sind – in der Gestalt anderer Menschen. Wer in einem Warenhaus eine Vase stiehlt und sie unter seinem Rock verbirgt, fühlt mit einemmal die Blicke aller Kunden und Verkäufer auf sich gerichtet, fühlt sich ertappt und verurteilt, umgeben von Detektiven und Richtern. Etwas abgeschwächt ergeht es uns im alltäglichen Leben: Stets etwas «Verbotenes unter dem Rock», projizieren wir den eigenen inneren Richter in die anderen Menschen hinein, besonders in solche, die

Ähnlichkeit mit den «alten Richtern» haben (sog. Autoritätsängste), sei es durch ihr Alter, ihr Aussehen oder ihr Verhalten – etwa wenn sie zu erkennen geben, daß sie uns kritisch beobachten. Sogleich befürchten wir, daß sie uns «fertigmachen», und zwar wegen derjenigen Eigentümlichkeiten, die wir an uns selber beschämend oder schwächlich wähnen.

«Auf Grund der Angstbereitschaft, die wir seit unserer Kindheit in uns haben, reagieren wir auf jeden Menschen, der uns mit strafender oder vorwurfsvoller Gebärde gegenübertritt, mit kurzer spontaner Angst. Der andere nimmt dabei – nicht objektiv, aber in unserer subjektiven Empfindung – vorübergehend den Charakter einer autoritären und uns überlegenen Richterfigur an. Wir befinden uns wieder in einer Art Bewährungssituation, in der wir bestehen müssen vor dem anderen. Nichtbestehen bedeutet Angst. Um diese Angst loszuwerden, ziehen wir spontan und unbewußt alle Register, mit denen wir Sympathie, Anerkennung und Respekt gewinnen können.» (Duhm 1972, S. 22)

Bei dieser Projektion (die anderen sind Richter, vor deren Urteil ich zu bestehen habe) handelt es sich eher um eine neurotische Angst. Neurotisch deshalb, weil sie inzwischen teilweise überflüssig ist (im Gegensatz zur real begründeten Angst des Kindes). Nicht, daß die ständige Beurteilung durch andere pure Einbildung wäre. Ein wenig ist das Selbstoffenbarungs-Ohr des Empfängers stets gespitzt. Aber es handelt sich um eine erlebnismäßige Übertreibung dieses Sachverhaltes. Meist hat der Empfänger ganz andere Sorgen; nicht selten wähnt er selbst etwas «Verbotenes unter seinem Rock» und ist sehr damit beschäftigt, der Entdeckung und Verurteilung zu entgehen.

Zusammenstoß von kindlicher Unzulänglichkeit mit den Leistungsmaßstäben der Umwelt. Das grundlegende Erlebnis für das Kind ist nach Adler das Erlebnis der eigenen Minderwertigkeit:

«Faßt man die Kleinheit und Unbeholfenheit des Kindes ins Auge, die so lange anhält und ihm den Eindruck vermittelt, dem Leben nur schwer gewachsen zu sein, dann muß man annehmen, daß am Beginn jedes seelischen Lebens ein mehr oder minder tiefes *Minderwertigkeitsgefühl* steht.» (Adler 1966, S. 71)

«Klein, schwach, unorientiert, hilflos tritt der Mensch das Leben an. In jeder Weise gegenüber den Erwachsenen benachteiligt, empfindet das Kind ein Unsicherheitsgefühl. Es strebt nach Sicherheit. ‹Großwerden› wird zu seinem Wunschziel. ‹Großsein› bedeutet, in der Lage zu sein, einen Gegenstand zu nehmen, eine Tür zu öffnen, den Umkreis seiner Bewegungen zu erweitern, sich viele Wünsche zu erfüllen...» (Jacobi 1974, S. 54)

Unter günstigen Umständen (wenn sich das Kind erwünscht fühlt, seinen vollwertigen Platz in der Gemeinschaft findet und auf seinem Lernweg ermutigt wird) baut sich rasch ein gesundes Selbstwertgefühl auf. Häufig sind aber die Erfahrungen in der Kindheit geeignet, das Minderwertigkeitsgefühl zu verstärken: So führt etwa ein übermäßig behütender, verwöhnender Erziehungsstil dazu, daß das Kind den Eindruck empfängt, aus eigener Kraft nicht zu taugen, und schlecht gerüstet in ein Leben tritt, in dem ihm auf Grund seines Lernrückstandes erniedrigende Erfahrungen und Blamagen bevorstehen. Auch können empfindliche Niederlagen in der Geschwisterrivalität im Kind ein Gefühl der Unterlegenheit erzeugen. Schließlich sind alle herabsetzenden Beziehungsbotschaften seitens der Umwelt geeignet, ein negatives Selbstbild des Kindes zu verfestigen («Mit mir ist nicht viel los!» – vgl. Kap. B III, 5, S. 186f).

Je stärker das Minderwertigkeitsgefühl ausgeprägt ist, um so mehr ist nach Adler der Mensch darum besorgt, dieses quälende Gefühl zu kompensieren und die eigene Selbstaufwertung zu betreiben. Jedes Streben nach Geltung, Überlegenheit und Macht wurzelt in dem Bemühen, die eigene (eingebildete oder reale) Schwäche zu überwinden (Kompensation) und dabei möglichst – zur besseren Sicherung – über das Ziel hinauszuschießen («Überkompensation»). Die Selbstoffenbarungsangst erweist sich aus dieser Sicht heraus als eine Angst vor der Entlarvung als Versager. Je stärker das Minderwertigkeitsgefühl des Erwachsenen ausgeprägt ist, um so mehr

□ phantasiert er seine Mitmenschen in die Rolle von strengen Richtern hinein, vor deren Augen er zu bestehen und vor denen er den «unansehnlichen» Teil seiner Person zu verbergen habe, um halbwegs anerkannt zu werden;

□ faßt er auch harmlose Situationen (z. B. Glücksspiele, Gastgeber sein, sexuelles Beisammensein) *leistungsthematisch* auf, d. h., er erlebt das Ganze als eine Art Bewährungsprobe seiner Person;

□ sieht er in dem anderen einen *Rivalen* und fürchtet die Niederlage im Wettlauf um Geltung und Prestige.

1.2 Die Welt von Richtern und Rivalen – ein Phantasieprodukt?

Nicht, daß die Welt von Richtern und Rivalen ein reines Phantasieprodukt, bloß eine neurotische Projektion wäre. Im Gegenteil sind wichtige Lebensbereiche in unserer Gesellschaft (z. B. Schule und Arbeitsleben) so eingerichtet, daß sie notwendig zu Brutstätten der Selbstoffenbarungsangst werden: Sie sind nach dem Leistungs- und Rivalitätsprinzip aufgebaut.

So sollte die Schule eigentlich dem Lernen und der Persönlichkeitsbildung dienen. Da aber die Schule gleichzeitig die gesellschaftliche Funktion erfüllt, die Spreu vom Weizen zu trennen, d. h. die Schüler auf Grund ihrer Leistung in Aufsteiger und Absteiger einzuteilen, wird es für den Schüler lebenswichtig, auf der Selbstoffenbarungsseite eine gute Figur zu machen. Er ist tatsächlich umgeben von Richtern (Lehrern) und Rivalen (Mitschülern) – er muß «gut» sein und mehr noch: er muß besser sein als die anderen, um auf den «grünen Zweig» zu kommen.

Was in der Schule besonders deutlich und besonders verhängnisvoll ist, gilt mehr oder minder für viele Lebensbereiche, gerade auch in einem kapitalistischen Wirtschaftssystem, worauf besonders Duhm (1972, S. 50) hinweist:

«Die Polarität Können–Nichtkönnen wird zum vorrangigen Urteilsschema in fast allen Lebensfragen, das Leben zu einem Ablauf von angsterregenden Bewährungssituationen… – Damit vertieft das Leistungs- (und Konkurrenz-)Prinzip die Kluft zwischen den Menschen, verfeindet sie gegenseitig und legt auch in die besten Beziehungen einen Bodensatz von Neid und Mißgunst.»

Die Angst vor Richtern und Rivalen kommt also nicht von ungefähr. Darüber hinaus wird die Angst jedoch meist zu einem ständigen Lebensbegleiter und auch auf solche Situationen übertragen, die an sich keinen Wettbewerbs- und Tribunalcharakter tragen.

2. Selbstdarstellung und Selbstverbergung

Auf diesem gesellschaftlichen und persönlich-biographischen Hintergrund ist es zu verstehen, daß der Sender um seine Selbstoffenbarung immer ein wenig besorgt ist und ein Teil seiner Energien in die Gestaltung der Selbstoffenbarungsseite fließt. Die Vielzahl der Techniken, die ihm hierzu zur Verfügung stehen, lassen sich grob einteilen in Imponier- und Fassaden-Techniken. Imponiertechniken sind solche, die darauf abzielen, die eigene «Schokoladenseite» vorzuzeigen und Pluspunkte zu sammeln. Dieser durch Hoffnung auf Erfolg gekennzeichneten Strategie stehen die durch Furcht vor

Mißerfolg motivierten Fassadentechniken zur Seite: Damit sind solche gemeint, die geeignet sind, den «unansehnlichen» Teil der eignen Person geheimzuhalten. – Schließlich trifft man zuweilen eine Form der Selbstdarstellung an, die dem bisher Gesagten zu widersprechen scheint: eine demonstrative Art, sich selbst kleinzumachen, sein Licht unter den Scheffel zu stellen.

Im folgenden wollen wir uns die Imponier-, Fassaden- und Verkleinerungstechniken genauer ansehen.

2.1 Imponiertechniken

Die Sprache hat viele Begriffe, um des Senders Bemühen zu kennzeichnen, sich «von der besten Seite» zu zeigen: sich aufspielen, sich produzieren, angeben, selbstbeweihräuchern, radschlagen wie ein Pfau, Eindruck schinden usw. Zahlreich und sehr individuell sind auch die verwendeten Techniken. Allerdings steht der Sender vor einem Problem. Es gilt als plump und würde eher eine gegenteilige Wirkung erzeugen, die eigenen Vorzüge offen herauszustellen und allzu «dick aufzutragen». Außerdem gehört es selten «zur Sache».

Also muß er sie unauffällig in den Sachinhalt (1. Seite der Nachricht) hineinweben. Eine Technik wird in Kap. B II, 2, S. 140f erörtert werden: Die schwerverständliche Sprache. Schwer verständliche Ausführungen dienen weniger dem Verständnis des Empfängers als dem eigenen Prestige («Ich verstehe kein Wort, aber es muß ein sehr kluger Kopf sein!»). Eine andere Technik besteht darin, *hochwertige Personalmeldungen auf dem Kanal der Beiläufigkeit* zu senden. Damit ist gemeint: Über sich selbst ganz beiläufig und scheinbar ohne große Absicht etwas andeuten, was Eindruck macht. Etwa wenn jemand sagt: «Ich kann Ihnen da sehr zustimmen; wir hatten damals beim Bau unseres Hauses in Bangkok haargenau dieselben Schwierigkeiten.» Oder: «Was Sie da sagen, hat mein Freund Einstein in ähnlicher Form auch immer behauptet – ehrlich gesagt, ich sehe die Sache ein klein wenig anders.» Oder: «Auf den Intelligenzquotienten kann man nicht viel geben. Meiner liegt angeblich bei 131, aber ich stell mich oftmals ziemlich dämlich an.» – Scheinbar Beiträge zur Sache, liegt die Hauptbotschaft mehr auf der Seite der Selbstoffenbarung und besagt: «Seht her, wer ich bin, was ich habe, was ich kann!» Solche Imponierbotschaften beherrschen nicht nur Partygespräche; auch in Sach- und Arbeitsgesprächen wird vieles gesagt, um die eigene Hochwertigkeit und Kompetenz herauszustreichen. Eine gängige Technik dabei ist auch die Suche nach dem

«Heimspiel-Vorteil». Damit ist gemeint: Das Gespräch auf solche Aspekte lenken, zu denen man viel Gescheites sagen kann, wo man sich sozusagen zu Hause fühlt. Häufig entsteht in Gesprächsrunden geradezu eine Rangelei um den Heimspiel-Vorteil.

Das Bemühen um Selbstaufwertung zeigt sich somit sowohl im Inhalt als auch in der Form. Gern erzählt der Sender Vorfälle aus seinem Leben, aus denen indirekt hervorgeht, was für einer er ist. Meist macht er eine gute Figur dabei. Hier liegt die Imponierbotschaft im Inhalt. In der Form liegt sie, wenn der Sender eine Sprache benutzt, die die eigene Herausgehobenheit aus der Masse andeutet. So mag es vornehmer sein, irgendwo zu «weilen», anstatt irgendwo zu «sein»; sich zu «äußern», anstatt etwa zu «sagen». «Meistens gehen wir abends essen» ist nicht so gut wie: «Wir pflegen zur Nacht auswärts zu speisen.» «Über etwas zu verfügen» ist eine Spur besser als nur «etwas zu haben».

Ich will es mir ersparen, weitere Imponiertechniken aufzuzählen. Jeder mag durch Selbstbeobachtung den eigenen Techniken auf die Schliche kommen. Der Imponier-Inhalt hängt meist auch vom Empfänger ab: Dem einen kann man imponieren, indem man vom eigenen Swimmingpool erzählt, dem anderen vielleicht mit progressiven Ansichten, dem dritten mit Bildung, dem vierten mit schlüpfrigen Zoten und dem fünften mit der Abwertung bestimmter Personen(-gruppen).

2.2 Fassadentechniken

Hierunter fallen alle Techniken, die darauf abzielen, negativ empfundene Anteile der eigenen Person zu verbergen oder zu tarnen. Überhaupt das Wort zu ergreifen – dazu gehört schon ein Mindestmaß an Selbstoffenbarungsmut, denn es könnte ja sein, daß mein Beitrag Rückschlüsse auf die Inkompetenz oder «Seltsamkeit» meiner Person zuläßt (Si tacuisses...). Somit ist das Schweigen u. U. die konsequenteste Form der Angstabwehrfassade. Tatsächlich vermeiden viele Schüler, Fragen zu stellen («Nachher hält er mich für dumm!»); tatsächlich wagen nur wenige Studenten in Seminaren etwas zu sagen («Werde ich mich nicht blamieren?»); tatsächlich riskieren es auf Versammlungen oder sonstwo immer nur wenige, «den Mund aufzumachen».

Sobald der Sender den Mund aufmacht, treten andere Techniken in den Vordergrund. Vorweg gesagt: Die Fassadentechniken sind dem Sender teilweise derart in Fleisch und Blut übergegangen, daß sie zu seiner zweiten Natur geworden sind. Dieses automatische Sicherheitssystem sorgt auch dafür, daß dem Sender seine Selbstoffenbarungsangst gar nicht mehr spürbar wird. Vielleicht wird mancher Leser beim Abschnitt über die Selbstoffenbarungsangst gedacht haben: «Wie bitte, in jeder Kommunikation ist Selbstoffenbarungsangst mit im Spiel? Das ist wohl sehr übertrieben; ich jedenfalls merke davon nichts!» – Mit Hilfe der Selbstverbergungstechniken gelingt es uns, die Angst gar nicht erst aufkommen zu lassen. Wer nach allen Seiten hin Schutzwälle, Alarmanlagen und Abwehrkanonen errichtet hat, der mag sich sicher fühlen und die Angst nicht mehr spüren, die hinter der Errichtung und Aufrechterhaltung des Sicherheitssystems steht.

Fassadenhaftigkeit. «In unserem täglichen Leben begegnen wir Personen, die gleichsam hinter einer Fassade leben. Personen, die eine Rolle spielen, die Dinge sagen, die sie nicht fühlen.» (Tausch und Tausch 1977, S. 214) Dagegen sprechen die Tauschs von «Echtheit», wenn das äußere Gebaren in Übereinstimmung mit dem inneren Fühlen und Zumutesein ist.

Bin ich in Kontakt mit mir selber? – Dies ist die entscheidende Frage für die Selbstoffenbarungsseite der Nachricht. Wurzelt das Gesagte im eigenen Erleben, Fühlen und Denken? Kommt es sozusagen «von innen», oder handelt es sich um ein abgehobenes, flüchtiges Plapperwerk, so «fundiert» und «objektiv» es erscheinen mag?

Zunächst dient die Fassade zum Verbergen alles dessen, was der Sender an sich selbst «unansehnlich» findet, was sein Selbstwertgefühl bedroht. Die Devise: Keine Schwächen, keine Gefühle zeigen! – So fühle ich mich manchmal angegriffen, gekränkt oder ausgeschlossen, aber ich lasse mir nichts anmerken; ich habe Herzklopfen und Angst, aber ich tue so, als sei ich die Ruhe selbst. Ich ärgere mich, aber ich mache gute Miene zum bösen Spiel. – Besonders Richter (1974) hat darauf hingewiesen, daß in unserer Kultur vor allem Männer persönliche Leiden («Probleme haben») für unansehnlich halten und vor anderen – und vor sich selbst – zu verbergen trachten. «Bei mir ist alles in Ordnung» ist die Selbstsicht des «kranken Mannes, der nicht leiden darf». Dies gelte vor allem für den Erfolgstyp, den «Typ A», der sich durch starken Ehrgeiz, starken Hunger nach Erfolg und sozialer Bestätigung sowie durch hektische Aktivität auszeichne.

Bei dem Verbergen innerer Zustände handelt es sich nicht nur um ein taktisches Manöver, bewußt oder schon automatisch eingesetzt.

Vielfach sind die Gefühle tatsächlich auch in der Innenwelt nicht mehr spürbar. Wenn in der Kindheit bestimmte Gefühle (z.B. von Schmerz) nicht ausgedrückt werden durften, dann wurden diese Gefühle gleichsam fest verkorkt und abgespalten. Der «halbe Plus-Mensch» (vgl. Abb. 39), gleichsam ein Spiegelbild der Außenwünsche, konnte überleben. Die andere Hälfte tragen wir als Erwachsene fest verkorkt mit uns herum; der «Korken» besteht zum Teil in chronischen Muskelverspannungen, flachem Atem usw. – Mit der reduzierten Emotionalität läßt es sich zwar leben, aber nicht recht lebendig sein. Den Korken zu ziehen scheint – auch wenn die Gründe von damals nicht mehr bestehen – gefährlich: Werden die angestauten Affekte sich nicht mit einem «Knall» entladen, mich völlig überschwemmen und aus der Bahn werfen? Tatsächlich besteht psychotherapeutische und meditative (Schwäbisch und Siems 1976) Kunstfertigkeit darin, diesen Prozeß der *Integration abgespaltener Persönlichkeitsanteile* zu dosieren, in verkraftbaren Schritten zu vollziehen.

Ich bin überzeugt, daß dieser Gedanke uns an eine der wichtigsten Wurzeln der Humanität heranführt, aber eben auch – im «verkorksten» Falle – an die Wurzel der Unmenschlichkeit. Denn der gnadenlose Kampf gegen die abgespaltenen Teile wird (projektiv) am Mitmenschen geübt, vor allem an «den anderen», den Sündenböcken, auch den Kindern, denen gegenüber wir die (den Teufel mit Schlägen austreibende) «schwarze Pädagogik» noch nicht überwunden haben (vgl. Miller 1980) und die wir erst nach Aussöhnung mit dem eigenen «Teufel» überwinden können.

Sprachliche Hilfsmittel zur Selbstverbergung. Die Fassade zeigt sich in der ganzen Art, sachlich und unpersönlich, abgehoben und abstrakt zu sprechen, ferner in eingeschränkter Mimik und Gestik, im abgeklärten Tonfall, kurzum: in einer sterilen Art, sich zu geben, die mehr an offizielle Kommuniqués erinnert als an einen spontanen, persönlichen Selbstausdruck. In einem Kontext, wo die menschliche Eigenart weniger gefragt ist als die verläßliche Erfüllung von Rollenerwartungen, garantiert ein solches Verhalten Sicherheit und – zumindest scheinbare – Reibungslosigkeit. Vor allem in der Arbeitswelt herrscht daher die Norm, alles Persönliche oder gar Gefühl «draußen vor» zu lassen.

Eine ich-ferne und selbstverbergende Kommunikation zeigt sich ganzheitlich – gleichwohl gibt es einige sprachliche Symptome, an denen der Versuch, sich von sich selbst zu entfernen und sich zu verbergen, erkenntlich wird. Es handelt sich gleichsam um sprachliche Minitechniken der Selbstverbergung:

«Man-Sätze». Gern benutzt der Sender die Man-Form, um Inhalte zu ent-persönlichen. Also nicht: «Ich bin sehr wütend, weil ich so lange warten mußte!» – sondern: «Man wird wütend, wenn man so lange warten muß.»

Durch die Man-Form wird das eigentliche persönliche Erleben zu einem Spezialfall einer allgemeinen Gesetzmäßigkeit. «Man» teilt also nichts Persönliches über sich mit, sondern etwas über die ganze Menschheit.

«Wir». Dieselbe Funktion, nämlich das «Ich» zu vermeiden, haben häufig Sätze, die durch «Wir» dem Sender es gestatten, sich nicht persönlich zu exponieren, sondern sich in seinen Ansichten und Absichten in der Gemeinschaft aufgehoben zu wissen. «Wir sind offen für alles Neue, aber auch skeptisch, ob es etwas bringen wird» – äußert ein Teilnehmer zu Beginn eines Kommunikationstrainings. – «Wir wollen jetzt ins Bett gehen!» sagt die Mutter am abendlichen Familientisch. Diese Formulierung entspricht zwar selten der Realität, hat dafür aber den Vorteil, daß sie weniger exponierend ist, als wenn sie sagen würde: «Ich möchte jetzt ins Bett gehen, und ich möchte, daß ihr auch ins Bett geht!»

Fragen. Fragen haben oft die Funktion, mit der eigenen Meinung hinter dem Berg zu halten und statt dessen die Selbstoffenbarung des anderen herauszufordern. Dann sind sie kein Mittel zur Informationsgewinnung mehr, sondern eine Technik zur Sicherung der Oberhand. «Warum hast du dir das Kleid gekauft?» bedeutet vielleicht im Klartext: «Ich kann dein neues Kleid nicht leiden.» Hinter vielen sachlichen Fragen tarnt sich oft der Meinungsgegner.

«Es». Das «Ich», das einen unerschrockenen Blick nach innen erfordert, wird häufig auch ersetzt durch das unpersönliche, anonyme «Es». «Es war langweilig» – durch eine solche scheinbar objektive Feststellung vermeidet der Sender, seine persönliche Betroffenheit auszudrücken und Roß und Reiter beim Namen zu nennen. Wer ist dieses anonyme «Es»? Vielleicht steht dahinter: «Ich mochte die langen Reiseberichte von Onkel Herbert bald nicht mehr hören, hatte aber auch nicht den Mut, ihn zu unterbrechen und meine Anliegen zur Geltung zu bringen.» Die bei dieser Version notwendig werdende Auseinandersetzung mit mir selbst und mit anderen wäre zwar nicht langweilig, dafür aber riskant und unbequem. Also ist *es* schon besser, *es* langweilig zu lassen...

«Du-Botschaften». Eine wohl am weitesten verbreitete Technik, eine gefühlsmäßige Ich-Aussage zu vermeiden, besteht in der «Du-Botschaft» (Gordon 1972, vgl. auch S. 80). Diese Technik besteht darin, eigenes inneres Erleben in eine Aussage über den anderen zu übersetzen. In der folgenden Tabelle sind einige Du-Botschaften als Beispiele den entsprechenden (nicht ausgedrückten) Ich-Botschaften gegenübergestellt.

Du-Botschaften	**(vermiedene) Ich-Botschaften**
«Mußt du eigentlich immer dazwischenreden? Du solltest mal in einen Diskutier-Kursus gehen.»	«Ich bin sauer, wenn ich unterbrochen werde. Ich denke dann, das ist nicht interessant genug, was ich erzähle.»
«Dir kann man wirklich nichts anvertrauen.»	«Mir ist das ungeheuer peinlich, daß du das weiter erzählt hast.»
«Mit der Hose machst du dich doch lächerlich, zieh bloß 'ne andere an.»	«Ich habe Angst, daß die Leute über deine Hose lachen, und dann würde ich mich schämen.»

Die Du-Botschaft ist ein durchaus taugliches Kampfmittel. Sie hat nicht nur den «Vorteil», daß die eigene Innenwelt unkenntlich bleibt, sondern auch, daß der andere in Bedrängnis gerät. – In Abb. 40 ist gezeigt, wie hinter ein und derselben Du-Botschaft ganz

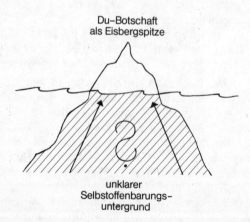

Abb. 40: *Die Du-Botschaft ist nicht nur «spitz», sondern läßt auch den seelischen Zustand des Senders im unklaren.*

verschiedene Ich-Zustände stehen können. Durch den Mangel an Selbstoffenbarung bleibt die Nachricht unklar.

Oftmals weiß der Sender selbst nicht, was der «Untergrund» seiner Eisbergspitze ist. Erst im Rahmen einer Therapie und einer intensiven Selbsterforschung kann es gelingen, den verborgenen Ich-Zustand ans Licht zu bringen.

Ein Beispiel aus einer Partnerberatung:
Während einer Urlaubsreise war folgendes vorgefallen: Der Mann wollte etwas unternehmen, hingegen lag die Frau am Strand und las Illustrierte. Aufgebracht beschimpfte er sie mit den Worten: «Stinkfaul bist du!»

In dem folgenden Gesprächsausschnitt zwischen dem Therapeuten und dem Mann versucht der Therapeut die dahinterliegende «Ich-Botschaft» ans Licht zu bringen:

Therapeut: «Wie ist es für Sie, wenn Ihre Frau da im Sand liegt?»

Mann: «Schrecklich, sie ist so passiv und vergeudet die schöne Urlaubszeit. Man könnte so viel unternehmen.»

Therapeut: «Die Welt hat so viel zu bieten, und sie vergeudet die schöne Zeit – kennen Sie das von sich selbst?»

Mann: «O ja, früher ging es mir oft so, daß ich mit mir nichts anzufangen wußte und irgendwo herumgammelte.»

Therapeut: «Und wie war das für Sie?»

Mann: «Es war die Hölle, ich habe mich verachtet.»

Nun wird deutlich, daß der Mann aus der tiefsitzenden Angst vor der Zeit- und Lebensvergeudung einen betriebsamen Unternehmungsgeist entwickelt hat und sich durch das Verhalten seiner Frau an seine alte «Hölle» erinnert fühlt und daß seine Verachtung, die er ihr entgegenbringt, einen Versuch darstellt, die eigene Hölle zu löschen.

Hier war therapeutische Arbeit notwendig, um die Ich-Botschaft zutage zu fördern. Aus dieser Sicht heraus erweist sich die Ich-Botschaft als Ausdruck einer vertieften Selbstklärung und ist nicht einfach eine neue Art, die eigenen Reaktionen zu formulieren. Klare Kommunikation setzt Selbstklärung voraus.

2.3 Demonstrative Selbstverkleinerung

Ganz im Gegensatz zu den unter 2.1 beschriebenen Imponiertechniken finden wir dann und wann Menschen, die sich selbst als klein, schwächlich, hilflos und wertlos darstellen. «Mit mir ist nicht viel los!» – Mit dieser Selbstdarstellung treten sie an ihre mitmenschliche Umwelt heran. Nanu!? Wer wird denn sein Licht unter den Scheffel stellen? Liegt hier die mangelnde Fähigkeit vor, sich selbst günstig darzustellen? – Spätestens an dieser Stelle ist wieder daran zu erinnern, daß Nachrichten quadratisch sind und daß auch Selbstoffenbarungs-Botschaften appellative Aspekte enthalten. Einmal abgesehen davon, daß der Appell schlicht lauten kann «Widersprich mir!» («Fishing for compliments»), mag es sich um den Versuch handeln, den Empfänger zur Übernahme lästiger und schwieriger Aufgaben zu bewegen («Mit mir ist nicht viel los – du mußt mir die Last des Lebens abnehmen!») – s. Abb. 41.

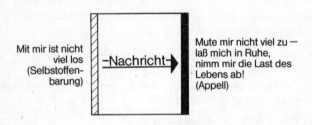

Abb. 41: *Der (heimliche) Appellaspekt einer selbsterniedrigenden Selbstdarstellung.*

Dreikurs (1971) sieht die «Zurschaustellung der eigenen Unzulänglichkeit» bei Kindern als Ausdruck größter Entmutigung und mit dem Ziel verbunden (finale Betrachtungsweise, vgl. S. 60 und 222), von gewissen Aufgaben befreit zu werden:

«Hinter dem Zurschaustellen einer tatsächlichen oder eingebildeten Minderwertigkeit verbirgt es sich und bemüht seine Unfähigkeit als Schutz, so daß nichts von ihm verlangt oder erwartet wird.» (S. 42)

Für den Empfänger solcher Nachrichten wie in Abb. 41 ist es wichtig zu wissen, daß ein appellgemäßes Reagieren unter Umständen die Entmutigung fortsetzt. Gutgemeinte Hilfe akzeptiert die Beziehungsbotschaft «Du stark – ich schwach», ist für den Empfänger daher verführerisch, hält aber den anderen klein und abhängig. Über den Balanceakt von zuwenig und zuviel Hilfe sagt Ruth Cohn:

«Wer weniger gibt als nötig, ist ein Dieb; wer mehr gibt, ein Mörder.» (1975, S. 123) – vgl. auch S. 227 ff.

3. Auswirkungen der Selbstdarstellungstechniken

Die übermäßige Besorgtheit um die Selbstoffenbarung kostet seelische Energie, behindert den sachlichen Ertrag und schafft zwischenmenschliche Trennwände:

Gefahr für den sachlichen Ertrag. Natürlich: Wo die beteiligten Gesprächspartner sehr stark um ihre Geltung besorgt sind, wo die Angst vor der Mißbilligung und der Wunsch, eine gute Figur zu machen, für eine steife und unschöpferische Atmosphäre sorgen, dort kann der Sachertrag nicht optimal sein. Vieles geht verloren, weil der Sender sich nicht traut, seinen Standpunkt offenzulegen oder weil die Selbstdarstellung die Überhand gewinnt. Vieles geht auch verloren, weil der Empfänger nur mit halbem Ohr zuhört. Denn er ist vor allem damit beschäftigt, seinen eigenen «Auftritt» zu proben.

Barriere für zwischenmenschliche Solidarität (vgl. Richter 1974). Durch voreinander Geheimhalten von Schwächen, Ängsten, Problemen sowie Streben nach Überlegenheit lassen sich die Distanzen nicht überwinden, die Menschen voneinander trennen. Solidarität setzt voraus: das offene Eingestehen der ganzen Person mitsamt ihren Schwächen und sogenannten Minderwertigkeiten. So erfahre ich, daß auch die anderen leiden, sich unsicher fühlen, Probleme haben, manchmal nicht ein noch aus wissen. Ich sehe: Ich bin gar nicht so allein mit meinen Problemen. Die anderen sind gar nicht so fabelhaft fit, so souverän, für wie ich sie gehalten habe, und ich kann mir all die Kraftanstrengungen sparen, die notwendig waren, um meine Unterlegenheitsgefühle zu verdecken. In der Regel aber wird alles getan, um solche Erlebnisse zu vermeiden. In gemeinsamer Kraftanstrengung schaffen wir die Isoliertheit, an der wir leiden.

Gefahr für seelische Gesundheit. Die (teilweise eingebildete) Notwendigkeit, sich nach außen anders zu geben, als einem innerlich zumute ist, führt zu einer dauernden inneren Spannung. Es kostet viel psychische Kraft und bringt stets eine latente Angst vor Entlarvung mit sich. Dies ist seelisch «unhygienisch» und damit auch mit dem Risiko körperlicher Krankheiten verbunden (z. B. Herzinfarktgefährdung, vgl. Richter 1974).

4. Wegweiser der Psychologie

Welche Wegweiser bietet die Kommunikationspsychologie für den Umgang mit der Selbstoffenbarungsseite? Ich habe oft erlebt, daß die Teilnehmer unserer Trainingskurse hier vom Psychologen zunächst enttäuscht waren: Hatten sie doch zu lernen erwartet, wie die Selbstdarstellung auf Hochglanz zu bringen sei, wie man persönlich «optimal wirken» und «sich verkaufen» könne. Statt dessen zeigt der Wegweiser in die Gegenrichtung: Sei weniger besorgt um die «gute Figur»! Diese Überbesorgtheit ist Energieverschwendung und ein Todfeind klarer, sachlicher und solidarischer Kommunikation! Um «Tricks» gebeten, sagte Ruth Cohn gelegentlich: «Sag einfach, was mit dir ist, das ist ein ungeheurer Trick» (Thomann, 1980).

Um mich nach außen hin so geben zu können, wie mir innerlich zumute ist, bedarf es aber auch der Fähigkeit, dieses inneren Zumuteseins überhaupt gewärtig zu sein, zu wissen, «was mit mir ist».

Das antike «Erkenne dich selbst» erscheint uns auch in der modernen Psychologie als letzte Weisheit. Selbstoffenbarung in diesem Sinne (des Sich-selbst-offenbar-Seins) bedeutet, sich selbst nichts vorzumachen und hellhörig zu werden für die eigene Innenwelt. Dies ist nicht mit einem einfachen Vorsatz getan. Die Antwort auf die Frage «Wer bin ich?» braucht Nachforschung bis zum letzten Augenblick. Und da hier nicht nur Schätze zu heben sind, sondern auch «unansehnliche» Teile, da die Begegnung mit dem eigenen «Schatten» (Jung) sehr schmerzlich sein kann, ist Selbsterkenntnis nicht mit einem oberflächlichen Lustprinzip zu begründen. Dennoch haben die Weisen und Philosophen aller Zeiten der Selbsterkenntnis als Lebensziel einen hohen Rang gegeben (vgl. Schumacher 1977, S. 91–94). Wer Erkenntnis und Liebe als seinen Lebenssinn anerkennt, der braucht Selbsterkenntnis als notwendige Grundlage für beides.

Die Selbsterkenntnis des jeweiligen Augenblicks heißt «Bewußtheit» (awareness) – ein zentraler Begriff der Gestalttherapie: «Es handelt sich um einen Zustand aufmerksamer Wachheit gegenüber den Dingen, die im jeweiligen *Augenblick* hier und jetzt in mir, mit mir und um mich herum vorgehen» (Petzold 1973, S. 276).

4.1 Kongruenz bzw. Authentizität

Die Wegweiser der Kommunikationspsychologie lauteten: Sei du selbst, gib dich nach außen hin so, wie dir innerlich zumute ist. Und als Voraussetzung dafür: Versuche dir selbst klar zu werden, wie dir

Mancher, der ein Buch liest, murrt ...

... wenn er Werbung findet, wo er Literatur suchte. Reklame in Büchern!!!? Warum nicht auch zwischen den Akten in Bayreuth oder neben den Gemälden in der Pinakothek?

«Rowohlts Idee mit der Zigarettenreklame im Buch (finde ich) gar nicht anfechtbar, vielmehr sehr modern. Hauptsache, es hat Erfolg und nützt dem Buch, was die deutsche Innerlichkeit dazu sagt, ist allmählich völlig gleichgültig, die will ihren Schlafrock und ihre Ruh und will ihre Kinder dußlig halten und verkriecht sich hinter Salbadern und Gepflegtheit und möchte das Geistige in den Formen eines Bridgeclubs halten – dagegen muß man angehen ...»

Das schrieb Ende 1950 – Gottfried Benn.

An Stelle der «Zigarettenreklame» findet man nun in diesen Taschenbüchern Werbung für Pfandbriefe und Kommunalobligationen. «Hauptsache, es hat Erfolg und nützt dem Buch.» Und es nützt auch dem Leser. (Für die Jahreszinsen eines einzigen 100-DM-Pfandbriefs kann man sich beispielsweise ein Taschenbuch kaufen.)

innerlich zumute ist (offenbare dich dir selbst, erkenne dich selbst)! – Diese Wegweiser sind in der Psychologie meist mit den Begriffen «Kongruenz» bzw. «Authentizität» beschriftet.

Mit Kongruenz ist bei Carl Rogers die Übereinstimmung zwischen drei Bereichen der Persönlichkeit gemeint: Inneres Erleben (= was ich fühle, was sich in mir regt), Bewußtsein (= was ich davon bewußt mitkriege) und Kommunikation (= was ich davon mitteile, nach außen hin sichtbar werden lasse).

Über die Bedeutung des Verhaltensmerkmals Kongruenz für die zwischenmenschliche Kommunikation macht Rogers (1973) sinngemäß folgende Aussagen:

☐ Je kongruenter der Sender kommuniziert, desto klarer und eindeutiger ist die Nachricht für den Empfänger zu verstehen. Inkongruente Nachrichten dagegen bewirken leicht Mißtrauen und Unsicherheit; der Empfänger weiß nicht recht, «woran er ist».

☐ Je weniger der Sender sich in positiver Selbstdarstellung übt und je offener er seine Gefühle und Gedanken «preisgibt», desto weniger braucht der Empfänger selbst auf der Hut zu sein. Und wer nicht auf der Hut sein muß, kann zuhören, wirklich intensiv zuhören.

☐ Je mehr aber der Empfänger wirklich zuhört, um so mehr wird sich der Sender verstanden fühlen. Und wenn er sich verstanden fühlt, wird er dem Empfänger positive Wertschätzung (auf der Beziehungsseite der Nachricht) entgegenbringen.

☐ Dies wiederum merkt der Empfänger, fühlt sich akzeptiert und kann seinerseits kongruenter kommunizieren. – So verstärken sich die positiven Gesprächsmerkmale gegenseitig, und der zwischenmenschliche Dialog nimmt therapeutische Qualitäten an, charakterisiert durch die drei Grundmerkmale Kongruenz, positive Wertschätzung und einfühlendes Verständnis.

Inkongruenz erster und zweiter Art. Bei der gegenteiligen Erscheinung, der *Inkongruenz,* sind zwei Stufen zu unterscheiden. Nehmen wir das Beispiel einer Arbeitskonferenz: Jemand hat einen anderen mit einem abwertenden Kommentar «schlecht aussehen» lassen. Der Betroffene geht erregt und mit lauter Stimme zum Gegenangriff über. Jemand sagt: «Ich verstehe, daß Sie sich ärgern...» Der Betroffene unterbricht erregt: «Ich ärgere mich überhaupt nicht. Im Gegenteil, mich amüsiert das Ganze, es geht mir nur um die Sache!»

Diese letzte Aussage (Kommunikation) steht in deutlichem Gegensatz zum inneren Erleben, wie es für jedermann wahrnehmbar ist. Zwei Sachverhalte sind hier vorstellbar: 1. Der Mann merkt, daß er gekränkt und wütend ist (inneres Erleben wird bewußt), aber er versucht, dies nach außen zu verbergen («amüsiert» ... «nur die Sache»), um sich keine Blöße zu geben. Dies wäre eine *Inkongruenz erster Art*. Oder 2.: Dem Mann sind seine Gefühle gar nicht bewußt. Er glaubt sozusagen selbst, was er sagt. Dies wäre eine *Inkongruenz zweiter Art;* sie ist vom Standpunkt der seelischen Gesundheit viel bedenklicher.

Die seelische Grundvoraussetzung für eine kongruente Selbstoffenbarung besteht also darin, sich selbst nichts vorzumachen. Der Mensch tendiert dazu, wahrzunehmen, was ihm in den Kram paßt. Dazu ist es dann und wann erforderlich, einige Ereignisse zu übersehen oder doch so umzudeuten und «hinzubiegen», daß sie mit dem eigenen Weltbild übereinstimmen und so den Seelenfrieden erhalten. Genauso ist es mit Ereignissen, die sich in uns abspielen: Manche Gefühle und Impulse passen uns nicht in den Kram, entweder weil sie vom verstandesmäßigen Standpunkt aus betrachtet unlogisch sind oder weil sie unserem positiven Selbstbild widersprechen. Um sich den (scheinbaren) Seelenfrieden zu erhalten, haben es sich manche Menschen überhaupt abgewöhnt, ihre Gefühle direkt zu spüren, und versuchen, die Lücke mit dem Verstand zu schließen, der sich in den Dienst des Selbstbildes stellt. Diesen Sachverhalt möchte ich noch ein wenig verdeutlichen: Auf die Frage «Was fühlen Sie?» oder «Wie wirkt das gefühlsmäßig auf Sie, was der andere gesagt hat?» lassen sich bei verschiedenen Menschen zwei Arten von Reaktionen beobachten:

Direkter Zugang zu den Gefühlen. Die einen sagen sehr direkt, wie ihnen zumute ist. Etwa auf eine Kritik reagiert jemand: «Ich fühle mich gekränkt und möchte am liebsten zurückschlagen.» Bei dieser Art von Reaktion ist die Stimme und die Mimik/Gestik oft in Übereinstimmung mit dem Inhalt der gesprochenen Worte (Kongruenz). Die Verletztheit zeigt sich sozusagen doppelt. Diese Menschen haben – jedenfalls in dem Augenblick – einen sehr direkten Zugang zu ihren Gefühlen. Sie nehmen ihren Körper wahr, spüren, was mit ihnen los ist. Sie müssen nicht darüber «nachdenken», was sie fühlen. Diese Menschen nehmen es in Kauf, daß ihre Gefühle «unlogisch» oder «nicht ideologiegemäß» sind: «Ich bin verletzt, obwohl ich weiß, du hast Recht mit deiner Kritik und meinst es gut mit mir.» Oder: «Ich merke, ich werde eifersüchtig, obwohl ich finde, daß Eifersucht in unserer Beziehung nichts zu suchen hat.» Diese Menschen machen sich selbst nichts vor, lügen sich nicht in die eigene Tasche. Sie haben die Fähigkeit, «ja» zur seelischen Realität zu sagen und gewinnen damit – wenn auch nicht immer «ihre Ruhe», dafür aber Lebendigkeit und intensive zwischenmenschliche Beziehungen. Sie gewinnen ein Stück seelische Gesundheit und haben oft tiefergehende, weniger oberflächliche zwischenmenschliche Beziehungen.

«Hergeleitete» Gefühle. Nun die andere Reaktion auf die Frage «Was fühlen Sie?»: Bei diesen Menschen erscheint das Gefühl als Resultat gedanklicher Ausführungen, als ein Ergebnis, das wie bei einer mathematischen Ableitung schließlich aus bestimmten Prämissen und logischen Verknüpfungen folgt. Diese Menschen haben den direkten Draht zu ihren Gefühlen entweder verloren oder versuchen sich ihn selber auszureden. Das Gefühl wird gleichsam mit Hilfe von geeigneten Sacherwägungen rekonstruiert. Etwa sagt jemand, der kritisiert worden ist: «Ich finde die Kritik in dem einen Punkt berechtigt, und da es mir um die Sache geht, fühle ich mich neutral. In dem anderen Punkt halte ich die Kritik für unberechtigt, da sie das und das außer acht läßt, so daß ich mich von diesem Punkt nicht berührt fühle.»

Wie oben erwähnt, ist ein starres Selbstkonzept («So einer bin ich») der größte Verhinderer einer direkten Gefühlswahrnehmung (vgl. S. 196f). Darin sieht Carl Rogers den Kern der Neurose: Daß wir innere Erfahrungen verzerren oder verleugnen müssen, die nicht in unser geliebtes Selbstbild passen. Habe ich zum Beispiel das Selbstbild «Ich bin ein Mann, der seine Frau und seine Kinder und seine Eltern liebt» – dann kann ich Aufwallungen von Bitterkeit und Haß ihnen gegenüber mir selbst nicht zugestehen. Aber wohin mit diesen «nicht linientreuen» Gefühlen? Wohin mit meinem Ärger, den ich unter dem starken Einfluß meines Selbstkonzeptes vor mir selber verheimliche? Geht er in den Magen, in den Rücken, in den Nacken, in den Kopf? Psychosomatische Beschwerden aller Art haben ihren Ursprung wohl in verleugneten, nicht ausgedrückten Gefühlen (s. a. Kap. B III, 5.4, S. 196f).

Fritz Zorn (1979) schreibt in der erschütternden Geschichte seiner Krankheit: «Obwohl ich noch nicht wußte, daß ich Krebs hatte, stellte ich intuitiv bereits die richtige Diagnose, denn ich betrachtete den Tumor als ‹verschluckte Tränen›. Das bedeutete etwa soviel, wie wenn alle Tränen, die ich in meinem Leben nicht geweint hatte und nicht hatte weinen wollen, sich in meinem Hals angesammelt und diesen Tumor gebildet hätten, weil ihre wahre Bestimmung, nämlich geweint zu werden, sich nicht hatte erfüllen können. Rein medizinisch gesehen trifft diese poetisch klingende Diagnose natürlich nicht zu, aber auf den ganzen Menschen bezogen sagt sie die Wahrheit aus: Das ganze angestaute Leid, das ich jahrelang in mich hineingefressen hatte, ließ sich auf einmal nicht mehr in meinem Innern komprimieren; es explodierte auf Grund seines Überdruckes und zerstörte bei dieser Explosion den Körper.» (S. 132)

Menschen, die ihre Gefühle «herleiten» und über Umwege rekonstruieren, und dabei mehr ein Wunschresultat als die emotionale Realität zutage fördern, halten oft kleine Vorträge, wenn sie nach ihren Gefühlen gefragt werden. Sie mobilisieren ihren «Pressesprecher», der gleichsam ein offizielles Kommuniqué herausgibt – in abgewogenen, vorsichtigen, meist wenig sagenden Formulierungen. Da ein solcher Kommunikationsstil in weiten Bereichen unseres Lebens als «souverän» und anständig gilt, ist er üblich und fast selbstverständlich.

4.2 Selektive Authentizität

Der Wegweiser, der in Richtung «mehr Offenheit und weniger Fassaden» weist, unterliegt leicht der Gefahr, mißverstanden zu werden im Sinne einer Devise: «Laß alles heraus, was in dir ist – was der andere damit macht, ist sein Problem!» Um diesem Mißverständnis vorzubeugen, hat Ruth Cohn den Begriff der «selektiven (= auswählenden) Authentizität» geprägt:

«Zur Authentizität gehört – erst einmal – zweierlei: Das eine ist, mir möglichst klar zu werden über meine eigenen Gefühle, Motivationen und Gedanken, mir also sozusagen nichts vorzumachen. Das andere ist, das, was ich sagen will, ganz klar auszusprechen. Zur Klarheit gehört, daß ich es so sage, daß es beim anderen ankommen kann. Der andere hat ja ein ‹Empfangsgerät›, das möglicherweise nicht auf mich eingestellt ist, auf das, was ich ‹sende› und wie ich es ‹sende›. Ich muß also versuchen, mir vorzustellen, wie das, was in mir vorgeht, vom anderen gehört wird. Ich habe einmal formuliert: ‹Nicht alles, was echt ist, will ich sagen, doch was ich sage, soll echt sein...›»

«Für mich ist Offenheit nicht etwas, das von Anfang an zwischen Menschen möglich ist, sondern etwas, das vorsichtig erworben und gelernt werden muß. Das kann man nicht sofort und mit Gewalt.»

«Ich glaube allerdings, daß sogar in der allerbesten Beziehung immer noch verschlossene Bereiche übrigbleiben. Ich kann mir keine Beziehung vorstellen, in der totale Offenheit zu jeder Zeit möglich und zu ertragen ist. Ich unterscheide deshalb zwischen optimaler und maximaler Authentizität. Die Richtlinie ist: das, was sich an persönlicher Erfahrung im Inneren ereignet, mit optimaler innerer Ehrlichkeit und kommunikativer Klarheit – also authentisch – dem Partner mitzuteilen. Optimale Authentizität hat immer selektiven Charakter; maximale, d.h. absolute Aufrichtigkeit kann zerstören. Ich glaube, daß absolute Offenheit ein Aberwitz ist. Andererseits hat unsere Zivilisation eine lange Zeit destruktiver Verschwiegenheit und Heuchelei auszugleichen. Ich glaube daher, daß mit der Offenheit-um-jeden-Preis-Bewegung das Pendel in die Gegenrichtung ausschlägt. Auch hier bedarf es dynamischer Balance – zwischen Scheinheiligkeit und Rücksichtslosigkeit. Oder positiv gesagt: zwischen gutem Schweigen und guter Kommunikation» (Aus einem Interview mit Ruth Cohn 1979).

4.3 Stimmigkeit

Wenn ich gefragt werde: Worum geht es dir – allgemein gesprochen – bei deiner Kommunikation, nach welchem Wertmaßstab richtest du dich aus?, dann sage ich: Es geht mir um «Stimmigkeit». Ich gebrauche diesen Begriff, um den selektiven Charakter der Authentizität zu erläutern (wonach bestimmt sich die Auswahl?) und um die Grenzen der Authentizität als allgemeingültigen Wertmaßstab anzudeuten.

«Stimmigkeit» heißt: in Übereinstimmung mit der Wahrheit der Gesamtsituation, zu der neben meiner inneren Verfassung und meiner Zielsetzung auch der Charakter der Beziehung (auch: Rollen-Beziehung), die innere Verfassung des Empfängers und die Forderungen der Lage gehören. – Im einzelnen:

Mich fasziniert der Gedanke, daß es eine mir eigene existentielle Leitlinie gibt, die meinem Leben Richtung, Sinn und ein bestimmtes «Thema» gibt – und daß das Voranschreiten entlang und im Einklang mit dieser Leitlinie «Stimmigkeitserlebnisse» mit sich bringt, – hingegen die Entfernung davon zu «Abweichungssymptomen» verschiedener Art und Tragweite –, von der kleinen «Verstimmung» bis hin zur großen Depression, zu Lebenskrisen und Krankheiten führt. Aus dieser Sicht heraus werden solche leidvollen Symptome sinnvoll: enthalten sie doch Botschaften aus der Sendezentrale unbewußter Weisheit und einen Appell zur Kurskorrektur. Von daher lohnt es sich, hellhörig zu sein für solche unbewußten Botschaften, die sich in Gefühlen, Körpersignalen und Träumen eher offenbaren als in vernünftigen Überlegungen. Es gibt zahlreiche Methoden und Hilfestellungen, diese «Intelligenz des Herzens» aus dem «inneren Jenseits» (Cohn 1975) vernehmbar zu machen, am bekanntesten und aussichtsreichsten die Meditation.

Stimmigkeit ist dann gegeben, wenn meine Kommunikation (und mein gesamtes Handeln) in jedem Augenblick dem Anliegen meiner

Existenz entspricht und dabei den *Ausdruck* häufig höher gewichtet als die *Wirkung* (vgl. S. 60 und 209 ff). Was heißt das – «den Ausdruck höher gewichten als die Wirkung»? Ich habe oft Zustände um mich herum hingenommen, die ich für unwürdig oder sinnlos hielt, mit der Begründung vor mir selbst, es «nütze ja doch nichts», wenn ich dagegen aufbegehre. Wegen der vermuteten Wirkung(slosigkeit) habe ich den Ausdruck meiner Position, meiner Gefühle dazu unterlassen und mir damit zwar Konflikte, Mißerfolge und Aufregungen erspart, aber auch Lebendigkeit und Glück. Wer Stimmigkeit anerkennt, für den wird das Erreichen der gewünschten Wirkung zweitrangig (nicht: nebensächlich). Ich vermute heute, daß ich mich in meinem ganzen bisherigen Leben zu sehr an den (vermuteten) Wirkungen meiner Handlungen orientiert habe und mich damit in einen ähnlichen Phantasie-Käfig begeben habe, wie er in Abb. 32 (S. 76) dargestellt war. Tatsächlich ist das Wirkungsgeflecht einer Handlung unmöglich vorauszusagen. Die einzige Möglichkeit, die Wirkungen zu erfahren, besteht darin, die Handlung zu riskieren und sich überraschen zu lassen.

In erster Annäherung habe ich «Stimmigkeit» bestimmt als «das mir Gemäße» in einem gegebenen Augenblick. Im Unterschied zur Authentizität ist dabei nicht nur die Übereinstimmung zwischen innerem Zumutesein und äußerem Gebaren impliziert, sondern übergreifend auch die Übereinstimmung mit den Anliegen meiner Existenz. Dieser Gesichtspunkt ist wichtig, denn wenn ich meinen Freund aus der Gefangenschaft fremder Mächte befreien will, muß ich unter Umständen lügen und täuschen und ein ehrliches Gesicht dazu machen. Mein Verhalten wäre nicht authentisch, könnte aber durchaus stimmig sein.

In zweiter Annäherung zur Begriffsbestimmung möchte ich die äußere *Situation* miteinbeziehen. «Stimmig» heißt jetzt: In Übereinstimmung mit dem Charakter der Situation (wie ich sie definiere). Wenn eine Lage ein schnelles Handeln erfordert, werde ich u. U. lautstarke Befehle geben und nicht viel danach fragen, wie sich der Empfänger dabei fühlt. Wenn ich jemandem mitzuteilen habe, daß er entlassen wird, werde ich nicht gerade jetzt ausführlich seine Vorzüge aufzählen (auch wenn es stimmt: in dieser Situation stimmt es einfach nicht!). Als Tennislehrer werde ich meinem Schüler Tips und Rückmeldungen geben, vielleicht nach jedem Schlag, als Tennispartner meiner Frau ist dasselbe Verhalten vermutlich belehrend und überheblich. Ein extremes Karikaturbeispiel gibt es bei dem Humoristen Jürgen von Manger: Ein Henker unterhält sich kurz vor der Hinrichtung mit dem Delinquenten und berichtet ihm von seinen Sorgen, noch rechtzeitig mit der Straßenbahn nach Hause zu kommen usw. – Sehr wesentlich zum Charakter der Situation gehört die Art der *Beziehung* zum Empfänger und dessen innere Verfassung. Rückhaltlose Offenheit und Intimität setzt eine andere Beziehung voraus als ein höfliches Sachgespräch; ist der andere verletzt, verstört oder abgelenkt, kann ich ihm nicht von meinem letzten Urlaub erzählen.

Als wichtige Leitfrage zur Erreichung von Stimmigkeit (oder zur Aufdeckung von Unstimmigkeit) sehe ich an: *«Was ist die Wahrheit der Situation?»*

Führt uns ein gemeinsames Interesse zusammen (welches?) – oder befinden wir uns in einer Konkurrenzsituation? – Gibt es einen unausgesprochenen Konflikt zwischen uns? (Wenn ja, können wir uns jetzt nicht gut in vergnüglichem Gespräch unterhalten.) – Bin ich von deinen Entscheidungen persönlich betroffen? (Wenn ja, kann ich schlecht dein Berater sein.) – Haben wir die gleichen Rechte oder bin ich Vorgesetzter und muß letztlich allein die Entscheidung verantworten? – Sind die Teilnehmer freiwillig in meinen Kursus gekommen oder wurden sie geschickt? (Wenn geschickt, kann ich schlecht am Anfang fragen, was sie von uns lernen wollen.)

Eine Kommunikation ist stimmig, wenn dem Raum gegeben wird, was im Raume ist. Oftmals ist man geradezu überrascht, wenn jemand genau das anspricht, was «in der Luft liegt» – so sehr haben wir uns an ein offizielles Protokoll gewöhnt, das die heikle Wahrheit der Situation zu überspielen trachtet.

Ich hoffe, ich konnte wenigstens annähernd vermitteln, was ich unter «Stimmigkeit» verstehe – daß die Übereinstimmung mit der Wahrheit der Situation die Bewußtheit meiner inneren wie der äußeren Realität voraussetzt und daß vor allem folgende Aspekte eine Rolle spielen: mein inneres Zumutesein, die erkennbare Verfassung des Empfängers, meine Beziehung (auch: Rollenbeziehung) zu ihm, die Forderungen der Lage und die Anliegen meiner Existenz.

5. Lernziel Authentizität?

Ist Authentizität, ist eine deutlichere (und bejahende) Wahrnehmung der eigenen Innenwelt und eine geringere Besorgtheit um die Selbstdarstellung lernbar? Die Antwort ist: ja. Allerdings folgt das Lernen bei diesem Ziel nicht dem Gesetz des fleißigen Einübens, und «effektive Trainingsprogramme», womöglich noch als «programmierte Unterweisung», wird man (hoffentlich) vergeblich suchen. Statt dessen ist ein therapeutisch-existentieller Prozeß nötig, der die Auseinandersetzung mit den beiden großen Hindernissen enthält: mit den (gesellschaftlichen) Verhältnissen um mich herum und mit den (gesellschaftlichen) Verhältnissen in mir selbst. Auf der Ebene des Individuums setzt Authentizität ein Mindestmaß an *Selbstwertgefühl* voraus. Wer insgeheim überzeugt ist, mit sich selbst «keinen Staat machen» zu können, wird sich nicht zeigen mögen und wird in vielen Fällen durch ein verstärktes Geltungsstreben sein Minderwertigkeitsgefühl zu kompensieren trachten – dieser fundamentale *Zusammenhang von Selbstwertgefühl und Kommunikation* war bereits von Alfred Adler immer wieder herausgestellt worden, in neuer Zeit besonders von Virginia Satir (1975). *Das Lernziel Kommunikationsfähigkeit braucht somit ein Curriculum, das die seelische Gesundheit der Gesamtpersönlichkeit fördert.* In diese Richtung wirken therapeutische Prozesse, die es darauf anlegen, das Individuum mit sich selbst auszusöhnen, seine Schattenseiten zu akzeptieren und Abstriche von einem Perfektheitsideal zu machen, das jeden Fehler, jede Unzulänglichkeit als peinliche Schande erscheinen läßt.

Das zweite große Hindernis tritt uns auf der Ebene der Institution Gesellschaft gegenüber. So kann sich Authentizität nur schwer entwickeln, wenn die Institution auf Rivalität aufbaut. Solange etwa die Schule den gesellschaftlichen Auftrag zu erfüllen hat, unter den Schülern den «Spreu vom Weizen» zu trennen und entsprechend nur derjenige Schüler auf den grünen Zweig kommt, der sich von der «Weizenseite» zu präsentieren weiß, solange bleibt die Schule eine Brutstätte der Selbstoffenbarungsangst. In einer Arbeit von Jacobsgaard (1977) stellte sich heraus: 70% der befragten Haupt- und Realschüler gaben an, Angst zu haben, wenn sie vor anderen Menschen sprechen sollen. – Ganz entsprechend ist der Karrierewettbewerb in der Arbeitswelt wenig geeignet, einen authentischen, fassadenfreien Umgangsstil zu fördern. Die Mitarbeiter eines Unternehmens stehen vor einem unauflösbaren Dilemma: Einerseits unterliegen sie dem offiziellen Appell zur Zusammenarbeit (und müssen daher aufnahmefreudig sein für alles, was die Kooperation fördert – z. B. Fehler zugeben, keine Energieverschwendung zur Wahrung des Gesichtes); andererseits unterliegen sie dem inoffiziellen Appell zur «Gegeneinander-Arbeit»: Wem es gelingt, sich selbst herauszustellen und womöglich den anderen schlecht aussehen zu lassen, erhöht seine Chance auf eine Karriereprämie. So ist es verständlich, daß diese Mitarbeiter sehr skeptisch und zwiespältig, teilweise eindeutig ablehnend reagieren, wenn sie in einem Kommunikationstraining einen authentischen, kooperativen Umgangsstil empfohlen bekommen. Oft beurteilen sie ihn als persönliche Bereicherung für das Privatleben, melden aber Zweifel an der Übertragbarkeit in den beruflichen Alltag an. Einige wiederum befürchten die Verfehlung ihres Lebenssinnes, nachdem sie den Karrierewettlauf über Jahre und Jahrzehnte (erfolgreich) mitgemacht haben und nun vom krisenhaften Gefühl befallen werden, am «Eigentlichen» vorbeizulaufen. In jedem Fall erweist sich das Thema («Kann ich mich so zeigen, wie ich wirklich bin?») regelmäßig als energiegeladen und persönlich bedeutsam – das «Kommunikationstraining» wird zur existentiellen Auseinandersetzung.

Trotz dieser strukturellen «Zwänge» wäre es verfehlt anzunehmen, daß es keinen Spielraum der individuellen Persönlichkeitsgestaltung geben würde. Genauso verfehlt wäre die Annahme, daß sich erst die ganze Gesellschaft ändern müsse, bevor sich die menschlichen Verhaltensweisen ändern könnten. Vielmehr müssen, um voranzukommen, kleine Schritte auf individueller und gesellschaftlicher Ebene miteinander einhergehen (vgl. Schulz von Thun 1980).

5.1 Selbsterfahrungsgruppen

Kleine Schritte auf individueller Ebene sind in Selbsterfahrungsgruppen möglich (z.B. Encountergruppen nach Carl Rogers 1974 oder Themenzentrierte Interaktionsgruppen nach Ruth Cohn 1975). Auf der Grundlage gegenseitigen Vertrauens lernen die Gruppenmitglieder, sich zu offenbaren und mit der Zeit auch «nicht linientreue» Gefühle (vgl. S. 197) auszudrücken. Der Wert einer fassadenfreien Selbstoffenbarung liegt in folgendem begründet: Ein ungünstiges Selbstwertgefühl («So wie ich bin, kann ich mich nicht vorzeigen!») ist nur dann korrigierbar, wenn eine gegenteilige Erfahrung überhaupt ermöglicht wird. Wird jemand von seinen Mitmenschen anerkannt und angenommen, so hat das nur dann einen therapeutischen Wert, wenn diese Annahme und Anerkennung *ihm selbst* gilt und nicht seiner vorgezeigten Fassade. Gewöhnlich leben wir mit der angstvollen Phantasie: Wenn ich mich so zeige, wie ich wirklich bin, mit allen Unzulänglichkeiten, dann werde ich von den anderen abgelehnt, dann stehe ich entweder abseits oder alle fallen über mich her. Eine solche Phantasie ist im normalen zwischenmenschlichen Leben sehr zäh und langlebig, da sie zum Aufbau von Schutzfassaden führt und somit gar nicht auf Realität überprüft werden kann. In Selbsterfahrungs- und Trainingsgruppen besteht die Chance, diese Realitätsüberprüfung vorzunehmen. Gewöhnlich stellen die Gruppenmitglieder verwundert-beglückt fest: Wenn ich etwas von meiner ungeliebten Seite preisgebe, werde ich nicht nur nicht abgelehnt, sondern rücke den anderen sogar näher! Ich darf so sein, wie ich bin – und es ist gut so.

In einer Untersuchung von Yalom u. a. (1974) wurden Gruppenmitglieder, die von einer Gruppentherapie stark profitiert hatten, danach gefragt, welche Erfahrungen in der Gruppe für sie am bedeutsamsten waren. Hier die fünf am häufigsten gegebenen Antworten:

1. Das Entdecken und Akzeptieren mir früher unannehmbarer Teile meiner selbst (positive wie negative);
2. sagen zu können, was mich gestört hat, anstatt es für mich zu behalten;
3. daß andere Gruppenmitglieder mir ehrlich sagen, was sie von mir halten;
4. zu lernen, wie ich meine Gefühle äußern kann;
5. zu lernen, daß ich die letzte Verantwortung dafür tragen muß, wie ich mein Leben lebe, gleichgültig, wieviel Rat und Unterstützung ich von anderen bekomme.

5.2 Hilfsregeln

Ruth Cohn (1975) hat einige Hilfsregeln formuliert, die einen authentischen Umgangsstil fördern; sie gelten nicht nur für Selbsterfahrungsgruppen, sondern z. B. auch für Lern- und Arbeitsgruppen. Einige Beispiele:

☐ Vertritt dich selbst in deinen Aussagen; sprich per «ich» und nicht per «wir» oder per «man».
☐ Wenn du eine Frage stellst, sage, warum du fragst und was deine Frage für dich bedeutet. Sage dich selbst aus und vermeide das Interview.
☐ Sei authentisch und selektiv in deinen Kommunikationen. Mache dir bewußt, was du denkst und fühlst, und wähle, was du sagst und tust.
☐ Halte dich mit Interpretationen solange wie möglich zurück. Sprich statt dessen deine persönlichen Reaktionen aus.

☐ Beachte Signale deines Körpers. Er kann dir oft mehr über dich sagen als dein Verstand.

Solange ich diese Regeln als Leitlinien für mich selbst benutze, sind sie nützliche Wegweiser und Erinnerungen. Sobald ich aber anfange, «Kommunikationspolizei» zu spielen und die «Regelverstöße» bei anderen zu ahnden, mißbrauche ich die Regeln zu einem Kampfinstrument. Dieser Mißbrauch «dient dem Geist, den sie (die Regeln) bekämpfen möchten» (Cohn ebd., S. 128) – s. Abb. 42.

Abb. 42: *Interaktionelle Hilfsregeln sind keine kommunikationspolizeilichen Knüppel.*

5.3 «In der Blöße liegt die Größe»

Sicher ist es von Vorteil, wenn in Selbsterfahrungs-, Trainings- und Therapiegruppen ein Übungsraum bereitgestellt wird, in dem wir lernen können, mehr zu uns selbst zu kommen und uns unbesorgter nach außen hin darzustellen. Jedoch ist hier auf eine Gefahr aufmerksam zu machen. Diese sehe ich darin, daß die Gruppenmitglieder bald merken, daß in der Gruppe eine andere *Norm* herrscht als im üblichen Alltagsleben: Hier gilt etwas, wer frei über seine Probleme sprechen kann und auch die weniger ansehnlichen Seiten seiner Person wahrnimmt und ausdrückt. Hier ist aufzupassen, daß nicht eine neue, musterschülerhafte Anpassung an die neuen Normen erfolgt – nach dem Motto: «In der Blöße liegt die Größe!» – und daß die Selbstoffenbarung der Probleme zum Markenzeichen einer neuen Psycho-Schickeria wird.

Ich erinnere mich, wie ich einst an einer themenzentrierten Selbsterfahrungsgruppe teilnahm. Am ersten Tag, so war es ausgemacht, wollten wir uns kennenlernen durch unsere Arbeit. Als ich «dran» war, erzählte ich von allerlei Schwierigkeiten, mit denen ich zu kämpfen hätte und sprach von persönlichen Unzulänglichkeiten, diese Schwierigkeiten zu bewältigen. Hinterher habe ich mich erstaunt gefragt: Warum hast du die Schwierigkeiten so betont? So insgesamt fühlst du dich doch ziemlich kompetent und wohl an deinem Arbeitsplatz! – Die Antwort, die ich darauf fand, war diese: Überwiegend hatten sich die anderen Gruppenteilnehmer auch von der unperfekten Seite vorgestellt. Unbewußt hatte ich gleichsam «den angefeuchteten Finger im Gruppenwind» gehabt, hatte also mit feinen Antennen die heimlichen Normen der Gruppe gespürt und mein seelisches Fähnlein danach ausgerichtet.

Es ist also darauf zu achten, daß die neuen Werte (Authentizität) nicht zu einer Art *Pflichtprogramm* werden, zu einer neuen Meß-Skala, auf der es Pluspunkte zu erringen gibt. Was als Prozeß der persönlichen Befreiung, der inneren Emanzipation gedacht ist, verkümmert auf diese Weise zur neuen Anpassungsleistung. Wiederum fließt die Energie in die Selbstdarstellung (wenn auch mit neuem Inhalt) und wird nicht frei. Aus diesem Grunde sollte auch das «Lernziel Authentizität» nicht an die große Glocke gehängt werden, sollte nicht mit großen Lettern auf der Flagge stehen. Und schon gar nicht sollte ein großer Druck ausgeübt werden, um dieses Ziel zu erreichen. Denn «Echtheit» ist ein Spontan-Phänomen, d.h., es kommt von selbst und kann nicht appellgemäß erfolgen (s. Nachwort, Punkt 7, S. 264). Jedes willkürliche «Bemühen» um Echtheit verdreht sein Wesen und erzeugt allenfalls «Echtheits-Fassaden» mit stereotypen Formulierungen («Ich fühle jetzt eine große Wand zwischen dir und mir»), die auf irgendeine Art «künstlich-echt» wirken und wegen ihres impliziten Anspruches auf Echtheit schlimmer sind als die «normale Fassade» (siehe ausführlich S. 264f).

II. Die Sachseite der Nachricht

Welche kommunikationspsychologischen Probleme stellen sich beim
Austausch von Sachinformationen, was kann hier schief gehen?

Zwei Probleme greife ich heraus. Erstens, Gespräche und Auseinandersetzungen verlaufen häufig «unsachlich» bzw. den Kommuni-
kationspartnern fällt es schwer, «ganz bei der Sache» zu sein.
Zweitens, übermittelte Sachinformationen kommen beim Empfänger auf Grund von Schwerverständlichkeit nicht an. Somit ergeben
sich zwei Themen und Trainingsziele: Sachlichkeit und Verständlichkeit. Welche Angebote hält die Kommunikationspsychologie bereit,
diesen Zielen näher zu kommen?

1. Sachlichkeit

«Mir geht es nur um die Sache!» hören wir manchen Sender eifrig
versichern. Je eindringlicher diese Versicherung, um so mehr Zweifel ist am Platze. Angesichts der Vierseitigkeit von Nachrichten und
angesichts der Tatsache, daß es Menschen (und keine Computer)
sind, die miteinander kommunizieren, geht es selten wirklich nur um
die Sache.

Mit Sachlichkeit ist gemeint: Der auf ein Sachziel bezogene Austausch von Informationen und Argumenten, das Abwägen und
Entscheiden, frei von menschlichen Gefühlen und Strebungen wie:
das Gesicht wahren und recht behalten wollen, sich produzieren,
rächen und rehabilitieren, sich lieb Kind machen oder es dem
anderen zeigen wollen usw. Allgemein ausgedrückt: Sachlichkeit ist
erreicht, wenn die Verständigung auf der Sach-Ebene weiterkommt,
ohne daß die Begleitbotschaften auf den anderen drei Seiten der
Nachricht störend die Oberhand gewinnen.

Tatsächlich gehört es hierzulande zu den ungeübtesten Fähigkeiten, eine Sachkontroverse ohne Feindseligkeiten und Herabsetzun-
gen auf der Beziehungsseite zu führen: Der Meinungsgegner wird als
Feind und lästiges Übel erlebt und entsprechend behandelt (vgl.
Abb. 43).

Hingegen besteht das kommunikationspsychologische Ziel darin,
den eigenen Sachstandpunkt mit dem Respekt vor dem Meinungs-

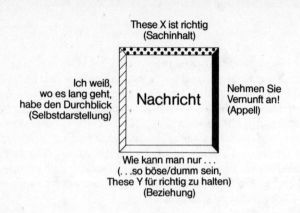

These X ist richtig
(Sachinhalt)

Ich weiß,
wo es lang geht,
habe den Durchblick
(Selbstdarstellung)

Nachricht

Nehmen Sie
Vernunft an!
(Appell)

Wie kann man nur . . .
(. . .so böse/dumm sein,
These Y für richtig zu halten)
(Beziehung)

Abb. 43: *Der sachliche Standpunkt verbindet sich oft mit Überheblichkeit und Feindseligkeit auf den anderen Seiten der Nachricht.*

gegner zu verbinden, beseelt von der Grundhaltung: «Ich akzeptiere und begrüße, daß jeder die Sache von seinem Standpunkt sieht, je nach seiner Lebensgeschichte und nach seinen Lebensumständen. Du bist anders als ich, ich bin anders als du – wenn wir einander zuhören und den Standpunkt des anderen als Ausgangspunkt akzeptieren, dann kann unsere Begegnung etwas zutage fördern, was reicher und richtiger ist, als was jeder für sich allein mitgebracht hat.»

Die sachkontroverse Nachricht sähe dann etwa so aus wie in Abb. 44.

Welche Mittel haben wir, um eine sachliche Auseinandersetzung zu fördern? Zwei grundsätzliche, entgegengesetzte Strategien lassen sich unterscheiden. Die eine – mehr übliche – zielt darauf ab, die unsachlichen Strebungen zu unterbinden («Das gehört nicht hierher!») – die andere Strategie will dagegen diesen Störungen sogar Vorrang geben.

1.1 Erste Strategie («Das gehört nicht hierher!»)

Üblicherweise finden wir in Lern- und Arbeitsgruppen den «Das-gehört-nicht-hierher-Standpunkt» vor. Dieser Appell zur Disziplin

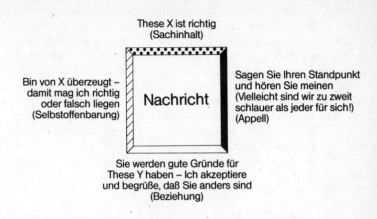

These X ist richtig
(Sachinhalt)

Bin von X überzeugt –
damit mag ich richtig
oder falsch liegen
(Selbstoffenbarung)

Nachricht

Sagen Sie Ihren Standpunkt
und hören Sie meinen
(Vielleicht sind wir zu zweit
schlauer als jeder für sich!)
(Appell)

Sie werden gute Gründe für
These Y haben – Ich akzeptiere
und begrüße, daß Sie anders sind
(Beziehung)

Abb. 44: *Kommunikationspsychologische Struktur einer sachkontroversen Nachricht mit konstruktiven zwischenmenschlichen Begleitbotschaften.*

sucht das Unerwünschte zu unterbinden («Wir wollen doch sachlich bleiben!»). Für einen reibungslosen Schnellverkehr mag diese Methode eine zeitsparende Notlösung sein. Für eine langfristige Kooperation ist es wenig aussichtsreich, den Deckel der Sachlichkeit auf die Schlangengrube der menschlichen Gefühle zu pressen. Denn zum einen braucht eine engagierte, kreative Sachlichkeit den Aufwind positiver mitmenschlicher Beziehungen – andernfalls herrscht auch sachliche Flaute. Zum anderen lassen sich die unsachlichen Impulse gar nicht aus der (Seelen-)Welt schaffen – sie sind Teil der Realität und gehen bei offiziellem Verbot in den Untergrund und bestimmen die Kommunikation aus dem Verborgenen: Schein-sachliche Argumentiererei wird zum Vehikel persönlicher Auseinandersetzungen, überlange «sachliche» Ausführungen dienen der Selbstdarstellung und Selbstrechtfertigung – *die «Sache» wird zum trojanischen Pferd einer persönlich-emotionalen Untergrundbewegung.*

1.2 Zweite Strategie («Störungen haben Vorrang»)

Der Kommunikationspsychologe empfiehlt deshalb, Abschied zu nehmen von der «eingebleuten» Sach-Norm (sprich nicht von dir selbst, werde nicht persönlich, Gefühle und Empfindungen haben in einem Sachgespräch nichts zu suchen!). Er empfiehlt statt dessen den Mut zur gelegentlichen Metakommunikation mit starker Betonung der Selbstoffenbarungs- und Beziehungsseite der Nachricht: «Wie stehen wir zueinander? Was bewegt mich, Ihnen immer gleich zu widersprechen? Warum habe ich Angst, meinen wirklichen Standpunkt zu sagen? Wie fühle ich mich in dieser Gruppe (diesem Gremium) usw.?»

Ruth Cohn, deren Lebenswerk darin besteht, die Erfordernisse der Sache mit den Erfordernissen des Menschlichen und Mitmenschlichen in Einklang zu bringen, sagt es in einer kurzen Formel: «Störungen haben Vorrang.» Für Ruth Cohn fügt sich diese «Kommunikationsregel» nur der menschlichen Realität. Sie schreibt (1975, S. 122):

«Störungen haben de facto den Vorrang, ob Direktiven gegeben werden oder nicht. Störungen fragen nicht nach Erlaubnis, sie sind da: als Schmerz, als Freude, als Angst, als Zerstreutheit; die Frage ist nur, wie man sie bewältigt. Antipathien und Verstörtheiten können den einzelnen versteinern und die Gruppe unterminieren; unausgesprochen und unterdrückt bestimmen sie Vorgänge in Schulklassen, in Vorständen, in Regierungen. Verhandlungen und Unterricht kommen auf falsche Bahnen oder drehen sich im Kreis. Leute sitzen am Pult und am grünen Tisch in körperlicher Gegenwart und innerer Abwesenheit. Entscheidungen entstehen dann nicht auf der Basis von realen Überlegungen, sondern unterliegen der Diktatur der Störungen – Antipathien zwischen den Teilnehmern, unausgesprochenen Interessen und persönlichen depressiven und angstvollen Gemütsverfassungen. Die Resultate sind dementsprechend geist- und sinnlos und oft destruktiv.

Die unpersönlichen ‹störungsfreien› Klassenzimmer, Hörsäle, Fabrikräume, Konferenzzimmer sind dann angefüllt mit apathischen und unterwürfigen oder mit verzweifelten und rebellierenden Menschen, deren Frustration zur Zerstörung ihrer selbst oder ihrer Institutionen führt.

Das Postulat, daß Störungen und leidenschaftliche Gefühle den Vorrang haben, bedeutet, daß wir die Wirklichkeit des Menschen anerkennen; und diese enthält die Tatsache, daß unsere lebendigen, gefühlsbewegten Körper und Seelen Träger unserer Gedanken und Handlungen sind. Wenn diese Träger wanken, sind unsere Handlungen und Gedanken so unsicher wie ihre Grundlagen.»

Und an einer anderen Stelle (S. 184):

«Die unwahrscheinliche Anzahl von kleinen Verstimmungen, die aus irgendeinem Grunde nicht gesagt werden und sich zu Schützengräben und Festungswällen verfestigen, durch die Menschen, Beziehungen und Arbeit leiden, ist auch geübten Gruppenleitern immer wieder ein fast unglaubliches Erlebnis.

Wie werden solche positiven und negativen Störungen im allgemeinen in Gremien und Klassenzimmern und anderen Gruppen behandelt? Was tun die Teilnehmer? 1. Sie täuschen Aufmerksamkeit vor, die nicht da ist. 2. Sie zwingen sich zu einer Aufmerksamkeit, die nur von einem Bruchteil ihrer Energien gespeist wird, weil diese in starken Emotionen gebunden ist. 3. Die unterdrückten Emotionen schleichen sich meist auf Nebenwegen als Fehlerquelle in Entscheidungen und Gedankengänge ein.»

In Trainingskursen mit Arbeitsgruppen (z. B. Lehrerkollegien oder Abteilungen in einem Unternehmen) versuchen wir, eine solche Metakommunikation behutsam einzuführen und Rüstzeug dafür anzubieten. Dabei ist den Teilnehmern anfangs die Einsicht schwer, daß «soviel Persönliches» das «Sachliche» nicht nur nicht völlig torpedieren, sondern sogar noch fördern soll! Die Angst: Was kann da nicht alles «aufbrechen» – und kostet es nicht viel zu viel Zeit? Ruth Cohn sagt manchmal: «Wir haben wenig Zeit, deshalb müssen wir langsam vorgehen…!» – Die heimliche Dauer-Überfrachtung der Sachseite mit unbearbeiteten Anteilen aus dem Bereich der Selbstoffenbarung und Beziehung kostet langfristig nicht nur mehr Zeit, sondern auch mehr seelische Energie; die investierte Zeit zur Entfrachtung gibt es mit Zins und Zinseszins zurück.

Aber es gibt auch Gefahren. Ich weiß aus meiner eigenen Lebensgeschichte, wie ungewohnt und bedrohlich ein solcher (persönlich-zwischenmenschlich-sachlicher) Kommunikationsstil sein kann. Aufgewachsen nach dem Leitgedanken der ersten Strategie, haben viele es nicht gelernt, über ihre inneren Vorgänge zu sprechen und gefühlsmäßige Aspekte der zwischenmenschlichen Beziehungen auszudrücken. So liegt das «Heimspiel» vieler Menschen auf der Sach-Ebene, auf der sie sich mit ihrem ausgebildeten Verstand und ihrer guten Sprachfähigkeit auskennen und wohlfühlen. Für sie ist die Selbstoffenbarungs- und Beziehungsebene ein dünnes Glatteis. Es wäre verfehlt, ihnen von heute auf morgen einen ganz neuen Stil abzuverlangen. Echter Fortschritt vollzieht sich im Schneckentempo, in kleinen, d. h. verkraftbaren Schritten. Bei behutsamer Einführung konnten sich viele Teilnehmer unserer Trainingskurse mit der neuen Norm bald anfreunden und bekamen Mut, das «Auswärtsspiel» zu riskieren. Sie erkannten oder ahnten, daß hier die Chance bestand, unterentwickelte Bereiche der Persönlichkeit wachsen zu lassen. Wachstum ist nur in «Auswärtsspielen» möglich («Auswärtsspiele» = Spiel auf Feldern, auf denen ich nicht trainiert habe, wo mir der Beifall nicht sicher ist und ich eine Niederlage riskiere).

Eine andere Gefahr der zweiten Strategie besteht darin, daß die Arbeits-/Lerngruppe ihre Sachziele aus dem Auge verliert und sich nun überwiegend der Pflege ihrer Beziehungen und der therapeutischen Aufarbeitung persönlicher Probleme widmet. So geschah es in jüngster Zeit in einigen studentischen Gruppen, als die gruppendynamischen Lernverfahren aufkamen. Die durch den ständigen Sachappell jahrelang unterdrückte Emotionalität brach nun auf und ließ das Pendel ganz auf die andere Seite schwingen. Es war, als ob nach langem Stau eine emotionale Schleusenöffnung zu einer wahren Überschwemmung an zwischenmenschlicher Thematik führte. Hier ist es wiederum das Verdienst von Ruth Cohn, den Weg zwischen Szylla und Charybdis gewiesen zu haben: Szylla zieht uns hoch auf die abgehobene, abstrakte Ebene des unpersönlichen Darüberredens und Theoretisierens – Charybdis dagegen zieht uns hinab in den Tiefgang der persönlich-emotionalen Selbsterfahrung. In ihrem «themenzentrierten interaktionellen System» (TZI) ist es die Aufgabe des Leiters (und dann auch der Gruppe), drei Komponenten des Geschehens gleich wichtig zu nehmen und entsprechend auszubalancieren:

☐ das E S (die *Sache*, das Thema, die gemeinsame Aufgabe),
☐ das I C H (der *einzelne* in der Gruppe mit seinen Gefühlen, persönlichen Möglichkeiten und Störungen),
☐ das W I R (die *Gruppe* mit ihrem Beziehungsnetz und ihren Interaktionen) – s. Abb. 45.

1.3 Getrenntheit von Sach- und Beziehungsebene im täglichen Leben

Das zusammengesetzte Dreieck enthält mehr Weisheit als nur den Balancegedanken für die Leitung von Gruppen. Indem es auf die urtümliche Zusammengehörigkeit von Sach- und Beziehungsebene verweist, macht es uns die Getrenntheit dieser beiden Aspekte in unserem Leben bewußt. Das Dreieck ist zerschnitten (Abb. 46): Wir leben in einer Arbeitswelt, in der Sachzwänge regieren, und wo der einzelne und die Art des Miteinanders nicht zählen. Und wenn sie zählen, dann häufig nur im Hinblick auf ihre Funktionalität für die

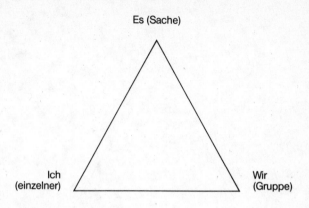

Es (Sache)

Ich
(einzelner)

Wir
(Gruppe)

Abb. 45: *Drei auszubalancierende Komponenten des Geschehens in Lern-*
und Arbeitsgruppen nach dem themenzentrierten interaktionellen System von
Ruth Cohn (1975).

Sacheffektivität. So kümmert man sich um «human relations» dort,
wo man sich von einer stärkeren Betonung der Mitmenschlichkeit
eine Effektivitätssteigerung verspricht (s. S. 204 ff). Aber der Per-
sönlichkeitsentfaltung des einzelnen und der Gestaltung der mitmenschlichen Beziehung wird kein Eigenwert zuerkannt.

Umso stärker nun der Wunsch, diese Mangelerlebnisse in einer
Privatwelt auszugleichen, die für alle Ich-Wir-Wünsche aufkommen
soll. Geborgenheit, Intimität, Lebensfreude, zwischenmenschliche
Auseinandersetzungen, Bewältigung der Frage nach dem Sinn des
Seins. *Aber wie die Arbeitswelt ein Sach-Torso ist, abgeschnitten von*
der Ich-Wir-Basis des Dreiecks, so ist die private und die Psycho-Welt
tendenziell ein Beziehungs-Torso, bei dem die Spitze des Dreiecks
fehlt. Durch das Fehlen eines gemeinsamen Themas, einer gemeinsamen Sache, sind wir auf merkwürdige Weise voneinander getrennt, wie intim auch unsere Beziehungen sein mögen. Heik Portele
(1978) hat in seinem Aufsatz «Lob der dritten Sache», ausgehend
von einem Gedicht Bertolt Brechts mit gleichem Titel, interessante
Mutmaßungen darüber angestellt, welche Qualitäten diese dritte
gemeinsame Sache aufweisen muß, um für solidarische Beziehungen

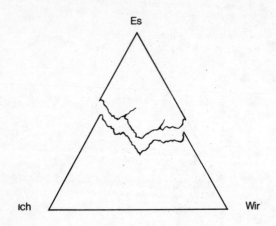

Abb. 46: *Die Spaltung von Sach- und Beziehungsebene in der heutigen Zeit.*

ein tragfähiges Fundament abzugeben. Einige seiner Thesen fasse ich wie folgt zusammen:

☐ «Kleinere» dritte Sachen (z. B. gemeinsames Essen-Kochen in einer Wohngemeinschaft) sind auf Dauer ebenso wenig tragfähig wie «große» Ziele oder Ideen. Eher eignen sich konkrete Kooperationen mit erkennbarem und identitätsrelevantem Produkt.

☐ «Negative» dritte Sachen, die im Protest *gegen* etwas bestehen (z. B. gegen Atomkraft) eignen sich (wegen ihres aufgezwungenen und nicht freiwilligen Charakters) weniger gut.

☐ Bestimmte gesellschaftliche Mechanismen verhindern das Suchen und Finden einer dritten Sache (z. B. Organisation der Arbeit).

☐ Beziehungsprobleme (zwischen Paaren, in Schulklassen) haben ihre fundamentale Ursache im Fehlen einer dritten Sache.

☐ Ein psychologisierendes Arbeiten auf der Beziehungsebene (Paartherapie, gruppendynamisch-therapeutische Veranstaltungen) ist aussichtslos und verhängnisvoll, solange es nicht in Verbindung mit dem Aufbau einer dritten Sache geschieht.

☐ Das Prinzip der dritten Sache kann manipulativ mißbraucht werden. Humanistische Psychologie kann mir helfen, meine wirklichen, «ureigensten» Anliegen zu entdecken und zu klären, statt mich unbemerkt vor falsche Wagen spannen zu lassen.

1.4 Offizielles und eigentliches Thema –
oder: «Typische Pilzgespräche»

Wann sind wir «ganz bei der Sache»? Wenn die innere Energie dem Thema zur Verfügung steht. Oft passiert es, daß in der Innenwelt der Gesprächspartner ein ganz anderes Thema aktuell ist als das, worüber offiziell gesprochen wird. Die daraus folgende «Halbherzig-keit» ist ein Stück ungelebtes Leben – deswegen kann das Anliegen der Themenzentrierten Interaktion, offizielles und «eigentliches» Thema zur Deckung bringen, als Wegweiser für die Verbesserung jeglicher zwischenmenschlicher Kommunikation dienen. Andern-falls gibt es typische «Pilzgespräche» wie in einer Szene aus Tolstois «Anna Karenina»:

Der 40jährige Sergej Iwanowitsch hatte Zuneigung zu einer jungen Frau, Warenjka, gefaßt, und auch sie war ihm wirklich herzlich zugetan. Eine Spazierfahrt in den Wald war arrangiert worden, so daß das entscheidende Gespräch stattfinden konnte. Gerade hatte Sergej Iwanowitsch alles noch einmal überdacht und überfühlt und «sein Herz zog sich zusammen vor lauter Wonne, ein Gefühl tiefer Rührung überkam ihn, und er fühlte, daß er einen Entschluß gefaßt hatte». – Sein «eigentliches» Thema formulierte sich ihm so, während er auf sie zuging (o. J., S. 562ff.):

«Warwara Andrejewna, als ich noch ganz jung war, hatte ich mir ein Ideal von der Frau geschaffen, das ich lieb gewann und das für mich bei der Wahl meiner zukünftigen Gattin maßgebend sein sollte. Ich habe nun ein gutes Stück Leben hinter mir, fand jetzt in Ihnen zum erstenmal das, was ich suchte. Ich liebe Sie und biete Ihnen meine Hand an.

So sprach Sergej Iwanowitsch still vor sich, als er etwa zehn Schritte von Warenjka entfernt war...

Sie legten schweigend ein paar Schritte zurück. Warenjka sah, daß er sprechen wollte, sie erriet auch, wovon, und war ganz benommen vor Freude und Bangigkeit.»

Das «entscheidende Gespräch» verlief dann so:

Sie: «Nun, haben Sie etwas gefunden?»

Er: «Nicht einen einzigen. Und Sie?»

Sie: «Sie haben also nichts gefunden? Das ist wohl meistens so, tiefer im Wald wachsen nicht so viele Pilze wie am Rand?»

Er (nach längerem Schweigen): «Ich habe mir nur sagen lassen, daß die Steinpilze hauptsächlich am Rand wachsen. Ich kann übrigens die Steinpilze nicht von anderen Sorten unterscheiden.»

(Lange Pause, in der er noch einmal seinen Entschluß bekräftigt und merkt: «Jetzt oder nie mußte er sich erklären.»)

Er: «Welcher Unterschied besteht eigentlich zwischen Steinpilzen und Birkenpilzen?»

Sie (bebt vor Erregung): «Der Hut ist bei beiden fast gleich, nur die Stiele sind verschieden.»

«Und kaum waren diese Worte ihren Lippen entflohen, als sie beide begriffen, daß alles zu Ende war, daß die Aussprache, die sie beide erwarteten, nicht erfolgen würde.»

Er: «Der Stiel des Birkenpilzes erinnert an das Gesicht eines brünetten Mannes, der sich seit zwei Tagen nicht rasiert hat.»

Sie: «Ja, das stimmt.»

In der alltäglichen Kommunikation sind die Folgen nicht immer so drastisch wie in diesem Beispiel. Mag auch sein, daß dem Pilzgespräch der beiden Liebenden eine allerinnerste Unentschlossenheit zugrunde lag, die als unbewußte Bremse das Aufkommen des eigentlichen Themas verhindert hat. Auf jeden Fall scheint mir, daß unsere Kommunikationswelt reich ist an derlei «Pilzgesprächen».

Das offizielle Thema «ergibt sich» mehr aus der Logik der Situation als aus der Psycho-Logik der Gesprächspartner. So kommt ein Geschäftsmann von einer längeren Geschäftsreise nach Hause zurück. Das offizielle Thema mit seiner Frau nach der Begrüßung ergibt sich situationslogisch «von selbst»: *Wie war es?* – Er erzählt Begebenheiten, die sich auf der Reise zugetragen haben. Von ihm aus ist es ein wenig eine Pflichtübung, ihm ist nach Erzählen im Augenblick nicht zumute. Sie bemüht sich, ihrerseits, interessiert zuzuhören, kann aber in ihren Reaktionen ihr eigenes Desinteresse nicht ganz verbergen. «Du hörst ja gar nicht richtig zu!» schilt er sie mürrisch. «Doch, doch, aber du erzählst auch so viele belanglose Einzelheiten.» – Verstimmung. Das offizielle Thema hatte nicht dem eigentlichen Thema entsprochen. Dies lautete vielmehr bei der Frau: «Wie stehst du zu mir gefühlsmäßig, nachdem du so lange fort warst und viele andere Menschen kennengelernt hast?»

Gut geübt in schneller Situationsbewältigung hindern wir uns, das eigentliche Thema bei uns selbst zutage zu fördern. Dieses «Zutage-fördern» beginnt mit der inneren Frage: «Was ist mir *jetzt* und *in dieser Situation* mit dir wichtig?» Das Ernstnehmen dieser Frage macht das Thema zu einem wirklichen Treffpunkt (s. Abb. 47a), es ergibt sich aus mir und der Verbindungslinie zwischen dir und mir und ist somit «stimmig» (vgl. S. 121f). Andernfalls entsteht bei betriebsamen «Pilzgesprächen» ein halbherziges Beisammensein mit dem schalen Geschmack von Belang- und Kontaktlosigkeit.

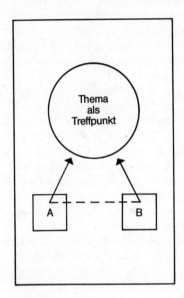

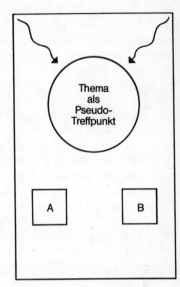

Abb. 47a:
Thema als Treffpunkt.

Abb. 47b:
Thema als Pseudo-Treffpunkt.

Das Auffinden von wirklichen Treffpunkten ist heute erschwert, wie aus den Überlegungen zur «dritten Sache» hervorgeht. Und doch hängt das Schicksal der privaten Beziehungen zwischen Lebenspartnern, Eltern und Kindern, Freunden von der Fähigkeit ab, die gemeinsamen Themen zu entdecken – mag es im äußersten Fall auch nur lauten: «Wir leben in verschiedenen Welten und haben uns auseinanderentwickelt, haben kaum gemeinsame Berührungspunkte – was liegt uns dennoch aneinander?»

2. Verständlichkeit*

Die Schwerverständlichkeit von Schulbüchern, Vertragstexten, amtlichen Verordnungen, von Fernsehdiskussionen, politischen Kommentaren und der wissenschaftlichen Berichterstattung ist oft beklagt und selten gemindert worden.

Und sei es nun «Amtsdeutsch» oder «Soziologen-Chinesisch»: Nie weiß man so ganz genau, ob die mangelnde Allgemeinverständlichkeit «in der Natur der Sache» begründet liegt, ob eine unterentwickelte Kommunikationsfähigkeit der Autoren vorliegt oder ob ein Stück Imponiergehabe der Fachleute eine Rolle spielt, das auf die Ehrfurcht des unkundigen Empfängers abzielt. Meine Vermutung: Teils – teils – teils.

Jedenfalls sind weite Kreise der Bevölkerung, insbesondere sprachlich benachteiligte Gruppen mit Volksschulbildung, ständig Mißerfolgserlebnissen ausgesetzt: Sie verstehen wenig, werden mutlos und lassen schließlich «die Finger davon»; d.h., sie geben den Wunsch, sich zu informieren, allmählich auf.

Diese Erscheinung paßt nicht in die Demokratie. Mündig ist nur, wer sich informieren kann. Hinzu kommt, daß die Empfänger meist sich selbst für dumm halten, so daß schwer verständliche Information nicht nur nicht informiert, sondern darüber hinaus das Selbstwertgefühl des Empfängers beschädigt.

Was kann getan werden? Sender und Empfänger müssen beide lernen. Der Empfänger muß vor allem lernen, die Ehrfurcht zu verweigern (s. Abb. 48) und selbstbewußt auf seinem Recht auf verständliche Information bestehen.

Was der Sender lernen kann, ergibt sich aus unseren Forschungsergebnissen und Trainingsanleitungen (Langer, Schulz von Thun und Tausch 1981) – über unser «Hamburger Verständlichkeitskonzept» wird dort ausführlich berichtet –, ich gebe deswegen hier nur einen kurzen Einblick.

2.1 Vorschau auf das Kapitel «Verständlichkeit»

Auf folgende vier Fragen möchte ich in diesem Kapitel auf Grund unserer Forschung eine Antwort geben:

☐ *Was ist Verständlichkeit?* Die Antwort wird lauten: Es ist eine Eigenschaft von Informationstexten, die in vier Bereiche zerfällt. Entsprechend werden

---

* Bei diesem Kapitel handelt es sich um eine Überarbeitung eines erstmalig in *Psychologie heute, 1975, 5,* erschienenen Artikels.

Selbstoffenbarungsohr

Sachohr

Ich verstehe zwar nichts, aber es muß ein kluger Kopf sein, der da spricht!

Abb. 48: *Der ehrfürchtige Empfänger schwerverständlicher Nachrichten.*

wir vier «Verständlichmacher» kennenlernen. Sie heißen: Einfachheit, Gliederung – Ordnung, Kürze – Prägnanz und zusätzliche Stimulanz.

☐ *Kann man Verständlichkeit messen?* Ja. Jeder Text (oder Vortrag usw.) erhält dann vier Meßwerte – einen für jeden Verständlichmacher. Es ist eine Art «Warentest», der hier durchgeführt wird. In etwa fünf Stunden kann man lernen, einen solchen Test durchzuführen.

☐ *Lassen sich Texte aller Art verständlicher gestalten,* so daß die Leser mehr verstehen und behalten? Antwort: Ja. Wenn die Verständlichkeitsdiagnose auf Mängel hinweist, kann der Text bei gleichem Informationsziel verständlicher gemacht werden. Es zeigte sich in Experimenten, daß bei den Lesern viel mehr Information ankommt. Außerdem haben sie mehr Interesse für den Inhalt und mehr Spaß beim Lesen. – Diese Ergebnisse zeigten sich bei Lesern aller Schulbildungen.

☐ *Verständlich informieren – kann man das lernen?* Zunächst eine Gegenfrage: *Will* man es lernen und damit u. U. auf den Prestigegewinn verzichten, der sich mit gelehrsamer Schwerverständlichkeit erzielen läßt? Jetzt die Antwort: Wer es lernen will, kann erheblich vorankommen. Guter Wille und ein paar Ratschläge reichen allerdings nicht aus. Aber es gibt Trainingsprogramme (s. S. 155) mit Übungen und guten Beispielen.

Sie als Leser wissen jetzt, was im folgenden auf Sie zukommt. Und ein bißchen informiert sind Sie auch schon. Eine solche «überblikkende Vorausschau» erleichtert das Verständnis. Also: Nicht gleich loslegen, sondern erst einmal sagen, worum es geht, und die Gliederung ankündigen. Dadurch sind Sie auf dem besten Weg, einen hohen Wert in «Gliederung – Ordnung», dem zweiten Pfeiler der «Verständlichkeit», zu erreichen.

2.2 Was ist Verständlichkeit?

Am Anfang der Forschung waren wir auf der Suche nach Verständlichmachern. So gingen wir vor: Wir baten viele Lehrer und andere Experten zum Beispiel: «Schreibt doch mal einen Lehrtext für Schüler, wie man eine Zahlkarte auf Grund einer Rechnung ausfüllt! Und macht es so verständlich wie möglich!» Auf diese Weise bekamen wir viele Texte mit gleichem Lehrziel, aber unterschiedlicher sprachlicher Gestaltung. Wir haben Schülern die Texte zu lesen gegeben und prüften hinterher mit Tests ab, wieviel Information «angekommen» war. Ergebnis: Manche Texte wurden recht gut verstanden, andere nahezu überhaupt nicht.

Jetzt stellte sich natürlich die Frage: In welchen Merkmalen unterscheiden sich die gut verstandenen von den schlecht verstandenen Texten? Gesucht waren solche Merkmale, die nicht nur bei einem ganz bestimmten Inhalt, sondern möglichst bei allen Inhalten von Bedeutung sind.

Nach einigen Untersuchungen stand die Antwort fest: Informationstexte unterscheiden sich voneinander vor allem in vier «Dimensionen der sprachlichen Gestaltung»: 1. *Einfachheit* (Gegenteil: Kompliziertheit); 2. *Gliederung – Ordnung* (Gegenteil: Unübersichtlichkeit, Zusammenhanglosigkeit); 3. *Kürze – Prägnanz* (Gegenteil: Weitschweifigkeit) und 4. *Zusätzliche Stimulanz* (Gegenteil: keine zusätzliche Stimulanz).

Was bedeuten diese vier Hauptmerkmale? Ein bißchen sagt es der Name schon. Aber wir wollen sie etwas genauer vorstellen oder besser – sie stellen sich selber vor (siehe Abb. 49):

Einfachheit – Kompliziertheit. Dieser erste Verständlichmacher ist vor allem gemeint, wenn im allgemeinen Sprachgebrauch von «Verständlichkeit» die Rede ist. Etwa, wenn sich immer mehr Bürger bei den Verbraucherorganisationen über unverständliche Behördenschreiben beschweren. Oder wenn – gemäß einer Emnid-Umfrage – jeder Zweite die geringe Verständlichkeit bei der Wissenschaftsbe-

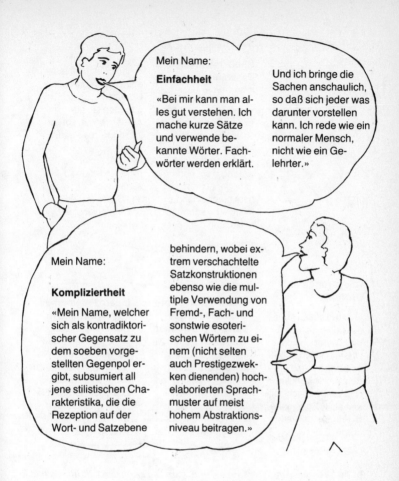

Abb. 49: *«Einfachheit» und sein Gegenspieler «Kompliziertheit» stellen sich vor.*

richterstattung im Fernsehen beklagt. Tatsächlich ist Einfachheit wohl der wichtigste Verständlichmacher. Und zugleich derjenige, der die «Gebildeten» am deutlichsten von den «Ungebildeten» trennt. Dennoch ist das Verstehen und Behalten von Information keineswegs nur von «Einfachheit» abhängig.

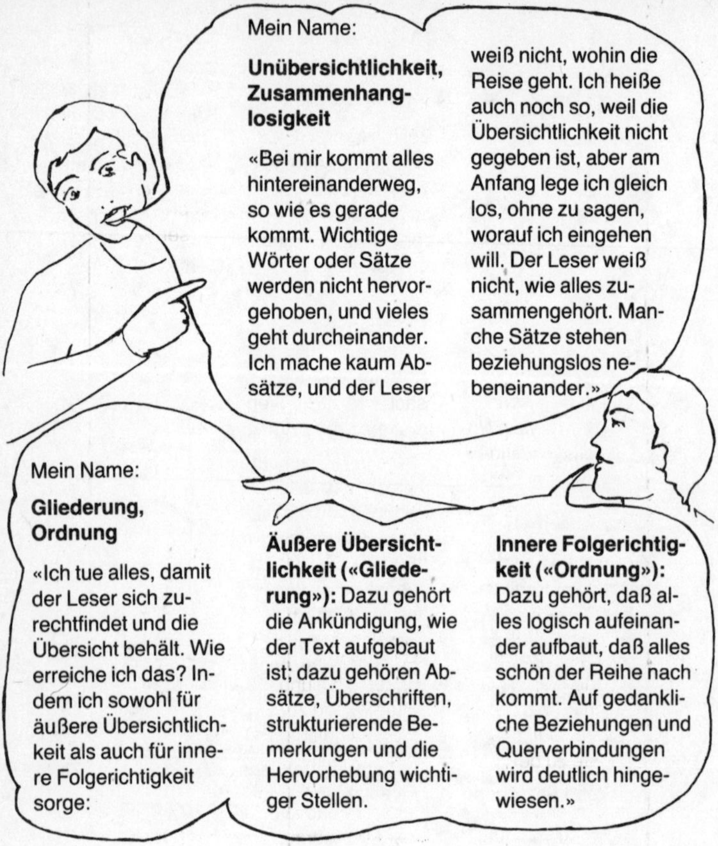

Mein Name:

**Unübersichtlichkeit,
Zusammenhang-
losigkeit**

«Bei mir kommt alles hintereinanderweg, so wie es gerade kommt. Wichtige Wörter oder Sätze werden nicht hervorgehoben, und vieles geht durcheinander. Ich mache kaum Absätze, und der Leser weiß nicht, wohin die Reise geht. Ich heiße auch noch so, weil die Übersichtlichkeit nicht gegeben ist, aber am Anfang lege ich gleich los, ohne zu sagen, worauf ich eingehen will. Der Leser weiß nicht, wie alles zusammengehört. Manche Sätze stehen beziehungslos nebeneinander.»

Mein Name:

**Gliederung,
Ordnung**

«Ich tue alles, damit der Leser sich zurechtfindet und die Übersicht behält. Wie erreiche ich das? Indem ich sowohl für äußere Übersichtlichkeit als auch für innere Folgerichtigkeit sorge:

**Äußere Übersicht-
lichkeit («Gliede-
rung»):** Dazu gehört die Ankündigung, wie der Text aufgebaut ist; dazu gehören Absätze, Überschriften, strukturierende Bemerkungen und die Hervorhebung wichtiger Stellen.

**Innere Folgerichtig-
keit («Ordnung»):** Dazu gehört, daß alles logisch aufeinander aufbaut, daß alles schön der Reihe nach kommt. Auf gedankliche Beziehungen und Querverbindungen wird deutlich hingewiesen.»

Abb. 50: *«Gliederung – Ordnung» und sein Gegenspieler «Unübersichtlichkeit» stellen sich vor.*

Gliederung, Ordnung – Unübersichtlichkeit. Dieser zweite Verständlichmacher betrifft nicht die Art der Formulierung (Einfachheit), sondern den Aufbau des Gesamttextes. Seine Bedeutung wächst mit der Länge des Textes. Bei kurzen Mitteilungen kann es der Empfänger leichter «verschmerzen», wenn keine Bemühungen vorliegen, den *Bauplan der Nachricht sichtbar zu machen.* Um eine solche Sichtbarmachung des Bauplanes dieses Kapitels bemühte sich die Vorschau auf S. 140f.

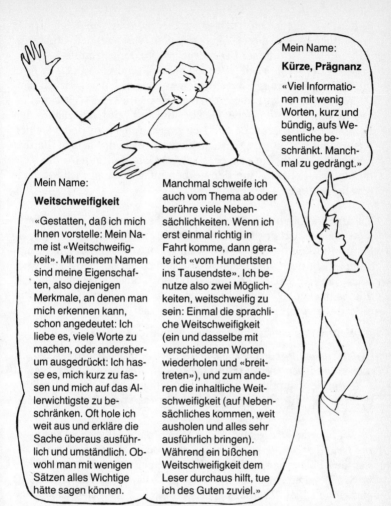

Mein Name:

Kürze, Prägnanz

«Viel Informationen mit wenig Worten, kurz und bündig, aufs Wesentliche beschränkt. Manchmal zu gedrängt.»

Mein Name:

Weitschweifigkeit

«Gestatten, daß ich mich Ihnen vorstelle: Mein Name ist «Weitschweifigkeit». Mit meinem Namen sind meine Eigenschaften, also diejenigen Merkmale, an denen man mich erkennen kann, schon angedeutet: Ich liebe es, viele Worte zu machen, oder andersherum ausgedrückt: Ich hasse es, mich kurz zu fassen und mich auf das Allerwichtigste zu beschränken. Oft hole ich weit aus und erkläre die Sache überaus ausführlich und umständlich. Obwohl man mit wenigen Sätzen alles Wichtige hätte sagen können.

Manchmal schweife ich auch vom Thema ab oder berühre viele Nebensächlichkeiten. Wenn ich erst einmal richtig in Fahrt komme, dann gerate ich «vom Hundertsten ins Tausendste». Ich benutze also zwei Möglichkeiten, weitschweifig zu sein: Einmal die sprachliche Weitschweifigkeit (ein und dasselbe mit verschiedenen Worten wiederholen und «breittreten»), und zum anderen die inhaltliche Weitschweifigkeit (auf Nebensächliches kommen, weit ausholen und alles sehr ausführlich bringen). Während ein bißchen Weitschweifigkeit dem Leser durchaus hilft, tue ich des Guten zuviel.»

Abb. 51: *«Kürze, Prägnanz» und sein Gegenspieler «Weitschweifigkeit» stellen sich vor.*

Kürze, Prägnanz – Weitschweifigkeit. Obwohl ein Telegrammstil sich in einigen Untersuchungen als durchaus günstig erwies, dürfte das Optimum mehr in der Mitte liegen. Weitschweifige Texte überfordern vor allem jüngere Schüler: Sie verlieren den Blick für das Wesentliche, und ihre Aufmerksamkeit sinkt schnell ab. Weitschweifigkeit ist seltener bei gedruckten Texten anzutreffen, häufig dagegen bei freier Rede. Vor allem bei Sachdiskussionen in Gremien, bei Abteilungsbesprechungen in Unternehmen habe ich häufig äußerste, den lebendigen Dialog völlig abtötende Weitschweifigkeit erlebt. Jede einfache kleine Botschaft wird mit zahlreichen Präambeln, Verzierungen und Begleiterklärungen zu einem kleinen Referat aufgebläht – oft schleicht eine Katze um den heißen Klartext herum. – Und die Empfänger? Sie hören längst nicht mehr hin – die meisten sind ohnehin mit der Vorbereitung ihres eigenen «Referates» beschäftigt...

Zusätzliche Stimulanz – keine zusätzliche Stimulanz. Dieser vierte Verständlichmacher ist bislang wenig erforscht. Er dient zunächst als Sammelbecken für die unterschiedlichsten Stilmittel, um den Empfänger nicht nur intellektuell, sondern auch gefühlsmäßig anzusprechen – aus der Einsicht heraus, daß Lernen auch Spaß machen darf und dann eher bedeutsam ist, wenn es die ganze Person ergreift und nicht nur an seine oberste Hirnrinde adressiert ist.

Welche Stimulanz-Strategien verwende ich in diesem Buch?

☐ *Ich suche für jeden mir wichtigen Sachverhalt nach Beispielen aus meiner und der (vermuteten) Lebenswelt der Leser.* Dies beginnt schon in der Einführung und setzt systematisch bei der Darstellung der vier Seiten der Nachricht ein («Du, da vorne ist grün!» – vgl. S. 25).

☐ *Ich benutze häufig sprachliche Bilder, die Analogien zu elementaren Grunderfahrungen aufweisen.* Zum Beispiel, wenn ich sage, daß sich aus Phantasien sowohl Käfige als auch Brücken bauen lassen (s. S. 77). – Die Ausdrücke «Heim- und Auswärtsspiele» (s. S. 133 f) entnehme ich der Welt des Sports, um sie auf seelische Phänomene zu übertragen.

Ein großer Lehrmeister für diese Technik sind unsere Träume: Sie erfinden großartige, treffende Bilder für aktuelle seelische Sachverhalte. Wenn ich auf S. 131 vom «Deckel» (der Sachlichkeit) auf der «Schlangengrube» (der Emotionen) spreche, dann hätte ein solches Bild auch geträumt sein können.

☐ *Vom sprachlichen Bild zur graphischen Abbildung ist es nur noch ein kleiner Schritt. Wenn ich etwas erkläre, fertige ich gern kleine*

Mein Name:

Keine Zusätzliche Stimulanz

«Mein Name: ‹Keine Zusätzliche Stimulanz›. Ich verzichte auf alles, was einen Text durch die Art der Darstellung interessant und anregend machen könnte, wie z.B. direkte Anrede des Lesers, lebensnahe oder heitere Beispiele und Vergleiche, Verwendung von wörtlicher Rede, Fragesätze usw. Ich vertraue darauf, daß der Inhalt von sich aus anregend wirkt und nehme es in Kauf, langweilig und unpersönlich zu wirken.»

Mein Name:

Zusätzliche Stimulanz

«Gestatten: ‹zusätzliche Stimulanz›, aber Sie können ruhig ‹Anregung› zu mir sagen (da freut sich mein Kollege ‹Einfachheit›). Ich tue alles, damit ein bißchen Leben in die Bude kommt. Bin sozusagen das Salz in der Informationssuppe: Ohne mich hätte sie denselben ‹Nährwert›, aber mit mir ist sie schmackhafter. Und das fördert ja bekanntlich die Verdauung. Ich höre förmlich, wie Sie als Leser sagen: ‹Anregung, du bist mir zwar ganz sympathisch, aber zuviel von dir würde die Suppe versalzen!› Ich sage: ‹Gut, aber vergessen Sie mich nicht ganz, wenn Sie selber mal kochen.›»

Abb. 52: *«Zusätzliche Stimulanz» und sein Gegenspieler «Keine zusätzliche Stimulanz» stellen sich vor.*

Zeichnungen dazu an. Ich selbst bin ein «visueller Typ», d.h., ich nehme vor allem den optischen Sinneskanal beim Lernen in Anspruch; bei den meisten meiner Hörer ist es genauso.

Die Abbildung dient nicht nur der Stimulanz, sondern oft auch der

Gliederung – Ordnung, indem sie eine gedankliche Struktur oder den Bauplan eines Textes sichtbar macht.

☐ *Manchmal personifiziere ich abstrakte Begriffe und lasse sie in wörtlicher Rede auftreten.* So haben sich die Merkmale der sprachlichen Gestaltung als «Verständlichmacher» persönlich vorgestellt und in direkter Rede gesprochen (– überhaupt wähle ich häufig die direkte Rede).

Diese aus der Dichtung und Theaterwelt bekannte Methode erlaubt es, daß sich Instanzen «zu Wort melden», die in der seelischen Realität tatsächlich vernehmbar sind. So empfangen wir «Nachrichten» nicht nur von Personen, sondern auch von Einrichtungen und Institutionen. So mag ein «piekvornehm» eingerichtetes Wohnzimmer dem Gast signalisieren: «Hier darfst du nicht laut lachen, die Beine hochlegen oder dich sonstwie gehen lassen – benimm dich gesittet und sprich höflich und konventionell!»

Ein ergreifendes Beispiel las ich in einem Zeitungsartikel: Muller läßt «die Gesellschaft» zu ihren Jugendlichen sprechen (s. S. 190 f).

☐ Gelegentlich, wenn auch nicht sehr häufig, *spreche ich von mir selbst und bringe die Sachinformationen mit meiner Person in Verbindung;* d.h., ich versuche zu vermitteln, wieso mir gerade diese Inhalte wichtig sind, wie ich darauf gekommen bin und was sie mir bedeuten. Diese Verbindung von Sachvermittlung und Selbstoffenbarung (s. Abb. 53) ist in der Wissenschaft eher verpönt – hier gilt das Ideal der objektiven Wahrheit, welche sich als unabhängig gültig von der sie entdeckenden und aussprechenden Person erweist. Ohne dieses Ideal zu verwerfen, scheint mir auf dem Weg dorthin jede Erkenntnis – mehr oder minder bewußt und eingestanden – die Handschrift des Erkennenden zu tragen, gehen in jeden Erkenntnisakt (auch in sog. objektive Experimente) eingestandene oder uneingestandene Voraussetzungen, besondere Blickwinkel und Ausblendungen ein. Der Wissenschaftler steht ja nicht außerhalb des zu entdeckenden Weltzusammenhanges, sondern ist – mittendrin – ein Teil davon und jede seiner wahrheitssuchenden Handlungen geschehen unter dem Vorzeichen der Befangenheit aus Selbstbetroffenheit, jede seiner Handlungen hat Anlässe und Folgen in seiner persönlichen Lebenswelt, auch enthält jede seiner Handlungen eine Wertsetzung. Daher: Auch jede «wissenschaftliche Nachricht» enthält eine Selbstoffenbarungsseite – und es ist gewiß nicht unwissenschaftlich, diese kenntlich zu machen.

Besonders Vertreter der Humanistischen Psychologie treten für

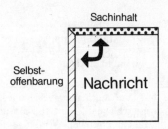

Sachinhalt

Selbst-
offenbarung

Nachricht

Abb. 53: *Die Verbindung von Sachvermittlung und Selbstoffenbarung als Element des lebendigen Lernens.*

diesen Standpunkt ein und pflegen einen entsprechend persönlichen Publikationsstil. Zum Beispiel schreibt Carl Rogers (1979, S. 133):

«Es mag Ihnen merkwürdig vorkommen, daß ich soviel Persönliches von der Suche nach einigen einfachen und vorläufigen Formulierungen erzähle. Ich tue es, weil ich glaube, daß neun Zehntel der Forschung sich immer unter der Oberfläche verbergen; man sieht nur die Spitze des Eisberges, und das täuscht. Nur selten beschreibt jemand... das Ganze der Forschungsmethode, so wie es im Individuum existiert. Auch ich möchte etwas vom Ganzen der Untersuchung, etwas von dem, was sich in mir abspielte, und nicht nur den unpersönlichen Teil mitteilen.»

Ebenfalls ist für Ruth Cohn jede wissenschaftliche Veröffentlichung *auch* eine Ich-Botschaft. In einem Aufsatz über Erlebnistherapien (1975, S. 97ff.) wählt sie ein Stilmittel, das sie «erlebendes Schreiben» nennt:

«Ich möchte dieses Papier über die Erlebnistherapien auch im Prozeß erlebenden Schreibens ausdrücken. Ich möchte versuchen, mit Euch Lesern in einen, zumindest imaginären, erlebnishaften Prozeß zu kommen. Und ich möchte, was ich im Hier-und-Jetzt erlebe, für das Thema, über das ich schreibe, auffangen.» (S. 98)

Informationsvermittlung kann zu einem lebendigen, beseelten Vorgang werden, wenn das Mitgeteilte erkennbar im Persönlichen wurzelt, wenn die Trennung von Sache und Person, von Sach- und Beziehungsebene aufgehoben wäre. Die meisten Empfänger sind innerlich lernbereiter, wenn ihnen hinter dem Vorgetragenen die Person des Vortragenden hindurchleuchtet.

2.3 Die Messung der Verständlichkeit

Wie läßt sich feststellen, in welchem Maße die vier Verständlichmacher in einem Text verwirklicht sind?

Der Wunsch, Verständlichkeit zu «messen», besteht schon lange. Der Amerikaner Flesch (1949) und nach ihm viele andere haben sogenannte «Lesbarkeitsformeln» vorgeschlagen: Zum Beispiel wurde die durchschnittliche Satzlänge und die durchschnittliche Wortlänge eines Textes ermittelt und zu einem Gesamtwert kombiniert. So wird ein objektiver Zollstock angelegt.

Jedoch zeigte sich, daß diese Werte sich nur wenig eigneten, um vorauszusagen, wie gut die Leser den Text verstehen würden. Das ist auch kein Wunder. Denn erstens müssen lange Sätze und lange Wörter ja nicht schwerverständlich sein. Das hängt ab von vielen Begleitumständen, z.B. von der grammatischen Bauweise der Sätze oder davon, ob unbekannte (und damit oft lange) Wörter erklärt werden oder nicht. Der objektive Zollstock ist blind für solche Begleitumstände. Zweitens sind mit solchen auszählbaren Merkmalen nur einige Aspekte von «Einfachheit», dem ersten Verständlichmacher, erfaßt. Alles andere, z.B. Übersichtlichkeit und innere Folgerichtigkeit, fällt unter den Tisch. Ein Zollstock versagt hier. Hier bedarf es eines menschlichen Gehirns, das mitzudenken in der Lage ist.

Daher haben wir einen ganz anderen Weg eingeschlagen: Für jeden Verständlichmacher ist eine «Meßlatte», eine Skala mit fünf Abstufungen, vorgesehen (s. Abb. 54):

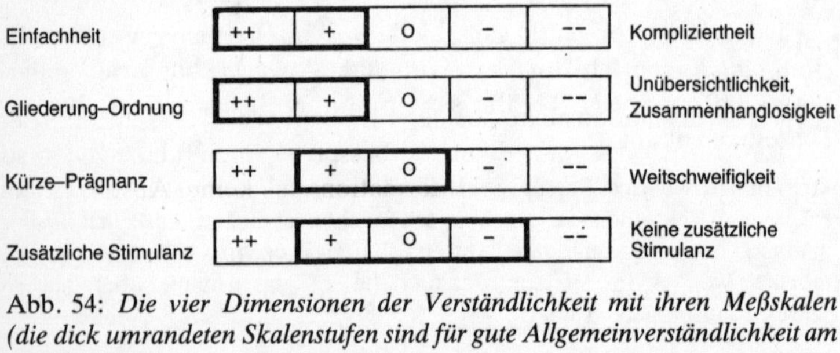

Abb. 54: *Die vier Dimensionen der Verständlichkeit mit ihren Meßskalen (die dick umrandeten Skalenstufen sind für gute Allgemeinverständlichkeit am günstigsten).*

Die Messung geht nun so vor sich: Geschulte Beurteiler bilden sich beim Lesen ein Eindrucksurteil für jeden Verständlichmacher.

Dann vergeben sie vier Werte – einen Wert für jede Skala. Das Ergebnis dieses «Warentests» wird in ein vierteiliges «Verständlichkeitsfenster» eingetragen, z. B.:

Einfachheit	Gliederung, Ordnung
Kürze, Prägnanz	Zusätzliche Stimulanz

+	–
0	++

Abb. 55: *Mögliches Ergebnis einer Verständlichkeitsdiagnose (links die Anordnung, rechts die Eintragung der Werte – vgl. Abb. 54).*

In Worten ausgedrückt lautet diese Verständlichkeitsdiagnose:

«Der Text ist recht einfach in der Formulierung (wenn auch nicht extrem einfach, d. h. man könnte denselben Sachverhalt noch etwas einfacher erklären). Dagegen fehlt es an Übersichtlichkeit und Klarheit der Zusammenhänge. Der Inhalt wird weder besonders gedrängt und kurz noch besonders weitschweifig erklärt. Die Darstellungsweise enthält sehr viele (zu viele) Anregungselemente.»

Vielleicht wird es eines Tages zur Pflicht gemacht werden, Bücher und Artikel mit einem Verständlichkeitsfenster zu versehen – das wäre ein sinnvoller «Verbraucherschutz» und zugleich ein Anreiz für die Autoren, günstigere Werte zu erzielen.

Das meßmethodische Vorgehen, das hier zur Anwendung kommt, findet sich näher begründet und erläutert bei Langer und Schulz von Thun (1981). Dort ist auch beschrieben, wie die Beurteiler geschult werden.

2.4 Die Verbesserung der Verständlichkeit von Texten

Können Informationstexte aus allen Bereichen des öffentlichen Lebens in ihrer Verständlichkeit verbessert werden? Und zwar so verbessert werden, daß am Informationsziel keine Abstriche gemacht werden?

Wir nahmen uns Texte aller Art vor, von Bedienungsanleitungen über amtliche Bekanntmachungen bis hin zu «hochwissenschaftlichen» Texten. Wir versuchten, den jeweiligen Inhalt anders zu erklären – so, daß die vier Verständlichmacher besser verwirklicht waren. Zwei Textversionen lagen am Ende für jeden Inhalt vor: der Originaltext und ein verbesserter Text.

Als Beispiel wähle ich einen kurzen Text, dessen Inhalt wie dieses

Buch von zwischenmenschlicher Kommunikation handelt. Er ist einer Zeitschrift für Erziehungsfragen entnommen. Es handelt sich um den Anfang eines längeren Aufsatzes, der sich vor allem an Lehrer (-studenten) wendet. Alle Lehrer, die ich kenne, legen jedoch bereits nach den folgenden Zeilen (spätestens!) die Zeitschrift aus der Hand. Dabei halten sie den Inhalt durchaus nicht für uninteressant.

Original-Text

Einfachheit	Gliederung, Ordnung	– –	–
Kürze, Prägnanz	Zusätzliche Stimulanz	+	– –

Kommunikation ist Interaktion in symbolischer Vermittlung und impliziert faktisch, genau wie Interaktion, auch ein Herrschaftsverhältnis interagierender und kommunizierender Menschen. Spracherziehung ist daher als ein Bereich der Erziehung zum sozialen Handeln zu betrachten; wobei der Begriff des sozialen Handelns verstanden wird in Abgrenzung zum einen vom blinden Befolgen vorgegebener Rollennormen, zum anderen von individuell willkürlichem Verhalten. Um auf der Grundlage von Rationalität und in kommunikativer Gemeinschaft mit anderen solidarisch handeln zu können, muß der einzelne Sprache nicht nur als Medium der Artikulation analytisch-kognitiver Prozesse einsetzen, sondern gleichzeitig als Mittel reflexiver Kommunikation über soziale Beziehungen selber sowie zur Interpretation und Kommunikation subjektiver, eigener wie fremder Intentionen und Bedürfnisse. Dieses erfordert neben der Beherrschung verschiedener Sprachcodes Sensibilität für die in verschiedenen Nuancen der sprachlichen Pragmatik implizierten Bedeutungsgehalte.
(Aus: *b:e*, 1973, *10*, S. 15)

Verständlichere Textversion

Einfachheit	Gliederung, Ordnung	+	+ +
Kürze, Prägnanz	Zusätzliche Stimulanz	0	–

Kommunikation bedeutet: Mit Worten oder anderen Zeichen aufeinander reagieren und aufeinander Einfluß nehmen; und das heißt auch: Herrschaft ausüben. Damit ist Spracherziehung auch immer eine Erziehung dazu, wie man mit anderen Menschen umgeht, eine Erziehung zum sozialen Handeln. Wie soll nun das soziale Handeln aussehen? Und worauf muß man bei der Spracherziehung achten, um das Ziel zu erreichen?

Erziehungsziel «Soziales Handeln»: Nicht blind alles tun, was die anderen von einem wollen. Aber auch nicht nur tun und lassen, was man selbst will. Sondern: sich mit anderen vernünftig auseinandersetzen und dann solidarisch handeln.

Aufgabe der Spracherziehung: Sprache darf nicht nur dazu da sein, Gedanken in Worte zu kleiden. Sondern daß man auch mal darüber spricht: «Wie gehen wir eigentlich miteinander um?» Und: «Was sind eigentlich die Absichten und Bedürfnisse, die bei mir und anderen dahinterstecken?»
Dazu muß man auch andere verstehen lernen, die sich anders ausdrücken als man selbst. Und man muß eine feine Antenne entwickeln, um besser mitzukriegen, was wirklich gemeint ist, wenn Leute etwas sagen.

Nehmen wir noch ein zweites Beispiel. Wenn ich die beiden folgenden Textversionen nacheinander im Psychologie-Hörsaal vorlese, passiert immer folgendes: Nach dem Verlesen des Originaltextes entsteht bei den Hörern Ratlosigkeit, manchmal Ärger über die komplizierte Sprache, teilweise etwas Ehrfurcht vor der Wissenschaft – verstanden haben wenige etwas. Während und nach dem Lesen der verständlicheren Fassung wird viel gelacht: die Lächerlichkeit des banalen Inhaltes tritt mit einemmal hervor und macht die Ehrfurcht überflüssig.

Bei dem folgenden Originaltext handelt es sich um eine Kurzfassung einer Untersuchung, entnommen einer psychologischen Fachzeitschrift.

Original-Text

Einfachheit	Gliederung Ordnung		–	
Kürze Prägnanz	Zusätzliche Stimulanz		+ +	– –

Untersucht wird die Wirkung der zeitlichen Verteilung der täglichen Übungsserien bei der instrumentellen Konditionierung von Planarien, da bei diesen Tieren die auffällige Erscheinung besteht (CUMMINGS et al. 1969, u.a.), daß ein einmal erreichtes mäßiges Lernkriterium trotz weiterer Konditionierung nicht gehalten werden kann. Sechs Vt-Gruppen wurden im Hexagonlabyrinth mit gleich viel Übungsdurchgängen, aber unterschiedlichen Interblockintervallen von 1½, 2, 3, 6, 12, 24 und 48 Stunden auf eine Richtungsentscheidung konditioniert, dazu wurde die freie Wahlentscheidung vor und die Extinktion nach den Lernvorgängen gemessen. Es zeigt sich, daß (bereits nach 9–11 Übungsblöcken erkennbar) das Lernoptimum bei 6 Stunden Ruhezeiten liegt. Kürzere und längere Ruhezeiten verursachen zunehmend schlechtere Lernleistungen, Übergang in den lethargischen Zustand und Mortilität. Freie Wahlen vor und Extinktionsergebnisse nach dem Richtungstraining unterscheiden sich nur bei den kurzen Interblock-

Verständlichere Textversion

Einfachheit	Gliederung, Ordnung	+	+ +
Kürze, Prägnanz	Zusätzliche Stimulanz	0	–

intervallgruppen bedeutsam, nicht hingegen bei den längeren Zeiten. (Aus: *Z. f. Ex. und Angew. Psychol.*, 1970, *17*, S. 16f.)

Ausgangslage. Untersucht wurden Planarien (bestimmte Sorte von Würmern). Aus Untersuchungen von CUMMINGs u. a. (1969) war bekannt: Wenn Planarien einmal etwas halbwegs gelernt haben, dann verschlechtern sie sich bald wieder – auch wenn man sie weiterhin für die richtige Leistung belohnt. Eine merkwürdige Erscheinung!
Fragestellung. Jetzt wollten wir herausfinden: Wie sollten die Übungen zeitlich verteilt sein, damit Planarien am besten lernen?
Versuchsaufbau. Lernziel: In einem Labyrinth immer die Richtung wählen, für die es eine Belohnung gibt. Die Würmer wurden in 7 Gruppen aufgeteilt. Zwar übten alle Gruppen gleich oft. Aber die Pausen zwischen den Übungen wurden unterschiedlich lang gemacht: 1,5 Stunden, 2, 3, 6, 12 und 48 Stunden. – Die Leistung der Würmer wurde beobachtet, und zwar vor, während und nach den Übungen (wo richtige Leistungen nicht mehr belohnt wurden).
Ergebnisse. 1. Ruhepausen von 6 Stunden waren am günstigsten. Das merkte man schon nach 9–11 Übungen. Bei längeren oder kürzeren Pausen wurde die Leistung immer schlechter; die Planarien machten nicht mehr mit und starben. – 2. Die Leistungen vor und nach den Übungen waren nur bei kurzen Ruhepausen deutlich verschieden.

Die große Frage war jetzt: Würden die in den Skalenwerten verbesserten Texte von den Lesern auch wirklich besser verstanden und behalten werden? Von Lesern, die von den «vier Verständlichmachern» gar nichts wissen?

Es zeigte sich eindrucksvoll, daß die verbesserten Texte tatsächlich besser ankamen. Zumindest dann, wenn die Unterschiede in den Skalenwerten deutlich waren. Was uns hingegen überrascht hat: Leser aller Schulbildungen profitierten gleich viel durch verständlichere Texte. An sich hatten wir erwartet: Leser mit Abitur würden auch die Originaltexte einigermaßen gut verstehen. Durch verständlichere Fassungen würden sie sich kaum verbessern. Dagegen würden Leser mit Volksschulbildung einen größeren Sprung nach oben tun. Diese Erwartung trat nicht ein. Zwar hatten die Abiturienten bei den Originaltexten im Durchschnitt bessere Leistungen als die Leser mit Mittlerer Reife, und diese wiederum bessere Leistungen als die Leser mit Volksschul-Bildung. Jedoch machten bei den verbesserten Texten alle drei Gruppen einen gleich großen Sprung nach oben, so daß auch die alte Reihenfolge erhalten blieb. Aber immerhin: Die Leser mit Volksschul-Bildung erreichten oftmals durch verbesserte Texte die Leistung der Abiturienten nach dem Originaltext. Anders ausgedrückt: Gibt man den Abiturienten die Originalfassung zu lesen, den Lesern mit Volksschulbildung den verbesserten Text, dann erreichen beide Gruppen etwa die gleiche Verständnisleistung.

Ein weiteres Ergebnis war, daß die Leser auch gefühlsmäßig positiver auf die verständlichen Texte reagierten. Sie gaben zu 65% an, daß sie den Text gern gelesen hätten – bei den Lesern der Originaltexte waren es nur 27%.

2.5 Training in verständlicher Informationsvermittlung

Es hat wenig Sinn, an die Sender zu appellieren: «Drückt euch verständlich aus!» Genausowenig nützt der Ratschlag: «Macht es einfach, übersichtlich, kurz-prägnant und ein wenig stimulant!» – Ratschläge und Appelle bleiben wirkungslos, wo sich bestimmte Sprach- und Darstellungsgewohnheiten jahre- und jahrzehntelang eingeschliffen haben. Da ist es schon aussichtsreicher, systematisch zu üben. Dabei kommt es zunächst darauf an, Informationstexte nach den vier Verständlichmachern treffsicher einschätzen zu können. Ein solches Wahrnehmungstraining ist ein wichtiger Bestandteil jeder Verhaltensänderung, die Hälfte ist damit schon erreicht. Die andere Hälfte ergibt sich aus eigenem Tun: Der Lernende schreibt kurze Informationstexte und vergleicht jeweils anschließend seinen Text mit einem Expertentext. Zunächst übt er sich in der Verbesserung je eines Verständlichmachers, schließlich in der gleichzeitigen Verbesserung aller vier.

Mit solchem Training wird ein komplexes, ganzheitliches Lernen angestrebt. Damit ist gemeint: Der Lernvorgang wird nicht in kleine Detailschritte zerlegt (z.B. substantivische Wendungen in Verb-Formen umwandeln = ein Einzelaspekt von «Einfachheit»), sondern besteht im wesentlichen in der Nachahmung von Vorbildern.

Trainingsprogramme liegen vor für Pädagogen (Langer, Schulz von Thun und Tausch 1981), für Schüler (Schulz von Thun u.a. 1975) und für Mathematik-Lehrer (Schulz von Thun und Götz 1976). Bei der Erprobung dieser Programme zeigte sich: Verständliche Darstellung ist keine Naturbegabung – man kann sie lernen.

III. Die Beziehungsseite der Nachricht

1. Überblick («Wie redet der eigentlich mit mir?»)

«Wie redet der eigentlich mit mir?» mag jemand denken, der sich – sagen wir – herablassend behandelt fühlt.

Dieser jemand reagiert damit nicht auf den Sachinhalt der Nachricht. Dem mag er zustimmen. Sondern er reagiert auf die Art, wie der Sender ihn anspricht. In diesem *Wie* kommt zum Ausdruck: «So stehe ich zu dir, so sehe ich dich.» Dieses Wie wird durch die Art der Formulierung und durch den Tonfall, auch durch Mimik und Gestik zum Ausdruck gebracht.

Diese dritte Seite der Nachricht ist von außerordentlich großer Bedeutung in der zwischenmenschlichen Kommunikation. Ich kann nicht Sachinhalte vermitteln, ohne gleichzeitig den anderen als Menschen in irgendeiner Weise zu behandeln (oder mißhandeln). Allein dadurch, daß ich überhaupt das Wort an ihn richte, zeige ich, daß er nicht «Luft» für mich ist!

Während die Sachbotschaften sich überwiegend an den Kopf des Empfängers richten und von seinem Verstande empfangen und ausgewertet werden, gehen die begleitenden Beziehungsbotschaften gleichsam direkt ins «Herz» (s. Abb. 56).

Beim Empfang der Selbstoffenbarungsseite war der Empfänger ein relativ unbeteiligter Diagnostiker («Aha, so einer bist du») – von den Beziehungsbotschaften hingegen ist er *persönlich betroffen* («Was – so einer soll ich sein!?»). An dieser persönlichen Betroffenheit mag es liegen, daß der Empfänger ein sehr starkes «Ohrenmerk» auf diese Seite der Nachricht hat. Ehetherapeuten wissen ein Lied davon zu singen, daß manche Partner fast nur auf den Beziehungsaspekt reagieren und den Inhalt gar nicht richtig zur Kenntnis nehmen. Sie sehen in der Beziehungsseite das «Eigentliche». «Der andere reagiert gefühlsmäßig (und meist unbewußt) nicht in erster Linie darauf, was der Partner sagt, sondern wie er es sagt.» (Mandel u. a. 1971, S. 124)

Die Bedeutung der Beziehungsbotschaften liegt jedoch nicht nur in der gefühlsmäßigen Augenblickswirkung, sondern auch darin, daß sie langfristig zum *Selbstkonzept* des Empfängers («So einer bin ich also!») beitragen (s. Kap. 5, S. 187ff).

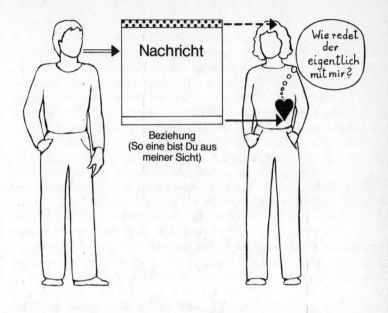

Abb. 56: *Während sich die Sachbotschaft mehr an den Verstand wendet, geht die Beziehungsbotschaft gleichsam direkt ins «Herz».*

Die Bedeutung der Beziehungsseite wurde in den letzten Jahrzehnten zunehmend auch für die Pädagogik und für das Arbeitsleben betont. Nach heutiger Auffassung vollzieht sich die Persönlichkeitsbildung weniger nach Maßgabe dessen, was gelehrt wird («sachlicher» Lehrstoff), sondern nach Maßgabe der Zigtausend von Beziehungsbotschaften, die das Kind und der Schüler zu seiner Person empfängt. Daß Unterricht und Erziehung immer gleichzeitig stattfinden, ist direkt an der Quadratur der Nachricht ablesbar. Zu beachten ist hier, daß solche Beziehungsbotschaften nicht nur aus dem Munde von Menschen kommen, sondern auch – anonym und unterschwellig – von institutionellen Gegebenheiten ausgehen (s. S. 189f).

Auch für das Arbeitsleben ist der Beziehungsaspekt von weitreichender Bedeutung. Wie werde ich behandelt – wie gehen wir miteinander um? Tagtägliche Lebensqualität hängt hiervon ab. Und nicht nur das: Untersuchungen zum «Betriebsklima» und zum «Führungsstil» haben einen engen Zusammenhang mit Einsatzbereitschaft und Leistung nachgewiesen. Es ist ja naheliegend: Wenn mir täglich in vielfacher Form (vor allem «zwischen den Zeilen») demonstriert wird: «Du bist hier eine ganz kleine Nummer; was du denkst, ist unwichtig. Halte dich zurück – wer bist du schon!?» – dann fühle ich mich menschlich demoralisiert und werde kein Selbstwertgefühl und keine Freude an Eigenverantwortlichkeit entwickeln. Vielleicht werde ich nach allerlei Möglichkeiten Ausschau halten, mich dennoch «wichtig zu machen» – nicht immer zum Vorteil einer sachgerechten Kooperation. Fühle ich dagegen, daß man meine Ansichten wirklich ernst nimmt – dann bildet mein Gefühl von Vollwertigkeit die Grundlage für Arbeitszufriedenheit und Einsatzbereitschaft. – In dieser Einsicht liegt gleichzeitig wiederum eine große Gefahr: Daß die Beziehungsseite der Nachricht *funktionalisiert* wird; daß Vorgesetzte in einem «Human-relations-Training» darin ausgebildet werden, das Gefühl von menschlicher Vollwertigkeit an ihre Mitarbeiter zu vermitteln, jedoch nicht als Ausdruck humaner Einstellung, sondern als wirkungsvolles Mittel der Motivierung (s. Kap. 7, S. 204).

Zwei Aspekte des Beziehungsgeschehens. Genaugenommen enthält die Beziehungsseite der Nachricht zwei unterschiedliche Aspekte. Für den Fortgang der Gedanken ist es nötig, diese beiden Aspekte voneinander zu unterscheiden. Zum einen drückt sich hier aus, wie der Sender den Empfänger sieht, was er von ihm hält. Die entsprechende Du-Botschaft lautet: «So einer bist du (in meinen Augen)!» – Zum anderen enthält diese Seite eine Beziehungsdefinition des Senders: «So stehen wir zueinander (…nicht wahr?)» – s. Abb. 57.

Wenn der Dienstbote eines größeren Unternehmens auf dem Flur seinen Direktor trifft und ihn fröhlich fragt: «Hallo, alter Junge, wie geht's – was macht die Ehe?» – dann enthält diese Nachfrage eine sehr vertrauliche Beziehungsdefinition, die der Direktor wahrscheinlich nicht teilt und daher erstaunt-entrüstet reagiert, durchdrungen von dem Gefühl: «Unverschämtheit, wie der mit mir redet – so stehen wir doch nicht zueinander!»

Um diesen Unterschied begrifflich zu markieren, wollen wir sagen: Die Beziehungsseite der Nachricht enthält eine Du-Botschaft und eine Wir-Botschaft. Nicht immer sind diese beiden Aspekte deutlich trennbar. Dennoch ist die Unterscheidung kommunikationspsychologisch sinnvoll, und im folgenden möchte ich zunächst

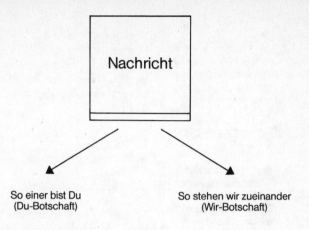

Abb. 57: *Zwei Aspekte der Beziehungsseite.*

auf die Probleme der Du-Botschaft und erst dann auf die Probleme der Beziehungsdefinitionen (Wir-Botschaften – Kap. 4, S. 179) eingehen.

Chef und Sekretärin. Wie unterschiedlich die Beziehungsseite bei etwa gleichem Sachinhalt und gleichem Appell ausfallen kann, sei an folgendem Beispiel gezeigt:

Der Chef merkt, daß seine Sekretärin eine Akte falsch eingeordnet hat. Hören wir, wie sechs verschiedene Chefs reagieren (leider kann der Tonfall schriftlich nicht mitgeteilt werden – er ist hier aber auch von großer Bedeutung) – s. S. 158/159!

2. Instrumente zur Erfassung des Beziehungsgeschehens

Neben den nachfolgenden sechs Beispielen gibt es -zig Möglichkeiten, dem anderen auszudrücken, wie man zu ihm steht. Wenn wir unter Verzicht auf Nuancen die Vielfalt des Geschehens reduzieren und ordnen wollen, dann können wir auf wissenschaftliche Bemühungen zurückgreifen. Zwei Instrumente möchte ich vorstellen, die sich dazu eignen, das zwischenmenschliche Beziehungsgeschehen

«Chef 1
Frau Meier, ich seh grad, die Akte Hühnermann ist falsch eingeordnet. Vertriebsangelegenheiten kommen in den roten Ordner.»

Beziehung: Der Chef gibt zu erkennen, daß Fehler sein dürfen und behandelt die Sekretärin kollegial-sachlich. Sie reagiert vermutlich gefühlsmäßig positiv oder neutral.

Chef 2
«Frau Meier, darf ich Ihnen das mal zeigen. Sehen Sie mal hier: Akte Hühnermann. Das ist eine Vertriebsangelegenheit. Sie haben das nun in den blauen Ordner geheftet. Aber sehen Sie mal: Vertriebsangelegenheiten sind im roten Ordner bei uns. Hab ich Ihnen damals erklärt, wissen Sie noch? Also *roter* Ordner – können Sie sich das merken? Nicht? Das müssen Sie sich gut einprägen, Sonst haben wir hier bald ein Chaos, nicht?»

Beziehung: Freundlich, aber der Chef nutzt ein kleines Versehen für eine umständliche Lektion. Die Sekretärin wird «wie eine Schülerin» behandelt. Ihre Fähigkeit zur Informationsverarbeitung wird eher niedrig eingeschätzt («können Sie sich das merken?»). Das Versehen wird ziemlich «breitgetreten» – der Chef hebt seine Überlegenheit in diesem Punkt stark hervor. Sie reagiert vermutlich gefühlsmäßig negativ.

Chef 3
«Frau Meier? Kommen Sie doch mal bitte, ja? Wie lange sind Sie eigentlich schon bei uns? Sehen Sie mal hier. Was ist das? Nun? Fällt Ihnen nichts auf? Aha! – Aus Versehen, aus Versehen! Aus Versehen legt sich der Igel auf die Bürste! Bei uns gibt's keine Igel, Frau Meier, haben wir uns da verstanden? Na hoffentlich!»

Beziehung: Der Chef demütigt die Sekretärin durch inquisitorisches und schulmeisterliches Verhalten; er stellt ihr ihr «Versagen» drastisch vor Augen und würdigt die Entschuldigung durch einen Witz herab, der durch seine grobe Schlagfertigkeit zusätzlich demonstriert, wer hier Herr der Lage ist. Sie reagiert stark negativ auf diesen «unverschämten Ton».

Chef 4

«Frau Meier! (Pause) Die Akte Hühnermann im grünen Ordner! Ich such mich halbtot. Mir steht die Arbeit weiß Gott bis zum Hals (seufzt) – Bitte geben Sie mir eine Kopfschmerztablette, ja?»

Beziehung: Die wehleidig-anschuldigende Art sagt: «Ich leide, und zwar durch deine Schuld!» Das ruft Schuldgefühle und innere Empörung hervor.

Chef 5

«Frau Meier, es ist mir nicht angenehm, die Sache anzusprechen. Aber es ist Ihnen da wieder eine – äh – gewisse – äh – Ungenauigkeit unterlaufen. – Ist irgendetwas nicht in Ordnung – Sorgen in der Familie? Sie können offen sprechen, jeder von uns hat ja seine Tiefpunkte, nicht wahr, und…»

Beziehung: Er gibt zu erkennen, daß er in dem Fehler der Sekretärin etwas Pathologisches sieht, gefällt sich in der Pose des gönnerhaften Therapeuten. Reaktion der Sekretärin: vermutlich stark negativ.

Chef 6

«Frau Meier, Ihre Sorgfalt ist wirklich eindrucksvoll. Selbst die Akte Hühnermann hier im grünen Ordner wirft nur einen leichten Schatten auf diesen Charakterzug.»

Beziehung: Etwas von oben herab, aber ansonsten wegen der Ironie sehr *uneindeutig*. Kumpelhafte Flachserei? Oder heißt der Klartext: «Ich halte Sie für eine so große Belastung, daß ich nur noch mit Galgenhumor über die Runden komme?» Auch die Sekretärin wird unsicher sein, wie sie den Beziehungsaspekt deuten soll. Es sei denn, sie «kennt» den Chef und weiß, «wie es gemeint ist».

deutlicher werden zu lassen: das Verhaltenskreuz (2.1) und die Transaktionale Analyse (2.2).

2.1 Das Verhaltenskreuz

Empirische Untersuchungen zum Vorgesetzten- und Erzieherverhalten (vgl. z. B. Tausch und Tausch 1977) legen nahe, daß es vor allem zwei «Techniken» gibt, den Empfänger auf der Beziehungsseite zu mißhandeln: Herabsetzung und Bevormundung. Etwas ausführlicher gesagt: In der Art, ihre unterstellten Mitarbeiter bzw. Jugendliche zu behandeln, unterscheiden sich die Vorgesetzten/Erzieher vor allem in zwei Hauptmerkmalen: 1. Wertschätzung vs. Geringschätzung und 2. Lenkung/Bevormundung vs. Einräumen von Entscheidungsfreiheit. Die Kombination dieser beiden Merkmale ergibt das Verhaltenskreuz in Abb. 57, zunächst jedoch möchte ich sie einzeln erläutern:

1. Wertschätzung. Damit ist gemeint: In dem, was der Sender sagt, bringt er zum Ausdruck, daß er den Empfänger als achtenswerte, vollwertige, gleichberechtigte Person ansieht und daß er ihm Wohlwollen entgegenbringt. Dazu gehören Höflichkeit und Takt, freundliche Ermutigung und *Reversibilität* im Sprachverhalten. Reversibilität heißt soviel wie «Umkehrbarkeit». Damit ist gemeint: Der Sender spricht zum Empfänger in einer Weise, wie der Empfänger auch umgekehrt zum Sender sprechen dürfte, ohne die Beziehung zu gefährden. Dieses Untermerkmal ist besonders in hierarchischen Beziehungen von Bedeutung, so in der Beziehung Eltern–Kind, Lehrer–Schüler, Vorgesetzter–Untergebener.

Weil hier leicht Mißverständnisse entstehen, möchte ich auch darauf hinweisen, was mit «Wertschätzung» *nicht* gemeint ist: nämlich gleichbleibende Freundlichkeit und In-Watte-Packen. Wertschätzung ist keine «warme Milch», sondern eine respektierende Art, den anderen als vollwertigen Partner auch bei Konflikten und harten Auseinandersetzungen zu achten.

Mit Geringschätzung ist gemeint: Der Sender behandelt den Empfänger als minderwertige Person – abweisend, herabsetzend, demütigend, emotional kalt, von oben herab. Weiter gehören dazu: nicht ernst nehmen, lächerlich machen, beschämen, Abneigung zeigen. Dann auch «Irreversibilität»: Der Sender verhält sich dem (meist untergeordneten) Empfänger in einer Weise, wie es sich dieser ihm gegenüber nicht «erlauben» dürfte (vgl. die Chefs Nr. 2 bis 5).

2. Lenkung/Bevormundung. Damit ist ein Verhaltensstil gemeint, der darauf angelegt ist, den Empfänger in seinem Denken und Handeln weitgehend unter den eigenen Einfluß zu bringen, z. B. durch Anweisungen, Vorschriften, Fragen, Verbote usw.

Wenig Lenkung und Bevormundung liegt vor, wenn der Sender dem Empfänger durch seine Nachricht zu verstehen gibt, daß er ihm weitgehend eigene Entscheidungen und selbständige Aktivität einräumt.

Ein hohes Ausmaß an Lenkung und Kontrolle löst beim Empfänger vielfach inneren Widerstand aus. «Ich hab keine Lust, mir dauernd Vorschriften machen oder über die Schulter gucken zu lassen!» In solchen Äußerungen drückt sich der Wunsch nach Selbstbestimmung, Eigeninitiative und freier Entfaltung aus. In der Erziehung verhindert ein hohes Ausmaß an Lenkung die Entwicklung von Selbständigkeit und Lernen von sinnvollem Gebrauch der Freiheit. Mancher Trotz im Kindesalter und manche jugendliche Auflehnung wird als Protest gegen eine übertriebene Gängelung verständlich.

Kommunikations-Diagnostik auf der Beziehungsseite der Nachricht.
Mit der emotionalen und der Lenkungs-Dimension haben wir einen bedeutsamen (wenn auch groben) diagnostischen Rahmen, um den Beziehungsaspekt der zwischenmenschlichen Kommunikation zu beschreiben. Wenn wir Erzieher oder Vorgesetzte (aber auch Ehepartner, Arbeitskollegen usw.) eine Zeitlang beobachten, wie sie mit ihren Untergebenen usw. umgehen, dann können wir sie durch je einen Punktwert in den beiden Dimensionen charakterisieren. Bei diesem Verfahren wird unterstellt, daß es zwischen äußerst wertschätzenden und äußerst geringschätzenden Äußerungen viele Zwischenstufen gibt, desgleichen bei der Lenkungs-Dimension. Das Ergebnis einer solchen Beobachtung und Punktwertvergabe läßt sich in ein solches Koordinatenkreuz eintragen (s. Abb. 58).

Natürlich gibt es viele Mischformen. Eingetragen in Abbildung 58, S. 164, sind vier «reine» Vertreter. Nr. 1 ist ein Sender, der in seiner Art zu kommunizieren dem anderen viel Wertschätzung ausdrückt, gleichzeitig aber lenkend, bevormundend und kontrollierend ist. Nr. 2 ist – wie man so sagt – ein «autoritärer Knochen»: Stark dominierend, einengend, gleichzeitig geringschätzende und herabsetzende Behandlung des Empfängers. Nr. 3 ist jemand, der den anderen nicht sehr achtet und ihm Abneigung ausdrückt, der gleichzeitig wenig lenkt, kontrolliert und bevormundet. Eine Art «laisser-faire» nach dem Motto: «Mach, was du willst!» Nr. 4

Abb. 58: *Zwei wichtige Dimensionen auf der Beziehungsseite der Nachricht: die emotionale und die Lenkungsdimension.*

schließlich ist jemand, der den anderen als vollwertigen Partner behandelt, ohne zu bevormunden und durch dauernde Vorschriften einzuengen.

Einschätzung einzelner Äußerungen. Für eine Feinanalyse der Kommunikation lassen sich auch einzelne Äußerungen in der emotionalen und in der Lenkungsdimension einschätzen. Hierzu ein Beispiel aus der familiären Erziehung:

Die Familie will zu einer Feier und ist dabei, sich «fein zu machen». Die 14jährige Tochter sagt: «Mutti, ich zieh meine Jeans an, ja?»

Die Reaktionen verschiedener Mütter sind zur Veranschaulichung in das Koordinatenkreuz eingetragen, und zwar jeweils in den passenden Quadranten (s. Abb. 59).

Partnerschaftlichkeit durch Verhaltenstraining?
Diese beiden Dimensionen des zwischenmenschlichen Verhaltens waren unser psychologisches Marschgepäck, als wir – Schüler und

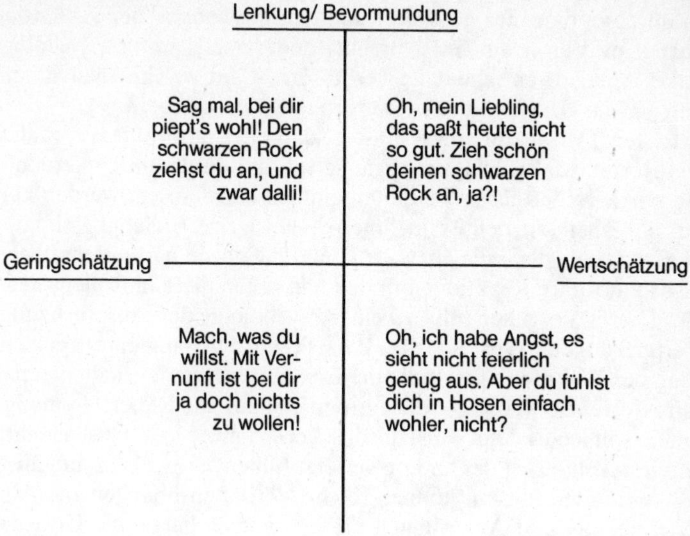

Sag mal, bei dir piept's wohl! Den schwarzen Rock ziehst du an, und zwar dalli!	Oh, mein Liebling, das paßt heute nicht so gut. Zieh schön deinen schwarzen Rock an, ja?!

Geringschätzung ———————————— Wertschätzung

Mach, was du willst. Mit Vernunft ist bei dir ja doch nichts zu wollen!	Oh, ich habe Angst, es sieht nicht feierlich genug aus. Aber du fühlst dich in Hosen einfach wohler, nicht?

Abb. 59: *Vier mögliche Äußerungen einer Mutter.*

Mitarbeiter von Reinhard Tausch – um 1970 über Land zogen und alle diejenigen «trainierten», die, dem Zeitgeist entsprechend, auch im menschlichen Miteinander, vor allem in der Erziehung, «mehr Demokratie wagen» wollten. Es hatte mich dieser Gedanke fasziniert: Daß der politischen Demokratisierung des Staates und der Institutionen eine «innere Demokratisierung» des Verhaltens und der persönlichen Werte, also eine Demokratisierung der Charakterstrukturen, einhergehen müssen – und daß wir Psychologen mit unserem Wissen um die Prinzipien der Verhaltensänderung hier eine wichtige Rolle als Helfer der «inneren Reform» spielen können. Und ich war als Student der Psychologie überrascht und fasziniert von dem Gedanken, daß zwischenmenschliches Verhalten genauso geübt werden könnte wie Tennisspielen oder Autofahren. Grundsätzlich bejahe ich diese Denkrichtung auch heute. Allerdings ließen sich einige Naivitäten von damals mit der Zeit nicht aufrechterhalten. Die notwendigen Blickfelderweiterungen haben einerseits den Trainingsoptimismus gedämpft und den missionarischen Enthusiasmus zum Verschwinden gebracht, andererseits unser psychologisches Angebot entscheidend verbessert. – An welche «Naivitäten» und welche «Blickfelderweiterungen» denke ich dabei?

Erstens, wir waren der Meinung, daß etwa autoritäres Verhalten das Resultat falscher Lernvorgänge sei und durch ein Umlernen in ein partnerschaftliches Verhalten einfach eingetauscht werden könne. So gaben wir den Teilnehmern «schwierige Erziehungssituationen» vor (wie etwa die auf S. 164) und ließen sie partnerschaftliche, nicht-autoritäre Reaktionen finden und übten diese in Rollenspielen ein. Dieses Vorgehen führt zu einer Psychologie der «ansprechenden Verpackungen» (vgl. S. 16f). Zwar kann durchaus eine Verfeinerung der Wahrnehmung und eine Erweiterung des Verhaltensrepertoires erreicht werden – und in den Fällen, wo Repertoiremangel («Wie soll ich es denn sonst ausdrücken?») und bloße Unsensibilität («Wieso sollte sich der andere verletzt fühlen?») zu einem ungünstigen Verhalten führen, können solche Verhaltensübungen zu «Aha-Erlebnissen» und Änderungen führen. Jedoch liegen die Ursachen für Kommunikationsfehler meist «tiefer», ist die Art, wie wir senden und empfangen, ein tief eingewurzelter Teil unserer Gesamtpersönlichkeit. So mag eine herabsetzende oder überhebliche Art, mit anderen umzugehen, von dem heimlichen Wunsch beseelt sein, die eigene Selbsterhöhung durch das Herabdrücken des anderen zu betreiben. Wieder begegnen wir hier dem Minderwertigkeitsgefühl, dessen Linderung durch die Entwertung anderer (vorübergehend) erreicht wird (Adler). Demselben Ziel kann die Bevormundung anderer und die ständige Suche nach der Oberhand dienen. Erneut stehen wir hier vor der schon auf S. 124 formulierten Erkenntnis: Das Lernziel «Kommunikationsfähigkeit» braucht ein Curriculum, das die seelische Gesundheit der Gesamtpersönlichkeit fördert. Mit anderen Worten: Selbsterfahrung und Selbstakzeptierung haben der Einübung eines neuen Verhaltens voraus- oder zumindest mit ihr einherzugehen.

Zweitens, bei den geschilderten Verhaltensübungen haben wir implizit unterstellt, daß es ein situations- und personen- und beziehungsunabhängiges ideales Verhalten gäbe. Diese Unterstellung ist im fundamentalen Widerspruch zum Gedanken der «Stimmigkeit» (s. S. 121). Und wir haben unterstellt, daß dieses Idealverhalten sich nach denselben Lernprinzipien einüben läßt wie beim Tennisspielen: Vorbilder betrachten, Üben, Erfolgsrückmeldung. Leider haben wir eine kleine Komplikation übersehen: Daß zwischenmenschliches Verhalten nur dann seelisch sinnvoll ist, wenn die Außen- und Innenseite des Verhaltens leidlich übereinstimmen, d. h., wenn äußeres Gebaren durch ein entsprechendes inneres Zumutesein gedeckt ist. Ein «ideales» inneres Zumutesein läßt sich aber nicht nach dem erwähnten Lernmodell trainieren (was nicht besagt, daß die Möglichkeit einer Gefühlserziehung nicht bestünde). Jedenfalls liefen wir bei unserem Trainingskonzept Gefahr, eine konzeptgemäße Verpackung einzuüben, ohne die seelische Seite des Geschehens hinreichend zu berücksichtigen. Im Extremfall zeigten die Teilnehmer dann wertschätzendes, kompromißbereites, verständnisvolles Verhalten, das aber sehr unecht und regelrecht «antrainiert» wirkte, weil es durch die entsprechenden Gefühle und die innere Einstellung nicht gedeckt war. Aus heutiger Sicht hat eine Selbsterfahrung, die den Umgang mit den eigenen Gefühlen in den Vordergrund stellt, zunächst einmal Vorrang vor dem Einüben von Verhaltensweisen.

Drittens haben wir folgende weitere Unterstellung gemacht: Wie sich jemand verhält, ist vor allem Ausdruck seiner Persönlichkeit. Folgerichtig haben wir am Individuum angesetzt und dem einzelnen Erzieher (Vorgesetzten, Mitarbeiter) ein Verhaltenstraining angeboten. Was wir dabei zu wenig im Blickfeld hatten, war die *Beziehungsabhängigkeit* des Verhaltens:

Daß die Kommunikationspartner sich gegenseitig zu bestimmten Reaktionen verführen und daß vielleicht Herr A mir eine ganz andere «Persönlichkeit» entlockt als Frau B. Nach meiner Auffassung soll diese (auf S. 82 ff dargelegte) Sichtweise, die weniger auf den einzelnen und mehr auf die Interaktionsregeln schaut, den individuellen Ansatz nicht ersetzen, wohl aber ergänzen.

Schließlich viertens haben wir den institutionellen Faktor unterschätzt – jene gesellschaftlich vorgeprägte Bühne, auf der A und B sich mit auferlegten Rollenvorschriften begegnen. Wenn Lehrer sich gegenüber ihren Schülern lenkend und herabsetzend verhalten – und dies war der überwältigende empirische Befund von Tausch und Tausch in den 60er und 70er Jahren gewesen – dann ist der Grund hierfür nicht nur im autoritären Charakter und in der schlechten psychologisch-pädagogischen Ausbildung der Lehrer zu suchen. Das hieße, das Problem einseitig zu «personalisieren» und zu «psychologisieren» – der Vorwurf der «Institutionsblindheit» (Fürstenau 1969) trifft zu Recht. Denn tatsächlich legen die institutionellen Rahmenbedingungen z. B. der Schule genau das Lehrerverhalten nahe, das sich in den empirischen Untersuchungen gezeigt hat (ich sage «legen nahe» – ich sage *nicht*: «erzwingen»). Wie haben wir uns das vorzustellen? Die Schule bringt – gesellschaftlichen Erfordernissen entsprechend – die Schüler im Grunde in eine «unmögliche» Situation: Stunden um Stunden stillsitzen, fern vom Leben Wissen aufnehmen, das oft für die Lebenswelt der Schüler irrelevant ist, aber vom Lehrplan für alle vorgeschrieben ist. Die Nöte und Wünsche des einzelnen sind bei der großen Klassenfrequenz weitgehend zurückzustellen; Zensuren halten dem Schüler seinen Wert oder Unwert vor Augen, wobei dieser persönliche Wert sich aus einigen wenigen leistungsrelevanten Dimensionen herleitet und auf einem Vergleich mit anderen beruht. – Fast jedes gesunde Kind wird sich einer solchen Situation wenigstens teilweise verweigern, wird «stören». Diese Störaktionen (Verhaltensstörungen, Apathie) wird der Lehrer gegen sich gerichtet fühlen (obwohl sie «eigentlich» an die Institution adressiert sind) – besonders, wenn er mit pädagogischem Elan und von dem Wunsch beseelt ist, einen «guten Unterricht» zu machen. Der Schüler wird ihm zur Frustration. Dazu mit dem Auftrag im Nacken, einen gewissen «Leistungsstand» zu garantieren und die «unmögliche Situation» im Griff zu behalten, wird er gegen die Störer vorgehen – mit Druck und mit Herabsetzung – die Etikettierung der störenden Schüler als «bösartig» oder «krank» schafft ihm Entlastung und Überlebenschance.

Diese Sichtweise führt überzeugend die Notwendigkeit der (schrittweisen) Änderung der Bedingungen vor Augen. Und sie hält den Psychologen (und Pädagogen) zur Bescheidenheit an, führt ihm die Begrenztheit seiner Möglichkeiten vor Augen und warnt ihn davor, durch psychologisierende Problembewältigung von den gravierenden Ursachen des Übels abzulenken. – Diese Sichtweise soll wiederum nicht zu folgendem Standpunkt verführen, wie er erstmals von Bernfeld (1925, Neuauflage 1967) tendenziell und von seinen Nachfolgern dann extrem vertreten wurde: *Da sich die Bedingungen ändern müssen, ist jede individuelle Arbeit zur Persönlichkeitsbildung nicht nur nutzlos, sondern – wegen der systemerhaltenden Wirkung – schädlich, konfliktverschleiernd und vom «Feinde ablenkend».*

Es gibt kein Leben ohne Bedingungen. Seien diese nun humanitätserleichternd oder -erschwerend: Immer kommt es entscheidend auf die Menschen an, die *innerhalb* und *trotz* dieser Bedingungen, u. U. auch *gegen* sie, die Menschlichkeit durch ihr Verhalten verwirklichen. Und es gibt keinen Grund, mit dem Abbau der humanitätsbehindernden Bedingungen *innerhalb* des Individuums zu warten, bis die äußeren Bedingungen besser sind.

Soweit ein kleiner Exkurs über unsere «Naivitäten von damals». Signer (1977) hat sie mit scharfem Blick in Augenschein genommen und wichtige Konsequenzen für psychologische Trainingskonzeptionen daraus gezogen.

2.2 Transaktionale Analyse

Ich möchte nach dem Verhaltenskreuz nun noch ein zweites Instrument vorstellen, das uns die Augen öffnen kann für das, was sich zwischen zwei Leuten auf der Beziehungsebene abspielt. Dieses Instrument, die sog. «Transaktionale Analyse», hat den Vorteil, daß es auch den Empfänger miteinbezieht und so das wechselseitige Hin und Her sichtbar macht. – Über die Transaktionale Analyse (TA), die auf den amerikanischen Psychiater Eric Berne («Spiele der Erwachsenen», 1967) zurückgeht, gibt es mehrere allgemeinverständliche Bücher (Harris 1975; Petzold und Paula 1976; Rogoll 1976), so daß hier eine knappe Einführung ausreicht.

Die TA geht davon aus, daß in jedem von uns drei Persönlichkeitsinstanzen vorhanden sind und sich (als jeweilige «Ich-Zustände») zu Worte melden können: Das *Eltern-Ich,* das *Kindheits-Ich* und das *Erwachsenen-Ich.*

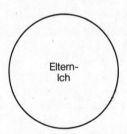

Abb. 60a: *Das Eltern-Ich.*

Im **Eltern-Ich** ist alles das aufbewahrt, was die Eltern dem Kinde einst vermittelt haben: Hilfe und Behütung, Lebensweisheiten, aber auch Ermahnungen, Ge- und Verbote, Vorstellungen darüber, wie «man» sein soll. Und wenn wir kommunizieren, tönt es zuweilen aus diesem Teil unserer Persönlichkeit: «Ja, ja – die Jugend von heute»

169

(klagender Tonfall dazu). Das Eltern-Ich hat zwei Aspekte (Abb. 60b): Entweder zeigt es sich kritisch-verurteilend-moralisierend oder aber fürsorglich.

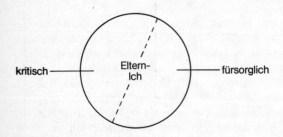

Abb. 60b: *Zwei Aspekte des Eltern-Ichs.*

Beispiele dafür, wie es aus dem kritischen Eltern-Ich tönt:

«Frau Meier, wenn Sie einmal etwas mehr Ordnung halten würden, dann würden Sie die Akte auch finden.»

Oder: «Lieber Herr Reuschenberger, so geht es nun wirklich nicht! Wenn jeder kommen und gehen wollte, wann er will, dann werden wir nie eine gedeihliche Zusammenarbeit haben!»

Aus dem fürsorglichen Eltern-Ich tönte es (auf S. 48) so: «Und zieh dir schön eine Jacke über, nicht? 's ist kalt draußen!»

Abb. 61a: *Das Kindheits-Ich.*

Im **Kindheits-Ich** stecken noch alle Gefühle und Reaktionen von damals. Jeder erwachsene Mensch, wie «würdig», vernünftig und souverän er sich auch geben möchte, hat diesen «Dreikäsehoch» (Hager und v. d. Laan 1979) noch in sich. Er kann sich in dreifacher Gestalt zu Wort melden: 1. *natürlich* (ausgelassen, verspielt, spontan); 2. *angepaßt* (brav, unterwürfig) oder 3. *rebellisch* (trotzig, patzig, wehleidig) s. Abb. 61b:

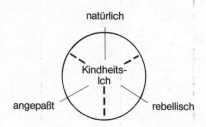

Abb. 61b: *Drei Aspekte des Kindheits-Ichs.*

Während sich das natürliche Kindheits-Ich in spontanem Gefühlsausdruck, vielleicht ausgelassen und vergnügt, zeigt, gibt sich die angepaßte Spielart mit unterwürfigem Blick: «Es soll auch nie wieder vorkommen, Herr Dr. Ebersfeld!» – Hingegen tönt das rebellische Kindheits-Ich spitz und patzig: «Wenn Sie alles besser wissen, machen Sie Ihren Kram doch alleine!» – und vielleicht noch in etwas dramatischer Wehleidigkeit hinzugefügt: «Ich bin es wirklich leid, immer als Sündenbock herzuhalten!» – um dann für den Rest des Tages zu schmollen.

Das **Erwachsenen-Ich** ist einem Computer vergleichbar, der die Tatsachen der Realität auswertet und die Impulse aus dem Eltern- und Kindheits-Ich auf Angemessenheit überprüft. Ein gut ausgebildetes Erwachsenen-Ich läßt nur die Normen und Wertsetzungen aus dem Eltern-Ich zu, die noch heute adäquat erscheinen, und läßt diejenigen Teile aus dem Kindheits-Ich zu, die situationsangemessen sind.

Wenn das Erwachsenen-Ich aus uns heraustönt, klingt es sachlich, informierend, feststellend, analysierend, um Auskunft ersuchend –

171

Abb. 62: *Das Erwachsenen-Ich*.

es macht einen durch und durch vernünftigen Eindruck und spricht den Partner auf gleicher Ebene an.

Alle drei Ich-Zustände sind wertvoll und gehören zur vollwertigen Erwachsenen-Persönlichkeit. Allerdings wird ein partnerschaftlicher Umgangsstil sein Schwergewicht auf dem Erwachsenen-Ich, dem natürlichen Kindheits-Ich und (nicht zuviel!) dem fürsorglichen Eltern-Ich haben.

Um die Kommunikation zu analysieren und um mögliche Störungen auszumachen, lassen sich nun Sender und Empfänger durch je drei Kreise darstellen und die Nachricht als ein Pfeil, der von einem der drei Ich-Zustände des Senders ausgeht und sich an einen der drei Ich-Zustände des Empfängers wendet. «Sich-wenden» bedeutet hier: den Empfänger verführen, aus diesem Ich-Zustand zu antworten. So verführt eine Botschaft aus dem kritischen Eltern-Ich den Empfänger meist zu einer Reaktion aus dem angepaßten oder rebellischen Kindheits-Ich (und umgekehrt!). Beispiel. Chef: «Sie müssen sich aber wirklich um etwas mehr Ordnung bemühen, Frau Meier!» Sekretärin: «Wenn Sie alles besser können, machen Sie Ihren Kram doch alleine!» (s. Abb. 63)

Nehmen wir noch einmal das Einführungsbeispiel (Abb. 3, S. 25) auf.* Der Mann als Beifahrer sagt zu seiner Frau, die den Wagen steuert: «Du, da vorne ist grün!» Vordergründig handelt es sich um eine Sach-Mitteilung, die vom Erwachsenen-Ich zum Erwachsenen-

---

* Diese Analyse entstammt einer Hausarbeit von B. Rinke.

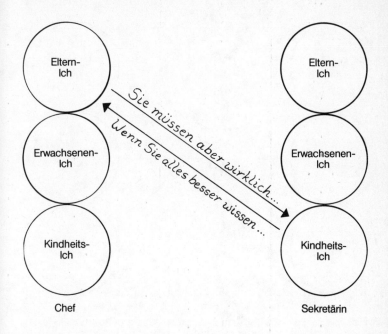

Abb. 63: *Transaktion zwischen Chef und Sekretärin.*

Ich gesendet wird. «Unterschwellig» aber enthält die Nachricht eine fürsorgliche Mahnung mit Eltern-Ich-Tönung. Solche «verdeckten Transaktionen» werden im Diagramm gestrichelt gezeichnet (s. Abb. 64).

Die Frau hat nun mehrere Reaktionsmöglichkeiten. Die verdeckte Transaktion verführt zu einer Antwort aus dem Kindheits-Ich – entweder angepaßt (a) oder rebellisch (b). Möglich wären aber auch z. B. eine Erwachsenen-Ich-Reaktion (c) oder eine Eltern-Ich-Reaktion (d) – diese beiden Reaktionen würden die (verdeckte) Transaktion des Mannes «durchkreuzen».

a) «O ja, entschuldige, ich bin so unaufmerksam heute.»

b) «Ich habe selber Augen im Kopf! Wer fährt, du oder ich?»

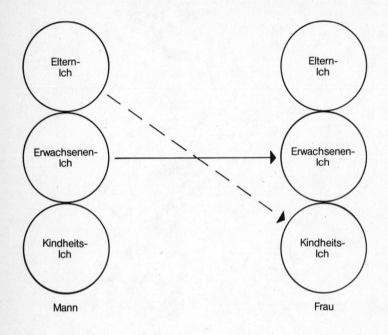

Abb. 64: *Vordergründige und verdeckte Transaktion bei der Nachricht des Mannes («Du, da vorne ist grün!»).*

c) «Ja, danke.»

d) «Mein Gott, du kommst schon noch rechtzeitig! Sei doch nicht immer so ungeduldig! Und es gehört sich auch nicht, dem Fahrer dauernd hereinzureden!» (s. Abb. 65)

Solche Diagramme können den Gesprächspartnern helfen, sich klarzumachen, was zwischen ihnen «läuft». Häufig stellen sie dann z.B. fest, daß sie – obwohl sie partnerschaftlich-gleichberechtigt miteinander umgehen möchten – immer wieder in ein Muster von Eltern-Ich⇌Kindheits-Ich hineinfallen und sich u.U. gegenseitig auf die Nerven gehen.

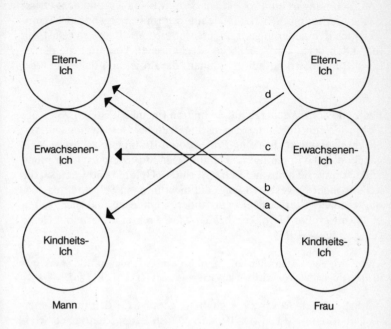

Abb. 65: *Vier verschiedene Reaktionsweisen der Frau: aus dem angepaßten bzw. rebellischen Kindheits-Ich (a bzw. b), dem Erwachsenen-Ich (c) und dem Eltern-Ich (d).*

3. Das Bild vom anderen

Wir haben gesagt: Auf der Beziehungsseite der Nachricht kommt zum Ausdruck, was der Sender vom Empfänger hält. Mein Verhalten dem anderen gegenüber hängt also in starkem Maße davon ab, welches Bild ich mir von ihm gemacht habe. Halte ich ihn für einen Teufel, werde ich ihn anders behandeln, als wenn ich meine, den Engel des Herrn vor mir zu haben.

Für den Sender ist es wichtig zu wissen, daß er das Bild vom anderen teilweise selber macht. Die «Vorlage» zu diesem Bild ist häufig unvollständig und ihre Wahrnehmung abhängig von der

175

Brille, mit der sie betrachtet wird. Menschliche Wahrnehmung ist nicht nur selektiv, sondern auch ergänzend – das Ergebnis meiner Wahrnehmung ist ein Produkt aus dem, was «da» ist und dem Reim, den ich mir darauf mache. Beziehungsstörungen ergeben sich dann, wenn ich den anderen ganz anders wahrnehme als er sich selbst. Im folgenden seien zwei seelische Mechanismen beschrieben, die zu einer Bildverzerrung führen können: die Projektion und die Übertragung.

Projektion. Eine scherzhafte Definition (meines Wissens) von Ruth Cohn: «Wenn du deine Magenschmerzen im Gesicht des anderen erblickst, dann ist dies eine Projektion.» Bestimmte seelische Vorgänge, die sich in mir unerkannt abspielen, projiziere ich nach außen und erkenne sie beim anderen. Oft sind es Gefühle und Impulse, die ich mir nicht eingestehen mag, die nicht in mein Selbstbild passen, die ich dann übersensibel beim anderen entdecke und nicht selten dann mit großer Heftigkeit bekämpfe. So schreibt Hermann Hesse (in «Demian», 1972):

«Wenn wir einen Menschen hassen, so hassen wir in seinem Bild etwas, was in uns selber sitzt. Was nicht in uns selber ist, das regt uns nicht auf.»

Jung hat den Ausdruck «Schatten» geprägt für den unliebsamen und unerkannten Teil der Person. Manch leidenschaftlicher Streit auf der Beziehungsebene ist ein «Schattenboxen».

Übertragung. Bei dem psychoanalytischen Konzept der Übertragung spielt sich etwas ganz Ähnliches ab. Auch hier nehme ich den anderen u. U. nicht realitätsgerecht wahr. Jedoch stammen die fehlleitenden Wahrnehmungselemente nicht aus dem eigenen seelischen Haushalt, sondern es ist unerkannt ein Dritter mit im Spiel: Angenommen, jemand erinnert mich durch irgendeine Äußerlichkeit (Sprechweise, Haarfrisur, Gesichtsform) an eine wichtige Person aus meiner Vergangenheit (z. B. Mutter, Vater, Bruder, Chef). Ich bin mir dieser Ähnlichkeit aber nicht bewußt. Unbewußt reagiere ich gefühlsmäßig auf den anderen, als ob er dieser andere aus meiner Vergangenheit wäre. So liege ich z. B. dauernd mißtrauisch auf der Lauer, ob mich der andere nicht mißbilligend beurteilen wird (wie es z. B. mein Vater getan hat). In psychotherapeutischen Übungen geht es darum, diese Übertragung bewußt zu machen und die Auseinandersetzung mit der Übertragungsperson, die man sich auf einem leeren Stuhl sitzend denkt, zu führen. Dadurch soll das «unerledigte Geschäft» so erledigt werden, daß es sich nicht mehr in die gegenwärtigen Beziehungen unerkannt einschleicht. Es gibt natürlich auch positive Übertragungen – so hat manche anfängliche Verliebtheit wenig mit dem anderen zu tun.

Das Phänomen der Übertragung ist so wichtig und allgegenwärtig, daß es sich lohnt, die Nutzanwendung für Sender und Empfänger genauer zu besprechen:

Wenn ich neue Menschen kennenlerne, versuche ich mich zu fragen, an wen sie mich erinnern. Indem ich mir solche Ähnlichkeiten bewußt mache, vermindere ich die allgegenwärtige Gefahr, die neue Beziehung mit alten «unerledigten Geschäften» zu belasten. Ich bin dann in der Lage, eine Realitätsüberprüfung meiner unbewußten Phantasien vorzunehmen und unter Umständen festzustellen: Er sieht zwar aus wie mein Bruder, aber er ist doch ein ganz anderer.

Auch als Empfänger ist die Kenntnis des Übertragungsmechanismus von entscheidender Bedeutung. Ich muß wissen, daß ich «Übertragungen abkriege», d. h.: daß nicht jedes Gefühl, das mir entgegengebracht wird, wirklich mir gilt, sondern vielleicht einem ganz anderen. Entweder war es ein persönliches Merkmal von mir, das beim anderen «alte Geschichten» unbewußt aufgerührt hat, oder es war auch nur meine Rolle, die dies vollbracht hat. So sind vor allem Lehrer, Vorgesetzte und alle Amtsautoritäten in Gefahr, bei ihrem Gegenüber alte Autoritätsproblematiken aufzurühren. Sehr eindringlich schreibt Ruth Cohn (1975, S. 196) zum Problem der Übertragung:

«Ich bin überzeugt, daß das Wissen von und das Umgehen mit den universellen Übertragungs-Phänomenen zu den wesentlichen Handwerkszeugen aller Pädagogen gehört und es nicht angeht, die Erkenntnis dieser Phänomene im Geheimkabinett der Psychotherapeuten einzuschließen. Wieviel weniger Schmerz und Verletzlichkeit wären in Klassenzimmern und anderen Plätzen, wenn Menschen, die miteinander leben und arbeiten, in Gruppen erlernen könnten, daß nicht alle Reaktionen, denen sie begegnen, wirklich ihnen selbst ‹zugelebt› sind, sondern früheren Gestalten (Eltern, Lehrer, Geschwister) im Leben der anderen gelten; und wieviel klarer könnte jeder Mensch erfahren, welche Illusionen und Vorurteile er selbst auf andere unbewußt überträgt! Mancher autoritäre Allmachtsanspruch von und an Lehrer, Vorgesetzte, Koryphäen würde abgebaut werden – und ebenso Ohnmachts- und Abhängigkeitsgefühle! Mit einem solchen Übertragungsabbau in Gruppen haben Pädagogen auch eine bessere Chance, den ihnen anvertrauten Menschen mit weniger traditionellen Vorurteilen und mehr Offenheit und Realismus zu begegnen.»

Übrigens gibt es einen Zusammenhang von Selbstoffenbarung und Projektions- bzw. Übertragungs-Gefahr: Je mehr ich mich zurückhalte und je weniger ich von mir gebe, desto mehr Projektionen und Übertragungen «kriege ich ab». Denn ich setze den Übertragungs-Phantasien meines Gegenübers ja keine reale Selbstoffenbarung entgegen. Zurückhaltende Menschen mit «Poker-Face» werden daher oft abgelehnt, gemieden oder bekämpft: Alte Ängste und Haßgefühle projizieren sich auf diese «Leinwand». In der Psychoanalyse wird dieser Zusammenhang therapeutisch genutzt: Der psychoanalytische Therapeut bringt sich selbst nicht ein, hält sich gefühlsmäßig heraus und bietet somit eine Projektionsleinwand, auf die der Klient seine früheren problematischen Beziehungen übertragen kann.

Unrepräsentativer Kontakt. Ein falsches, einseitiges, unvollständiges Bild vom anderen entsteht auch dadurch, daß ich ihn häufig nur in ganz bestimmten Situationen wahrnehme und auf Grund dieses Umstandes daran gehindert bin, ihn auch noch von seinen anderen Seiten kennenzulernen. So erleben Lehrer ihre Schüler häufig als «infantil». Nun bietet aber die Schule keine sehr günstigen Bedingungen für den Schüler, sich als ganzer Mensch in seiner Vollwertigkeit zu zeigen. Was Lehrer und Schüler thematisch hier verbindet ist immer das, was der Lehrer kann und der Schüler noch nicht kann. Unter diesen Bedingungen der sozialen Distanz ist es nicht verwunderlich, wenn der Lehrer ein reduziertes, ungünstiges Schülerbild erhält. Der Kontakt ist unrepräsentativ. Unter anderen Lebensbedingungen, schon auf einer Klassenreise, hat der Schüler eher Gelegenheit, die vollwertigen Seiten seiner Person zur Entfaltung zu bringen. – *Und so ist die Achtung vor dem anderen viel weniger eine Frage der Moral als vielmehr eine Frage des wirklichen, repräsentativen Kontaktes.* Dies gilt auch für andere Lebensbereiche: Der Beamte hinter seinem Schalter erlebt den Ausländer oder Fürsorgeempfänger jeweils nur als unbeholfenen Bittsteller, der Richter den Angeklagten nur als armen (oder bösen) Sünder, der Arzt den Patienten nur als «Fall von Hautekzemen». Das Bild vom anderen beruht auf einer *Verabsolutierung der eindimensionalen Bekanntschaft* – die Achtung vor dem Mitmenschen bleibt ohne Erlebnisgrundlage.

4. Das Ringen um die Beziehungsdefinition

Wir haben bisher davon gesprochen, daß der Sender durch seine Nachricht auch zum Ausdruck bringt, wie er zum Empfänger steht, was er von ihm hält. Diese (meist implizite) Du-Botschaft ist aber nur der eine Aspekt der Beziehungsseite. Zum anderen enthält diese auch eine (meist implizite) Aussage darüber, wie der Sender die *Beziehung* zwischen sich und dem Empfänger sieht – eine Art Wir-Botschaft also.

Wenn A und B aufeinander treffen, müssen sie sich darüber einigen, «was geht und was nicht geht». Aus der breiten Palette des Miteinanderumgehens müssen bestimmte Verhaltensweisen als zur Beziehung stimmig ausgewählt werden. Ist es «drin», über persönliche, sogar intime Inhalte zu sprechen, den anderen zu berühren, ihn zu beleidigen, zu schlagen, zu beschenken, ohne Voranmeldung aufzusuchen usw.? Kurzum: Jedes Verhalten dem anderen gegenüber enthält auch den Versuch einer Beziehungsdefinition – die ist für den Sender ebenso unvermeidbar, wie es für den Empfänger unvermeidbar ist, darauf zustimmend oder ablehnend zu reagieren.

4.1 Vier Reaktionen des Empfängers auf einen Beziehungsvorschlag

Haley (1978) unterscheidet vier Möglichkeiten des Empfängers, auf eine Beziehungsdefinition des Senders zu reagieren:

Akzeptieren. Wenn der Empfänger die Verhaltensweisen des Senders als stimmig mit der Beziehung erlebt, wird er sich zustimmend verhalten. Beispiele: Ein erwiderter Gruß, ein Lachen über einen Witz, eine Antwort auf eine Frage; aber auch ein sachlicher Widerspruch oder die Weigerung, einer Aufforderung nachzukommen, kann eine Zustimmung auf der Beziehungsebene enthalten («zwar will ich nicht tun, was du willst, aber ich finde es ganz richtig und stimmig mit unserer Beziehung, daß du solche Forderungen an mich stellst»).

«Durchgehen lassen». Hier stimmt der Empfänger der Beziehungsdefinition zwar nicht zu, aber er wendet sich auch nicht sichtbar dagegen. Er läßt sie durchgehen, verweigert aber seinerseits eine Bestätigung von der Art: «Ja, genauso sehe ich unsere Beziehung auch!» Beispiele: Eine Frau läßt sich von einem Mann berühren, ohne aber ihrerseits die Berührung zu erwidern. – Ein Lehrer reagiert sachlich auf eine herausfordernde, in der Formulierung freche Frage eines Schülers.

Zurückweisen. Der Empfänger gibt hier klar zu erkennen, daß er dem impliziten Beziehungsvorschlag des Senders nicht folgt. Aus seinem Verhalten geht hervor: «Nein, so sehe ich unsere Beziehung nicht!» In Filmen früherer Jahrzehnte war es üblich, daß eine Frau die «Zudringlichkeit» eines Mannes mit einer Ohrfeige beantwortete. Oder jemand mag eine intime Frage mit der Rückfrage beantworten: «Was geht dich das an?» und auf diese Weise eine «Beziehungsabfuhr» erteilen.

Ignorieren (= entwerten). Hier verweigert der Empfänger jede erkennbare Reaktion, signalisiert gleichsam: «Du bist Luft für mich» und entwertet auf diese Weise den Sender. So mag ein Gruß, ein Brief, eine Einladung ganz unerwidert, eine Frage ganz ohne Antwort bleiben.

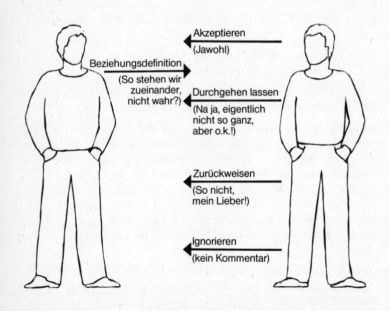

Abb. 66: *Worüber A und B auch immer miteinander reden – wie auch immer sie sich begegnen oder meiden: Sie können nicht umhin, ihre Beziehung auszuhandeln.*

Der in Abb. 66 dargestellte Vorgang kann mehr oder minder klar und deutlich ausfallen. Natürlich bemühen sich Sender und Empfänger häufig, sich um klare Botschaften herumzudrücken und die zuweilen heikle Beziehungsfrage im Kommunikations-Nebel verschwimmen zu lassen.

Und so gibt es allerlei Tricks, um eine eindeutige Beziehungsdefinition zu vermeiden. Zum Beispiel wenn ich jemandem, den ich kenne, auf der Straße begegne, muß ich mich für eine Beziehungsdefinition entscheiden: Grüßen oder nicht grüßen, stehenbleiben oder weitergehen, ansprechen oder nicht und wenn ja – wie? – Ich kann die Beziehungsdefinition vermeiden, wenn ich – «gedankenverloren» – so tue, als bemerkte ich den anderen nicht. Oder ich kann eine Einladung mit Hinweis auf einen «wichtigen Termin» ausschlagen. Oder ich kann das, was ich sage, durch einen inkongruenten Tonfall (vgl. S. 37) sogleich wieder dementieren usw. – Im Erfinden von Kunstgriffen zur Vermeidung eindeutiger Beziehungsdefinitionen sind wir sehr schöpferisch. – In einer hochinteressanten Analyse interpretiert Haley schizophrene Symptome als den konsequenten Versuch, die Beziehungen nicht zu definieren (Haley 1978, S. 113ff.).

4.2 Drei Grundarten von Beziehungen

Die Vielfalt möglicher Beziehungen zwischen A und B lassen sich (nach Haley 1978) in drei Grundkategorien einteilen:

Symmetrische Beziehungen. Symmetrisch ist eine Beziehung dann, wenn beide Partner dem anderen gegenüber das gleiche Verhalten zeigen können. Etwa wenn beide Vorschläge machen, den anderen kritisieren, ihm Ratschläge geben können.

Komplementäre Beziehungen. Komplementär ist eine Beziehung dann, wenn A andere Verhaltensweisen zeigt als B, die beiden Verhaltensweisen sich aber ergänzen und gleichsam aufeinander zugeschnitten sind: Der eine fragt, der andere antwortet; der eine lehrt, der andere lernt; der eine befiehlt, der andere gehorcht. Meist impliziert die Unterschiedlichkeit eine Art von Überlegenheit und Unterlegenheit, der eine hat die Oberhand, der andere die Unterhand.

Metakomplementäre Beziehungen. Zunächst scheint es so, als könne es nur symmetrische und komplementäre Beziehungen geben. Die Sache wird aber kompliziert, wenn wir an Situationen denken, in denen A seinen Partner B dazu bringt, über ihn zu verfügen oder ihn zu lenken oder ihm zu helfen. B hat damit die Oberhand; auf einer höheren Stufe jedoch hat A die Oberhand, indem er diese Art von komplementärer Beziehung herbeigeführt hat. Dies nennt Haley eine metakomplementäre Beziehung. Auch ist es denkbar (und häufig der Fall), daß A seinen Partner B veranlaßt, ihm gegenüber als gleichwertig, gleichrangig aufzutreten, sich ihm gegenüber symmetrisch zu verhalten: Wenn also A seinem Partner eine symmetrische Beziehung erlaubt oder sie von ihm fordert. Dies ist eine paradoxe Situation in Partnerschaften, wenn z. B. der Mann von seiner Frau fordert, sie solle ihm ein gleichwertiger Partner sein und sich emanzipieren. Die Frau befindet sich in einem unheilvollen Dilemma, in einer Art Double-bind-Situation (vgl. S. 38).

Diese drei Beziehungsarten (s. Abb. 67) können natürlich innerhalb einer Beziehung in wechselnder Folge auftreten.

4.3 Beziehungs-Manöver

Halten wir fest: Sender und Empfänger kommen letztlich nicht umhin, ihre Beziehung zueinander zu definieren. In neuen und schwierigen Beziehungen ist die Definition unklar und oft umstritten. Und so findet dann, gleichsam unter der Oberfläche des Gespräches, ein Tauziehen darüber statt, welche Art von Beziehung im Augenblick zu gelten hat und wer darüber bestimmen darf.

Versuche, eine bestehende Beziehung umzudefinieren, werden «Manöver» genannt. Manöver sind solche Verhaltensweisen, die die bisherige Beziehung verändern oder ihr einen neuen Akzent geben. Ein solches Manöver mag in einer neugierigen Frage bestehen, in einem Befehl oder in einem Kommentar über das Verhalten des anderen. Wenn etwa ein Schüler am Ende einer Unterrichtsstunde zum Lehrer sagt: «Diesmal haben Sie sich sehr gut vorbereitet auf die Stunde!» – dann handelt es sich hier um ein *symmetrisches Manöver;* denn bisher war es dem Lehrer vorbehalten, die Leistungen der Schüler mit Lob und Tadel zu kommentieren. Die oft in solchen Situationen entstehende Verblüffung weist auf die Neuartigkeit der Beziehungsdefinition hin. Manche Witze leben von dieser Verblüffung: «An welchem Fluß liegt Rom?» fragt der Lehrer den Schüler. «Ja, wenn Sie das nicht einmal wissen, wie konnten Sie dann Lehrer werden?» antwortet der Schüler. Der Witz liegt darin, daß der Schüler die Frage des Lehrers symmetrisch gedeutet hat, d. h. als echte Frage zwischen Gleichrangigen, und nicht als komple-

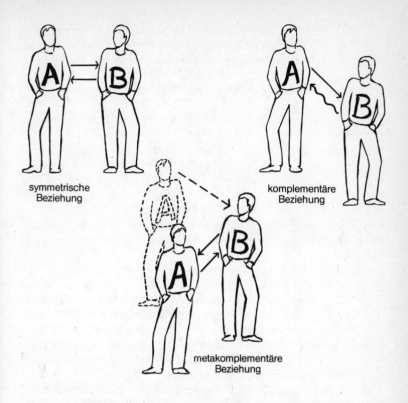

symmetrische
Beziehung

komplementäre
Beziehung

metakomplementäre
Beziehung

Abb. 67: *Drei Grundarten von Beziehungen.*

mentäres Abfragen. In diesem Falle erscheint die Schülerreaktion
absurd, da die Lehrer–Schüler-Beziehung als «klar» und eindeutig
definiert vorausgesetzt werden kann. In vielen Fällen liegt diese
Klarheit aber gerade nicht vor, und dann haben Sender und Empfänger einiges zu tun, den heimlichen Ringkampf um die Beziehungsdefinition zu führen.

4.4 Die Studentin und der junge Mann – ein Beispiel

Das folgende Beispiel* soll dazu dienen, die vorgestellten Begriffe

---

* Ich verdanke dieses Beispiel Frau Doris Löwisch, die diese Begebenheit
im Rahmen einer Hausarbeit aufgezeichnet hat.

zu erläutern *(Beziehungsdefinition: symmetrische, komplementäre und metakomplementäre Beziehung; der Beziehungsdefinition zustimmen, sie durchgehen lassen, ablehnen und entwerten; Manöver).*

Eine junge Frau sitzt lesend auf einer Parkbank, und es nähert sich ein junger Mann.

Er: «Kann ich mich dahin setzen?» (auf den Platz neben ihr weisend)

Seine Beziehungsdefinition lautet: Zwischen uns können Worte gewechselt werden, dies ist nicht bloß ein schweigendes Nebeneinander. – Dadurch, daß er für eine Handlung um Erlaubnis fragt, die dieser Erlaubnis nicht bedarf (Hinsetzen auf eine Bank), gibt er ihr metakomplementär die Verfügung über ihn.

Aus ihrer nun folgenden Antwort wird erkennbar sein, ob sie diesen Beziehungsvorschlag akzeptiert, «durchgehen läßt» oder zurückweist.

Sie: «Klar!» (sieht hoch und grinst)

Sie stimmt der Definition also zu. Durch das Grinsen signalisiert sie zusätzlich das geheime Einverständnis, daß es hier um mehr geht als die bloße Organisation von Sitzplätzen. Sie hätte sein Manöver auch lediglich durchgehen lassen können (etwa durch ein kurzes, teilnahmsloses «bitte»); oder sie hätte das Manöver zurückweisen können (etwa: «Wieso fragen Sie?»); oder sie hätte das Manöver durch bloße Nichtbeachtung entwerten können.

Beide sitzen eine Zeitlang auf der Bank, sie scheinbar weiterlesend, er Brille putzend. Es fährt eine kleine Bimmelbahn vorbei, beide sehen hin.

Er: «Eine alte Oma-Bahn!» (macht sich darüber lustig)

Beziehungsdefinition: Dies ist eine Beziehung, in der ein bißchen über die gemeinsam zugängliche Umgebung geklönt werden darf.

Sie: «Hmm.» (lacht)

Bestätigung der Definition. – Nach einer weiteren Zeit des Schweigens:

Sie: «Schön hier, nicht?»

Eine neuerliche Bestätigung der alten Definition. Diesmal aber mit dem Unterschied, daß der Definitionsvorschlag von *ihr* initiiert wird. Damit wird für ihn eindeutig erkennbar, daß sie seine Definition nicht nur «durchgehen läßt», sondern wirklich bestätigt (= ich will auch lieber reden als lesen).

Er: «Es ist schon den ganzen Tag schön. Ich war eben drei Stunden auf dem Kinderspielplatz, habe Plumpsack mitgespielt.

Die Kinder haben sich sehr amüsiert, weil ich nicht richtig laufen konnte. Bin gerade gestern aus dem Krankenhaus gekommen. War acht Wochen drin, hatte mir beim Tennis das Bein gebrochen, brauchte eine künstliche Kniescheibe. – Ich fühle mich jetzt sehr leer und weiß nichts mit mir anzufangen. Ich habe zwar Bekannte, aber die sind alle gemeinsam im Urlaub. Da stellt sich so ein Sinnlosigkeitsgefühl ein, weißt du? Die Decke fällt einem zu Hause auf den Kopf, und sechs Monate lang werde ich nicht arbeiten können – bin von Beruf Krankenpfleger.»

Diese weitreichende Selbstoffenbarung stellt ein Manöver dar, mit dem die alte Beziehungsdefinition stark erweitert wird: In dieser Beziehung darf über persönliche, ja intime Inhalte gesprochen werden. – Wie ist dieses Manöver genau zu verstehen? Möglich wäre sowohl, daß er eine symmetrische wie auch eine komplementäre Beziehung ansteuert. Symmetrisch: Dies ist eine Beziehung, in der jeder ein bißchen von sich erzählt und wir dadurch näher bekannt werden. Komplementär: Dies ist eine Beziehung, in der ich mich einmal aussprechen kann und jemanden habe, der mir zuhört (Klient-Therapeut).

In der Rückschau analysierte die Studentin, daß sie seiner Nachricht sehr stark den Appell entnommen hatte «Hör mir zu, geh auf mich ein!». – Sie reagiert entsprechend dieser Dekodierung:

Sie: «Dieses Erlebnis auf dem Spielplatz kann ich gut nachempfinden, du bist ja gerade erst heraus aus dem Krankenhaus, mußt dich erst einmal wieder an die Situation gewöhnen. Keine Angst vor deinen blöden Gefühlen, ist doch völlig normal. Braucht Zeit. Wie dumm, daß ausgerechnet jetzt deine Freunde weg sind, du nicht mitfahren konntest und jetzt jemanden brauchst. Was genau macht dir im Moment zu schaffen?» (etwas zusammengefaßt)

Kommunikationspsychologisch eine komplizierte Situation: Für den Fall, daß er mit seiner Selbstvorstellung eine komplementäre Beziehungsdefinition verbunden hat, handelt es sich bei ihrer Reaktion um eine Bestätigung dieses Definitionsvorschlages. Für den Fall jedoch, daß er es symmetrisch gemeint hat, wäre ihre Reaktion eine (partielle) Zurückweisung. Jedenfalls enthält nun ihre Reaktion eine eindeutige Beziehungsdefinition: du Klient – ich Therapeut (du Armer, ich Helfer). Die Studentin selbst analysierte im nachhinein: «Die Beziehung ähnelt einer Therapeut-Klienten-Beziehung. Er ist insofern in der schwächeren Position, da er etwas von mir will und sogar braucht, es ist wichtig für ihn zu reden; ich dagegen gebe nichts von mir preis und bin dadurch geschützter als er.»

Ihr Beziehungsvorschlag stellt somit ein Manöver dar, das ihr (im Falle der Bestätigung durch ihn) die Oberhand über die Beziehung sichert. Wie wird er auf dieses Manöver reagieren?

Er (zusammengefaßt): «Bin von Beruf Oberpfleger, kann ausbilden und Zensuren verteilen. Lebe seit sechs Jahren in dieser Stadt, vorher in Paris, habe viele ausländische Freunde, die jetzt auch hier sind. Habe eine jüngere Schwester, die auch hier lebt, jetzt aber mit gemeinsamen Freunden verreist ist. Eine Zeitlang haben wir zusammen gewohnt, ich fühle mich von ihr sehr stark sexuell angezogen und würde gern mit ihr schlafen, habe es aber noch nicht.» (Er erzählt eine Begebenheit, in der er seine Freundin und seine Schwester in deren Beisein verglich und seine Schwester dabei besser abschnitt. Darauf endete die Freundschaft mit dem anderen. Mädchen.) «Das konnte sie wohl nicht vertragen.»

Er setzt seine Selbstdarstellung fort, aber in den Inhalten wie ausgewechselt! Er spricht nicht mehr von seinen Nöten und Problemen, sondern hebt seine berufliche und männliche Überlegenheit hervor. Seine Nachricht enthält somit eine klare Zurückweisung ihrer Beziehungsdefinition: «Nein, ich bin nicht dein Klient, und du nicht meine Therapeutin. Sondern du ein Mädchen und ich ein ganzer Mann!» Er hat den Ringkampf um die Oberhand aufgenommen. Die Uneinigkeit über die gemeinsame Beziehungsdefinition ist an dieser Stelle offensichtlich. Sie hat seine «Verweigerung der Klientenrolle» und sein Bestehen auf einer symmetrischen Mann-Frau-Beziehung verstanden und reagiert innerlich unwillig:

Sie: «Ich kann deine Freundin verstehen, würde ähnlich reagieren...» (Sie gibt sodann etwas skeptische Kommentare zu seiner Erzählung ab, ist unruhig, sieht auf die Uhr.) «Muß jetzt wohl gehen, zur Uni.»

Nun weist sie ihrerseits seine Beziehungsdefinition («Ich bin ein ganzer Kerl, und du ein Mädchen, das für mich infrage kommt») zurück. Sie drückt Abstand aus, indem sie sich mit der Freundin solidarisiert und indem sie zum Aufbruch bläst. Es ist, als ob sie sagen würde: «Du willst meine Definition nicht akzeptieren, ich die deine nicht, dann erkläre ich nun die Beziehung für beendet.»

Er: «Das war ein schönes Gespräch.»

Das heißt auch: Unsere Beziehung ist schön. Mit diesem Manöver widerspricht er ihrer Beziehungsdefinition («Die Beziehung ist abbruchreif!»)

Sie: «Ja, das finde ich auch. Es passiert selten, daß man mit einer fremden Person so sprechen kann.»

Scheinbar eine Bestätigung seiner Definition. Bei näherem Hinsehen jedoch handelt es sich allenfalls um eine Teilbestätigung, denn der Hinweis auf die «fremde Person» drückt wiederum den gewünschten Abstand aus.

Die Begegnung endet damit, daß er sie überredet, sich später noch einmal zu treffen; halb widerwillig läßt sie sich auf diese Verabredung ein. Jedoch erscheint er nicht zum verabredeten Termin: Ein letztes Manöver seinerseits, um in einer wenig aussichtsreichen Lage die Oberhand zu behalten: «Ich entscheide, daß die Beziehung zu Ende ist, bevor du es tust.»

5. Längerfristige Auswirkungen von Beziehungsbotschaften: das Selbstkonzept

Die Bedeutung der Beziehungsseite ist nicht auf die momentane Gefühlslage und den weiteren Gesprächsverlauf beschränkt. Vielmehr können Beziehungsbotschaften eine erhebliche Langzeitwirkung haben: Der Empfänger erhält hier ja Informationen, wie er (vom Sender) gesehen wird. Auf der Suche nach seiner Identität («Wer bin ich?») ist das Kind auf solche Hinweise angewiesen. Mit der Zeit verdichten sich die Zigtausende von Beziehungsbotschaften, die das Kind von seiner Umwelt erhält, zu der Schlußfolgerung «So einer bin ich also!» (s. Abb. 68).

Diese «Meinung von sich selbst» (Adler), dieses Selbstkonzept, wird heute als eine entscheidende Schlüsselvariable der Persönlichkeit und der seelischen Gesundheit angesehen. Vor allem Alfred Adler hat beschrieben, wie jemand, der nicht viel von sich hält (Minderwertigkeitsgefühl), sich entweder entmutigt zurückzieht oder aber, in ständiger Beweisnot um den eigenen Wert, übersteigert nach Geltung und Überlegenheit ringt und so den größten Teil seiner seelischen Energie auf den Kampfplätzen der Rivalität und der imponierhaften Demonstrationen vergeudet.

Die Bedeutung des Selbstkonzeptes liegt aber auch in folgendem begründet: Hat es sich erst einmal verfestigt, dann schafft sich das Individuum eine Erfahrungswelt, in der sein einmal etabliertes Selbstkonzept immer wieder bestätigt wird. Wie wir durch unser Selbstkonzept bestimmte Erfahrungen «machen» und andere, viel-

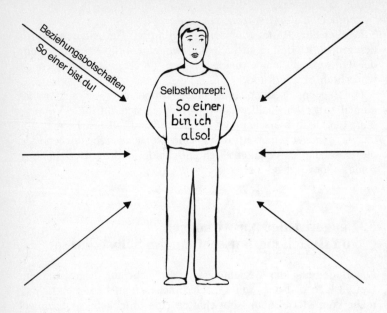

Abb. 68: *Das Selbstkonzept als Verdichtungsresultat von Beziehungsbotschaften.*

leicht korrigierende, Erfahrungen ausschalten, soll im Abschnitt 5.3 näher beschrieben werden.

Wegen dieser weitreichenden Bedeutung des Selbstkonzeptes haben manche Psychologen (z. B. Tausch und Tausch 1979) das Unterrichtsgeschehen fast ausschließlich mit der «Beziehungs-Brille» (unter Vernachlässigung der Sachinhalte) betrachtet: Hier vermuten sie die Hauptweichenstellung in der Persönlichkeitsentwicklung.

5.1 Die Herausbildung des Selbstkonzeptes durch Du-Botschaften und Etikettierungen

Was sind das nun im einzelnen für Beziehungsbotschaften, die das Selbstkonzept bestimmen? Zunächst sind es die expliziten und impliziten Beziehungsbotschaften, die ein Kind von den wichtigen Personen seiner Lebenswelt empfängt. Explizite Aussagen sind z. B. «Dummkopf!», «Aus dir wird nie etwas!», «Du bist unser liebes, artiges Kind», «Du bist technisch unbegabt», «Du kannst gut malen».

Derartige explizite Beziehungsaussagen werden in der zwischenmenschlichen Kommunikation ergänzt durch implizite Beziehungsbotschaften; durch die Art, wie das Individuum angesprochen und behandelt wird, erfährt es, wie der andere zu ihm steht, was er von ihm hält. Z. B. «Halte du dich zurück!», «Muß ich dir denn alles dreimal sagen?», «Nun reiß dich mal ein bißchen zusammen!» – oder aber: «Wie denkst du über diesen Vorschlag?», «Laß uns gemeinsam überlegen, wie wir die Sache hinkriegen» usw. – Auch nonverbal erhält ein Kind, bevor es Sprache verstehen kann, durch das Gesamtverhalten wichtiger Bezugspersonen etwa die Grundbotschaft «Du bist hier erwünscht» oder «Alles dreht sich nur um dich» oder «Du bist hier unerwünscht und lästig» – vermutlich sind es solche allerersten, durch tausendfältige Signale übermittelte Du-Botschaften, die das Selbstkonzept des Kindes grundlegend prägen. Erziehung ist vor allem Kommunikation zwischen den Zeilen. Derartige Du-Botschaften spiegeln keineswegs nur objektiv vorfindbare Charakteristiken des Kindes wider. Im Gegenteil enthalten sie heimliche Wünsche, persönliche und kulturelle Vorurteile des Senders (z. B. Auffassungen darüber, wie Mädchen oder Jungen nun einmal sind).

Die Institution als Sender von Du-Botschaften. Wir haben bisher die Herausbildung des Selbstkonzeptes als Resultat von definierenden Erfahrungen beschrieben, die das Kind von den wichtigen Bezugspersonen vermittelt bekommt. Die Du-Botschaften, die es dabei empfing, waren teils sehr individuell, teils eher kollektiv in dem Sinne, als das Kind diese Botschaften als Angehöriger einer bestimmten Gruppe erhält und sie daher mit allen anderen Angehörigen teilt (z. B. Geschlechtsstereotype Botschaften: «Du bist doch ein Junge! – Jungen weinen nicht!»).

In diesem Abschnitt wollen wir unser Augenmerk darauf richten, daß – unabhängig von individuellen Erziehern – die Institution Schule mit ihren Vorschriften und Plänen (implizite) Beziehungsbotschaften an «den» Schüler enthält. Tillmann (1976) sieht in diesen Botschaften den «heimlichen» und eigentlich wirksamen Lehrplan der Schule.

Wenn wir einige der institutionellen Botschaften* an «den» Schü-

---

* In der Literatur wird der Begriff «Beziehungsbotschaft» bzw. «Beziehungsdefinition» kommunikationspsychologisch unscharf verwendet: Geler explizit machen, dann tönt es ihm – Tag für Tag – etwa so entgegen:

«Viel hast du hier nicht zu melden. Du bist einer von 35, als einzelner bist du nicht wichtig; halte dich also zurück, vor allem mit Sonderwünschen. Du bist noch klein und dumm, der Lehrer weiß, was für dich gut ist zu lernen, daher paß auf, die Musik kommt von vorn. Verantwortung für die Gemeinschaft brauchst du nicht zu übernehmen – es ist alles geregelt. Du brauchst nur fleißig den Stoff zu lernen.»

In dieser Form kriegt der Schüler die Botschaft wohl kaum zu hören, obwohl die Lehrer oft zum Sprachrohr der Institution werden (müssen). Aber der Schüler erhält diese Botschaft durch die täglichen Schulerfahrungen auf einem indirekten, aber deswegen nicht minder deutlichen Kanal.

Mit anderen Worten: Die Institution geht von einem recht «infantilen» Schülerbild aus. Entsprechend macht sie den Schüler zu einem weitgehend zu verplanenden, passiven Lern-Empfänger und verwehrt ihm Verantwortlichkeit und vollwertige Teilnahme am gesellschaftlichen Leben.

Die Gesellschaft als Sender von Du-Botschaften. Ebenso meldet sich die Gesellschaft als Ganzes mit ihren Einrichtungen, Vorschriften, Gesetzen und faktischen Gegebenheiten zu Wort und richtet Selbstkonzept-prägende Du-Botschaften an bestimmte Untergruppen der Bevölkerung. Muller hat in Worte gefaßt, welche Botschaften er die Gesellschaft an die Jugendlichen richten hört:

«Es ist wirklich ein Jammer, daß so viele Kinder geboren werden, denn wir können im Grunde nicht alle gebrauchen. Die Zeit der Kinderarbeit ist vorbei, worüber wir natürlich froh sind. Die Großfamilie gehört ebenfalls der Vergangenheit an, und in der heutigen Kleinfamilie mit all ihren Haushaltsgeräten seid Ihr Jugendlichen eher eine Last als eine Hilfe. Für ungelernte Hilfskräfte gibt es unangenehme Arbeit in Fülle, aber Ihr meint wahrscheinlich, dazu seid Ihr zu gut, und wir können Euch das nicht übelnehmen. Für die attraktiven Arbeitsstellen brauchen wir einige von Euch, aber wir können unmöglich alle gebrauchen – schließlich wollen wir selber unsere Arbeitsplätze behalten, und überdies leben wir heute ja sehr

---

meint sind sowohl reine Beziehungsbotschaften («Für so und so halte ich dich») als auch Appelle («Sei so und so, mach das und das!») – In diesem Kapitel sollen nur die reinen Beziehungsbotschaften ins Auge gefaßt werden.

viel länger als früher. Einige von Euch werden Glück haben, viele aber
nicht; wir wissen einfach nicht, was wir mit Euch anfangen sollen. Ihr
versteht, wir versuchen Kriege zu vermeiden, dafür brauchen wir Euch zur
Zeit also auch nicht. Bitte vergnügt Euch, so gut Ihr könnt, und steht
niemanden im Wege. Fragt uns bitte nicht, was Ihr machen sollt. Wenn uns
etwas einfällt, rufen wir Euch – laßt uns bitte in Ruhe.»
(aus: DIE ZEIT v. 15. 7. 1977)

5.2 Die Etikettierung des Taugenichts

Fassen wir das Bisherige noch einmal zusammen: Das Selbstkonzept
bildet sich als Folge von definierenden Erfahrungen. Bei diesen
definierenden Erfahrungen handelt es sich überwiegend um explizite
oder implizite Du-Botschaften («So einer bist du!»), die von wichtigen Bezugspersonen oder von Institutionen und gesellschaftlichen
Einrichtungen ausgesendet werden. Da das Kind dazu tendiert, sich
in Übereinstimmung mit seinem Selbstkonzept zu verhalten, haben
die definierenden Akte somit eine Realität erst geschaffen. Diese
Art von Erklärung wird auch und vor allem für die Entstehung von
abweichendem Verhalten (Delinquenz) verwendet. Danach ist der
«*Taugenichts*» ein Endprodukt von *Etikettierungen*, die zum Selbstkonzept «Ich *tauge nichts*» geführt haben. So lassen sich bei der
Herausbildung einer kriminellen Karriere häufig folgende Schritte
nachverfolgen (Tannenbaum 1938, dargestellt nach Brusten und
Hurrelmann 1973):

1. Bestimmte Verhaltensweisen eines Kindes, die es selbst in
seiner phänomenalen Welt als harmlos und lustvoll ansieht, werden
von Erwachsenen als «böse», «schlimm» oder «lästig» tituliert. –
Man beachte den Selbstoffenbarungsanteil bei derartigen Etikettierungen!

Dieser *Selbstoffenbarungsanteil* von *etikettierenden Nachrichten* wird von den
Vertretern des Etikettierungs-Ansatzes besonders betont. Beispiel: Ein
Lehrer bezeichnet ein Kind als «unsauber». Erfahren wir durch diese
Nachricht etwas über das Kind oder den Lehrer? Über beide. Vor allem
erfahren wir etwas über das Wertesystem des Lehrers, worauf er achtet, was
er für wichtig und für sanktionsbedürftig hält.

2. Das Kind, das sich zunächst nur mißverstanden und ungerecht
behandelt fühlte, beginnt mit der Zeit, sich selbst umzudefinieren.
Besonders dann, wenn die definierenden Erwachsenen nicht nur
sein Verhalten, sondern generalisierend auch seine ganze Person als
«schlecht» gebrandmarkt («stigmatisiert») haben.

3. Im Gefolge dieser Umdefinition zeigt das Kind Verhaltensweisen, die geeignet sind, die sich entwickelnde deviante Identität zu verstärken. Beispielsweise schließt es sich ähnlich «auffälligen» Altersgenossen an (Bildung einer «delinquenten Bande»). Die Mitglieder einer solchen Gruppe lernen nicht nur, sich mit dem Etikett «delinquent» abzufinden: Es bilden sich auch Normen heraus, die ein solches Etikett zur Auszeichnung erheben.

4. «Immer häufiger kommen die ‹Delinquenten› nun in Kontakt mit den offiziellen Sanktionsinstanzen, mit Vertretern der Sozialarbeit, der Polizei und der Justiz. Alle diese Instanzen wollen ihrem Selbstverständnis nach den in Gang gesetzten Prozeß unterbinden, verstärken ihn aber in der Regel mit jedem weiteren Schritt.» (Brusten und Hurrelmann 1973, S. 32). Diese offiziellen Reaktionen schaffen neue Etikettierungen und verstärken das ansatzweise etablierte Selbstbild. Die betroffenen Jugendlichen werden «kriminalisiert». Für diese unbeabsichtigten Folgen ist der Begriff der «sekundären Abweichung» geprägt worden. Die in den Sanktionen implizit enthaltene Beziehungsbotschaft hat eine stärkere Wirkung als der in den Sanktionen auch enthaltene Appell «Laß es nach!» – Mit anderen Worten: Während die «primäre Abweichung» in mehr oder minder harmlosen Anfangstaten begründet liegt, resultiert die «sekundäre Abweichung» aus den etikettierenden Reaktionen der Umwelt. Ein paradoxer Effekt: Maßnahmen, die darauf abzielen, etwas zu unterbinden, rufen die zu unterbindenden Phänomene erst hervor.

Unter diesem Gesichtspunkt sind alle gut gemeinten Maßnahmen daraufhin zu überprüfen, ob nicht die damit verbundene implizite oder explizite Etikettierung Schlimmeres bewirkt, als die Maßnahme an Besserungen verspricht. Beispiel: Ein Schulkind wird als «gehemmt» dem Schulpsychologen zur Beratung überwiesen. Sicher kann die schulpsychologische Beratung eine Besserung ermöglichen. Auf der anderen Seite besteht aber die Gefahr, daß das Selbstkonzept um den Aspekt «Ich bin jemand, der zum Schulpsychologen muß», ergänzt wird und einer Außenseiterkarriere erst recht Vorschub leistet. Aus diesem Grunde bemühen sich moderne Beratungskonzepte, die Störung nicht im einzelnen Individuum zu suchen und zu behandeln, sondern in den Interaktionen derjenigen Gruppe, in der die Störung auftritt (vgl. Redlich und Ott 1980: «Veränderung der Interaktion in Schulklassen statt Stigmatisierung durch Einzelfallbehandlung»).

5.3 Das Selbstkonzept als «Macher» von Erfahrungen

Das Selbstkonzept stellt sich als Verdichtungsprodukt all der erwähnten Erfahrungen dar: «So einer bin ich also!» Wir wollen im folgenden untersuchen, wie ein bereits etabliertes Selbstkonzept sich eine Umwelt schafft, in der das Individuum überwiegend genau diejenigen Erfahrungen «macht», die das Selbstkonzept bestätigen.

Vor allem zwei Mechanismen sind es, die dies ins Werk setzen: *Vermeidungen* und *Verzerrungen*. Manchen Erfahrungen kann ich aus dem Wege gehen, so daß meine Lebenswelt um solche Erfahrungen «bereinigt» ist. Manchen anderen Erfahrungen kann ich zwar nicht aus dem Weg gehen, aber ich kann sie so umdeuten und verzerrt wahrnehmen, daß sie mich in ihrer ursprünglichen Form nicht erreichen, sondern in einer Form, die mir «in den Kram» (= in mein Selbstkonzept) paßt.

Beide Strategien (Vermeidungen und Verzerrungen) lassen sich auf äußere Erfahrungen wie auf innere Erfahrungen (Gefühle, Motive) anwenden. – Betrachten wir im einzelnen, wie die Mechanismen funktionieren:

Vermeidungen

Die mißerfolgsversprechenden Aspekte des Selbstkonzeptes führen dazu, daß der Mensch «einen großen Bogen» um solche Stellen macht, für die er sich schlecht gerüstet fühlt. Habe ich z. B. die Meinung von mir, ich sei «technisch unbegabt», dann werde ich tendenziell all jene Situationen *meiden*, in denen es auf technisches Verständnis und Geschicklichkeit ankommt. Mit der Zeit habe ich dann einen erheblichen *Übungsrückstand*, und nach einigen Jahren habe ich wirklich «zwei linke Hände», aber weniger auf Grund mangelnder Begabung, als vielmehr auf Grund mangelnder Übung und eines Erfahrungsrückstandes, für den mein anfängliches Selbstkonzept die Vermeidungs-Weichen gestellt hat. – Der Teufelskreis einer *sich selbst erfüllenden Prophezeiung* hat sich geschlossen, und das Selbstkonzept hat sich als heimlicher Drahtzieher der Persönlichkeitsentwicklung erwiesen (s. Abb. 69).

Vor allem entmutigte Menschen (mit ausgeprägter Tendenz zur Vermeidung von Mißerfolgen) sorgen durch ständige Umgehungstaktiken dafür, sich solche Erfahrungen zu ersparen, durch die sie dazulernen und vorankommen würden. Sie führen ein reduziertes Leben auf ihren «Heimspielplätzen», wo ihnen keine Niederlage

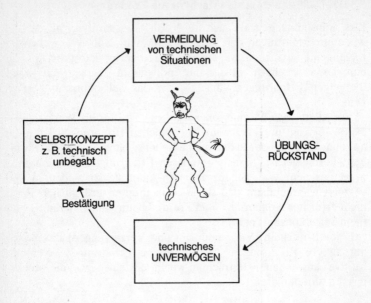

Abb. 69: *Der Teufelskreis einer sich selbst erfüllenden Prophezeiung des Selbstkonzeptes.*

droht. Dadurch machen sie nach außen meist einen starken, souveränen Eindruck. Von wirklicher seelischer Stärke aber ist der, der sich vorübergehende Niederlagen in jenen «Auswärtsspielen» leisten kann, in denen allein ein Fortschritt in der Persönlichkeitsentwicklung winkt.

Mit geradezu verheerenden Auswirkungen ist zu rechnen, wenn ein sehr negatives Selbstkonzept generalisiert ist, z. B. «Mich mag sowieso keiner!» Dies wird ein (feindseliges oder zurückgezogenes) Verhalten in Gang setzen, das tatsächlich die Antipathie oder Gleichgültigkeit der Mitmenschen provoziert. Hier ist eine psychotherapeutische Unterbrechung des Teufelskreises angeraten.

Verzerrungen und Umdeutungen
Dies war der eine Hauptmechanismus, sich seine Umwelt selber zu schaffen: Bestimmten Erfahrungen überhaupt aus dem Wege zu

194

gehen. Bei dem zweiten nun folgenden Mechanismus ist vorausgesetzt, daß bestimmte Erfahrungen, die geeignet wären, das vorhandene Selbstkonzept in Frage zu stellen, zwar gemacht werden, aber durch eine verzerrende Wahrnehmung so umgedeutet werden, daß sie doch wieder zum Selbstkonzept passen.

Dies sei an zwei Unter-Mechanismen exemplarisch erläutert: Am *Nachrichten-Empfang* und an den *Kausalattribuierungen*. Wir hatten betont (vgl. S. 61), daß die ankommende (vierseitige) Nachricht ein Eigenprodukt des Empfängers sei, und zwar dadurch, daß er auf allen vier Seiten Botschaften hineinlegt, die u. a. auch seiner seelischen Verfassung entsprechen. So hört eine Person mit niedrigem Selbstwertgefühl die ankommende Nachricht mit einem überempfindlichen Beziehungs-Ohr, sie phantasiert in unschuldige Fragen oder Aussagen eine Kritik oder eine Herabsetzung ihrer Person hinein (vgl. S. 51f). Weitere Beispiele für einen Selbstkonzept-abhängigen Nachrichtenempfang: Jemand, der einsilbig reagiert, verführt den einen zu dem Schluß: «Er wird müde sein», den anderen hingegen zu dem Schluß: «Klar – er mag mich nicht!» – Jemand gibt etwas von sich, und die anderen lachen. Der eine interpretiert dieses Lachen als den Ausdruck von Amüsiertheit über seinen Scherz, der andere fühlt sich ausgelacht.

Vor allem *implizite* Beziehungsbotschaften lassen dem Empfänger einen breiten Deutungsspielraum. Aber auch explizite, eindeutige Beziehungsbotschaften «Du bist ein Egoist» oder «Du bist ein ganz großer Gelehrter!» determinieren noch keineswegs den Empfang – zwei verschiedene Empfänger können bei ein und derselben Nachricht seelisch sehr unterschiedliche Erfahrungen machen. So mag der eine die Du-Botschaft als ein Faktum nehmen und innerlich reagieren: «So einer bin ich also» – ein anderer Empfänger mag die ankommende Nachricht mehr als eine Selbstoffenbarung des Senders auffassen («Was mag mit ihm los sein, daß er zu einem solchen Urteil über mich kommt?»). Freilich sind kleine Kinder kaum in der Lage, Du-Botschaften mit dem Selbstoffenbarungs-Ohr zu empfangen (vgl. S. 54f).

Es gibt auch genug Möglichkeiten, positive Beziehungsbotschaften abzuwehren. Z. B. wird jemand gelobt. Dieses Lob paßt nicht in sein niedriges Selbstkonzept. Er reagiert: «Das sagst du nur, um mich zu trösten.»

Im Dienste der Selbstkonzept-Bewahrung können auch sog. *Kausalattribuierungen* (Ursachen-Zuschreibungen) treten. Erfolge und

Mißerfolge lassen sich durch folgende vier Verursachungsfaktoren (Heckhausen 1974) erklären:

- ☐ Fähigkeit
- ☐ Anstrengung
- ☐ Aufgabenschwierigkeit
- ☐ Zufall

So kann jemand mit einem niedrigen Selbstkonzept Erfolge etwa auf das Konto des Zufalls buchen («Blindes Huhn findet auch mal ein Korn») – schon verliert der Erfolg die Qualität eines korrigierenden Erlebnisses. Dagegen werden Fehlschläge sofort der eigenen Unzulänglichkeit angelastet.

Für Lehrer und Eltern als Kommentatoren von Schülerleistungen ergibt sich aus diesen Gedanken die Möglichkeit, durch konstruktive Kausalattribuierungen auf das Selbstkonzept der Schüler ermutigenden Einfluß zu nehmen.

Das folgende Schaubild (Abb. 70) illustriert den Mechanismus der Erfahrungsverzerrung unter der Regie des Selbstkonzeptes:

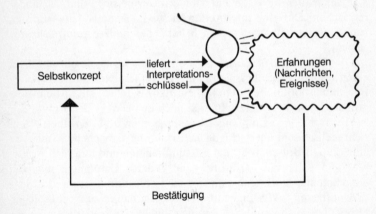

Abb. 70: *Erfahrungsverzerrung infolge einer «Brille» im Dienste der Selbstkonzept-Bestätigung.*

5.4 Vermeidungen und Verzerrungen von inneren Erfahrungen

Zu den erstaunlichen Entdeckungen der Psychotherapieforschung gehört, daß das Selbstkonzept nicht nur die Erfahrungen der Außenwelt «macht» bzw. vermeidet, sondern genauso auch der Innenwelt. Gefühle, die uns nicht «in den Kram» (= in unser Selbstkonzept) passen, dringen nicht bis ins Bewußtsein vor und können auch nicht direkt kommuniziert werden. Nehmen wir noch einmal das Beispiel von S. 117f – der betroffene Mitarbeiter rief in der Arbeitsbesprechung erregt: «Ich ärgere mich überhaupt nicht! Im Gegenteil, mich amüsiert das Ganze!» Dieser Mitarbeiter ist sich seiner Verletztheit und seines Ärgers nicht gewahr: Diese Gefühle passen nicht zum Selbstbild eines starken Mannes, der souverän über der Sache steht und nicht «auf jede Kleinigkeit» empfindlich reagiert.

Nicht-linientreue Gefühle. Es sind diese *«nicht-linientreuen Gefühle»*, wie ich sie nenne, die wir gerne ausblenden und nicht hochkommen lassen. So mögen Enttäuschungen und Verdruß nicht zum Konzept der Verliebten passen; so mögen Ärger und Haß nicht zum Selbstkonzept eines «friedfertigen und verständnisvollen Familienvaters» passen; so mag Eifersucht nicht in das Konzept von jemandem passen, der in menschlichen Beziehungen keine Besitzansprüche gelten lassen mag; und Traurigkeit paßt nicht zum Selbstkonzept eines «lustigen Vogels, der alles mit Humor nimmt».

Dieses Nicht-wahr-haben-Wollen von nicht-linientreuen Gefühlen bedeutet letztlich, daß wir wichtigen Teilen unserer Person ablehnend gegenüberstehen und viel seelische Energie zur Abwehr dieser Gefühle verbrauchen. Durch Psychotherapie kann eine «zunehmende Offenheit gegenüber der (inneren) Erfahrung» (Rogers 1979) nach und nach erzielt werden:

«Der Prozeß scheint vor allem eine zunehmende Offenheit gegenüber der Erfahrung einzuschließen. Dieser Satz hat mit der Zeit immer mehr an Bedeutung für mich gewonnen. Er bezeichnet das genaue Gegenteil von Abwehrhaltung. Ich habe früher den Begriff Abwehrhaltung als die Reaktion des Organismus auf Erfahrungen beschrieben, die als bedrohlich empfunden oder antizipiert werden, als im Widerspruch stehend zum existierenden Selbstbild des Individuums oder zum Bild seiner Beziehung zur Welt. Diese bedrohlichen Erfahrungen werden vorübergehend unschädlich gemacht, indem sie im Bewußtsein verzerrt oder ihm verweigert werden. Ich bin buchstäblich nicht in der Lage, die Erfahrungen, Gefühle, Reaktionen in mir präzise wahrzunehmen, die von meinem schon vorhandenen Selbstbild wesentlich abweichen. Ein großer Teil des Therapieprozesses ist die fortwährende Entdeckung seitens des Klienten, daß er Gefühle und Einstellungen erfährt, die er bislang nicht bewußt hat wahrnehmen können, die er nicht als existierenden Teil seines Selbst hatte ‹besitzen› können.» (S. 186f.)

Das Endergebnis eines solchen Vorgangs formuliert Rogers an anderer Stelle so:

«Das Bewußtsein ist nicht länger der Wächter über einen gefährlichen und undurchschaubaren Haufen von Impulsen, die nur im Ausnahmefall das Tageslicht erblicken dürfen, sondern wird zum geruhsamen Mitbewohner einer Gesellschaft von Impulsen, Gefühlen und Gedanken, die sich, wie man feststellt, sehr wohl selbst regulieren können, wenn sie nicht ängstlich behütet werden.» (S. 125)

6. Zum Umgang mit Beziehungsstörungen

Obwohl Beziehungsstörungen an der Tagesordnung sind, wo immer Menschen zusammenleben und -arbeiten, ist die Fähigkeit, mit derartigen Störungen umzugehen und miteinander «klarzukommen», bei den meisten Menschen nicht sehr weit entwickelt. Unausgedrückter Groll und verborgene Verletztheit, vermiedene Auseinandersetzungen und scheinheilige Diplomatie, feindseliger Zank und kleinliche Nörgelei, harte Argumentationskämpfe auf der falschen Ebene, beherrschen häufig die Szene, wenn es auf der Beziehungsebene schwierig wird.

Ein typischer Kardinalfehler der zwischenmenschlichen Kommunikation wurde schon auf Seite 48f besprochen: *Beziehungsstörungen auf der Sachebene auszutragen.* Die Mutter riet der Tochter, die Jacke anzuziehen, die Tochter widersetzte sich widerwillig, und es hob ein kleinlicher Streit um Temperaturen an.

Der Kommunikationspsychologe ist darin geschult, auf erste Anzeichen von Beziehungsstörungen in Sachauseinandersetzungen zu achten. So war der «patzige Ton» der Tochter ein solches Anzeichen. Oder wenn in einer Konferenz gesagt wird: «Wenn Sie die Verwaltungsmitteilung vom 3. 5. gelesen hätten, dann wüßten Sie, daß...» Oder wenn ein Mitarbeiter von seinem Vorgesetzten gebeten wird: «Können Sie uns denn nicht wenigstens die Netto-Zahlen mal nennen?» (In dem *«wenigstens»* steckt die Botschaft: «Wenn man von Ihnen schon keine normalen Leistungen erwarten kann.») Oder: Ein Redner hat seinen Vortrag beendet und fordert zur Diskussion auf. Ein Zuhörer meldet sich: «Mir ist völlig schleierhaft, wie man bei diesem Thema den Gesichtspunkt X außer acht lassen kann...» Auf der Beziehungsseite der Nachricht wird dem Vortragenden mangelnde Kompetenz bescheinigt, und der Wunsch nach Vergeltung kommt prompt in der Antwort zutage: «Ich meine zu Beginn meiner Ausführungen sehr deutlich gemacht zu haben, daß...» (= und wenn Sie zugehört hätten...) Wenn Sachgespräche mit solchen «Beziehungs-Stecknadeln» gespickt sind (s. Abb. 71), herrscht Spannung, und die Sachlichkeit ist bedroht.

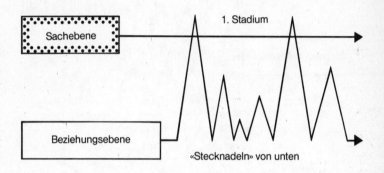

Abb. 71: *Die Sachauseinandersetzung wird durch Störsignale («Stecknadeln») aus der Beziehungsebene gestört.*

Meist sind es alte Hühnchen, die ungerupft durch den Raum fliegen und einen Stecknadel-Stil bedingen.

Solche in Abb. 71 symbolisierten «Stecknadeln von unten» sind häufig Vorboten oder schon Symptome für eine fortschreitende und schließlich unentwirrbare *Verflochtenheit* von Sach- und Beziehungsseite (Stadium 2, s. Abb. 72). In diesem Stadium kann kaum noch jemand etwas zur Sache sagen, ohne daß es ihm als besserwisserisch, feindselig, als Rechtfertigungsversuch oder als Angriff ausgelegt wird. Manches Kollegium, manche Betriebsabteilung, manche Familie befinden sich im *Dauerzustand der «Verflochtenheit»,* wo jede sachliche Auseinandersetzung von der (inzwischen verschärften) Beziehungsproblematik durchdrungen ist.

Spätestens jetzt hilft nur noch eines: Die Sachauseinandersetzung für eine Weile aussetzen und eine explizite Beziehungsklärung einleiten («Wie stehen wir zueinander? Was macht unsere Gespräche so unfruchtbar, so gereizt, so vorsichtig oder so distanziert?») – s. Abb. 73.

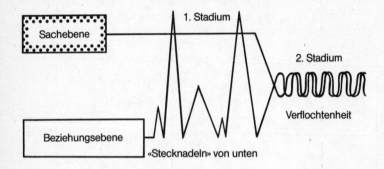

Abb. 72: *Verflochtenheit von Sach- und Beziehungsebene.*

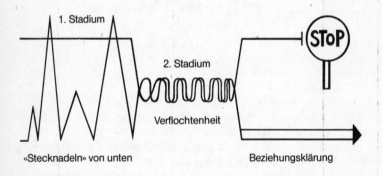

Abb. 73: *Unterbrechung der Sachauseinandersetzung und Einleitung einer expliziten Beziehungsklärung.*

6.1 Die Beziehungsklärung

Solche Beziehungsklärungen sind heikel und unüblich. Im Zustand schwer entwirrbarer Verflochtenheit ist deshalb häufig die Einbeziehung eines Kommunikationspsychologen als «Entflechtungshelfer» anzuraten – dies gilt für Paare und Familien ebenso wie für Kollegien und Arbeitsgruppen. Das Einwirken des Kommunikationspsychologen besteht – neben der Gewährleistung atmosphärischer Bedingungen – in folgendem:

1. Zu expliziten Beziehungsaussagen ermutigen (Sachargumente unterbinden)
2. Hebamme zu sein für «dahinterliegende» Ich-Botschaften
3. Zum Ausdrücken von Wünschen und offenen Appellen ermutigen (Blick nach vorn, statt zurück im Zorn)

Diese interventionsleitende Schrittfolge läßt sich am Nachrichten-Quadrat gut bezeichnen (s. Abb. 74).

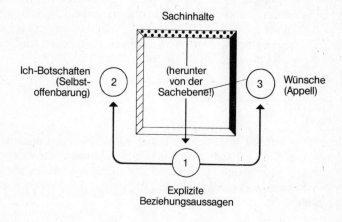

Abb. 74: *Schrittfolge kommunikationspsychologischer Intervention zur Förderung von Beziehungsklärungen.*

Das Vorgehen sei an einem Beispiel wenigstens angedeutet. Nehmen wir noch einmal die kleine Szene zwischen Mutter und Tochter (S. 48). Vorausgegangen war Mutters Ermahnung, eine Jacke anzuziehen, die patzige Reaktion der Tochter auf der Sachebene («Ist doch gar nicht kalt!») und der Sach-Zank um Temperaturen. Etwa folgendermaßen könnte die Beziehungsklärung zwischen Mutter (M) und Tochter (T) mit Hilfe eines Kommunikationspsychologen (Kps) anfangen:

Kps: «Ich merke, ihr seid beide aufgebracht und es ist etwas dicke Luft. Vielleicht sagt ihr mal direkt, was euch querliegt. (Zur Mutter): Wollen Sie anfangen?»

M: «Immer dieser patzige Ton und immer will sie schlauer sein und alles besser wissen!»

Kps (zu T): «Und was stört *dich*?»

T: «Immer diese Bevormundung! Als ob ich nicht selbst weiß, was ich anzuziehen habe! (Zu M): Was geht dich das denn an?»

M: «Ich bin schließlich immer noch deine Mutter!»

T: «Ph!» (Wegwerfende Handbewegung) – Schweigen.

Zwischen-Kommentar: Der Streit ist von der Sachebene weggekommen und findet nun dort statt, wo er hingehört: auf der Beziehungsebene (1). Das nächste Ziel muß sein, von den gegenseitigen Beschuldigungen wegzukommen und die dahinterliegenden Ich-Botschaften (vgl. Abb. 74, S. 201) zutagezufördern (2).

Kps (zu T): «Darf ich einmal etwas für dich sagen? – Du sagst dann, ob es für dich stimmt?»

T nickt.

Kps (tritt hinter T und spricht für sie): «Ich fühle mich dann wie ein kleines Kind behandelt, dem man alles sagen muß. Ich möchte als erwachsener Mensch für mich selbst entscheiden, und es ist mir sehr wichtig, von dir (M) zu spüren, daß du mir das zutraust – (zu T): Stimmt das?»

T: «Ja, genau.»

Zwischen-Kommentar: Dies ist eine kommunikationspsychologische Hilfstechnik: das sog. «Doppeln» (auch «Alter-Ego-Technik»). Der Kps tritt hinter jeweils einen Gesprächspartner und drückt (als Ich-Botschaft) aus, was er mit seinem Selbstoffenbarungs-Ohr (vgl. S. 54) zwischen den Zeilen herausgehört hat. Wichtig ist natürlich, daß er die Gesprächspartner gleichbehandelt, so daß nicht der Eindruck einer Koalition entstehen kann.

Kps (zu M): «Wenn Sie das nun hören, wie reagieren Sie darauf?»

M: «Ach ja, erwachsen wollen sie alle sein, aber die Pflichten, die dann auch damit zusammenhängen, die will keiner übernehmen!»

Kps: «Sie sprechen jetzt über Kinder im allgemeinen – wen meinen Sie direkt?»

M: «Ja, auch Renate, und alle gehen ihrer Wege...»

Kps: «Wer sind jetzt ‹alle›?»

M: «Die ganze Familie! Winfried (= der Bruder) und Vater ganz genauso – (aufgebracht) das ist überhaupt keine Familie mehr!»

Kps: «Es scheint, als ob wir da auf einen neuen Punkt Ihrer Beziehung gekommen sind und daß Sie dieser Punkt sehr bewegt.»

M seufzt.

Kps (zu M): «Darf ich etwas für Sie sagen?» (M nickt, Kps tritt hinter M und blickt T an)
«Wenn ich sehe, wie ihr alle eurer Wege geht, dann fühle ich mich ganz überflüssig und weiß gar nicht, was ich hier noch soll. (Zu M): Stimmt das?»

M: «Na ja, teilweise schon – ich meine, ich soll ja schon Essen kochen, Wäsche waschen, dazu bin ich ja noch... ich meine...»

Kps: «... Gut genug, wollten Sie sagen?»

M: «Ja, erwachsen wollen sie immer sein, aber die Pflichten...»

Kps (zu M): «Darf ich noch mal für Sie sprechen?» (M: «Ja!», Kps tritt hinter sie)
«Ich fühle mich in meiner Funktion wichtiggenommen – z.B. den Haushalt zu versorgen – aber menschlich fühle ich mich nicht beachtet, und das macht mich traurig. – (Zu M): stimmt das?»

M: «Ja, das stimmt.»

Kps: «Euer Konflikt stellt sich mir jetzt als eine Sache der ganzen Familie heraus. Am besten wäre, wenn nächstes Mal alle dabeisein könnten. – Renate, wie ist das für dich, wenn du das von der Mutter hörst?»

Kommentar: Brechen wir hier die Beziehungsklärung ab. Der Anfangskonflikt zwischen Mutter und Tochter hat sich – wie so oft – als Eisbergspitze von etwas «Darunterliegendem» herausgestellt. Mutter und Tochter fangen an, auf dieser tieferen Ebene miteinander in Kontakt zu kommen auf dieser Ebene werden noch andere tiefere

Gefühle aufkommen, als sie bei der Eisbergspitzen-Kommunikation aufzutreten pflegen. Diese anderen Gefühle haben wieder wechselseitig gefühlsmäßige Auswirkungen auf den Partner, so daß sich die Beziehung auch ohne Abmachungen und planvolles Eingreifen ändert. Trotzdem wird es im Fortgang des Gesprächs auch darum gehen, aus der Klärung der Gefühle konkrete Wünsche/Appelle abzuleiten, also den Schritt (3) gemäß Abb. 74 zu vollziehen. Hier bekommt das Gespräch dann mehr Verhandlungscharakter; zum Umgangsstil mit offenen Appellen siehe ausführlich S. 248 ff.

Ferner hat sich – ebenfalls wie so oft – herausgestellt, daß die Beziehungsstörung zwischen Mutter und Tochter nur ein Teilstück einer umfassenden Problematik der gesamten Familie darstellt. Dies war ja der Grundgedanke der «systemorientierten» Betrachtungsweise (vgl. S. 87 ff): Daß es oft verfehlt ist, den «Symptomträger» zu behandeln – eben weil sich in ihm nur die Störung des Systems zeigt.

7. Funktionalisierung der Beziehungsebene
(oder: «Versuchen wir es doch mal mit Menschlichkeit!»)

Die Erkenntnis, daß sachliche Zusammenarbeit nur dann möglich und effektiv ist, wenn die Beziehungsebene stimmt – diese Erkenntnis enthält eine große Verführung: das Beziehungsgeschehen zu manipulieren, um es in den Dienst der Effektivität und der menschlichen Verfügung zu stellen, etwa nach folgendem Motto: «Mitarbeiter arbeiten besser und williger, wenn man sie freundlich und wertschätzend behandelt und ihnen das Gefühl von Mitverantwortung gibt. Also werden wir unsere Vorgesetzten in ein ‹Humanrelation-Training› schicken, damit sie diesen Stil ‹drauf haben› und ihre Mitarbeiter optimal und zeitgemäß zu motivieren lernen.»

Zu was für menschenverachtenden Konsequenzen eine solche Haltung führen kann, zeigt das «Kleine Arbeitshandbuch für Ausbilder und Dozenten» von Birkenbihl (1973), zugleich ein besonders übles Beipsiel dafür, wie Psychologie sich in den Dienst der Manipulation und inhumaner Tendenz stellen kann. Als Beispiel sei eine Test-Aufgabe angeführt, an Hand welcher der Leser (= potentieller Berater) seine Fähigkeit überprüfen soll, die gelernte Psychologie für praktische Fälle anzuwenden. – Anschließend dann die von Birkenbihl vorgeschlagenen «Lösungen».

«Test-Aufgabe Nr. 1

Der Wert eines Seminarleiters erweist sich spätestens in jenem Augenblick, in dem der erste Teilnehmer ein Problem aus der Praxis auf den Tisch wirft; mit der Bitte an Sie, verehrter Dozenten-Kollege: ‹Wie soll ich mich diesem Mitarbeiter gegenüber in Zukunft verhalten? Was würden Sie an meiner Stelle tun?›

Hier ist die Erzählung des Seminarteilnehmers: ‹Ich bin Haupt-Abt.-Leiter in einer Automobilfirma, und zwar im Sektor T2, d. h. in der Motorenkonstruktion. Einer meiner Abt.-Leiter, ein gewisser Friedrich, macht mir seit etwa zwei Monaten Sorgen. Friedrich ist mit 34 Jahren einer unserer jüngsten und begabtesten Konstrukteure. Er kam vor drei Jahren zu uns, nachdem er die ersten zwei Jahre nach dem Studium in der Konstruktions-Abt. einer angesehenen Zahnradfabrik gearbeitet hatte. Seit etwa 18 Monaten haben wir ihn mit einer Sonderaufgabe betraut, nämlich mit der Verbesserung der Brennkammer im Zylinderkopf. Friedrich, der ungeheuer ehrgeizig ist, stürzte sich kopfüber in die Arbeit. Er ist übrigens unverheiratet und scheint nicht mal eine Freundin zu haben, obwohl er gut aussieht und bei uns exzellent bezahlt wird. Er verbrachte einen großen Teil seiner Freizeit im Werk; oft machte er bis abends zehn Uhr Überstunden, die ihm auch von mir immer kommentarlos genehmigt wurden. Ich war sicher, bei Friedrichs Arbeit kommt eines Tages etwas heraus. Und so war es auch: elf Monate nach Beginn dieser Sonderaktion brachte mir Friedrich den Entwurf eines abgeänderten Zylinderkopfes, der bei einem Vier-Zylinder die PS-Leistung um 10% erhöhte, ohne erhöhten Kraftstoffverbrauch! Mittlerweile laufen mehrere Test-Motoren, und Friedrichs Behauptungen haben sich voll bestätigt: die Leistungssteigerung schwankt zwischen 9,4 und 9,8%. Als Friedrich dieser erste Durchbruch gelungen war, bat er mich, an diesem Projekt weiterarbeiten zu dürfen. Ihm unterstehen insgesamt neun Herren, davon zwei Konstrukteure mit Hochschulbildung, drei Detailkonstrukteure und vier technische Zeichner. Als Chef wird Friedrich von seinen Mitarbeitern einzig wegen seiner außerordentlichen konstruktiven Begabung geschätzt. Sie nennen ihn den ‹Dandy›, weil er nur in Maßanzügen geht und einen teuren italienischen Sportwagen fährt.

Friedrichs Abteilung kostet mich an Gehältern rund 230000 Mark pro Jahr. Das Problem für mich lautet also: übertrage ich Friedrich eine neue Aufgabe – und wir haben an derlei technischen Problemen keinen Mangel –, oder lasse ich ihn mit seiner Abteilung ein weiteres Jahr das Brennkammerproblem bearbeiten? Ich entschied mich für die zweite Lösung – und das war mein Fehler. Warum?

Friedrich überraschte mich nach weiteren sechs Monaten mit einer geradezu revolutionären Idee in der Umgestaltung von Zylindern, Brennkammern und Kolbenprofilen, die den Kraftstoff dieses Motors auf 50% drosseln würde! 50% weniger Kraftstoff bei gleicher Leistung!

Ich muß zugeben, daß mich dieses Projekt zunächst faszinierte; vor allem deshalb, weil ich ja selbst einmal Motorenkonstrukteur war. Aber ich mußte Friedrich diese Idee madig machen. Ich sagte ihm wörtlich, daß dieser Motor nie gebaut würde. Der Hauptaktionär unserer Gesellschaft sei gleichzeitig der größte Aktionär der neuen bayerischen Erdölraffinerien, auf die wiederum unser Wirtschaftsminister besonders stolz sei... Kurz gesagt: die wirtschaftlichen Interessen und die Macht der Erdölkonzerne würden den Bau eines derartigen Motors auf jeden Fall verhindern.

Friedrich meinte, dann würde er seine Idee eben einer anderen Firma, z. B. einer japanischen, anbieten. Ich wies ihn darauf hin, daß er laut Anstellungsvertrag jede im Hause gemachte Erfindung erst anderweitig verwenden dürfe, wenn die Firma 5 Jahre lang keinen Gebrauch davon gemacht hätte. Diese fünf Jahre müsse er erst mal abwarten... Mittlerweile habe ich Friedrich mit einer neuen Aufgabe betraut. Äußerlich hat er sich ein glattes, höfliches, dabei aber unpersönliches Benehmen zugelegt. Innerlich kocht es bei ihm, das ist mir klar. Und vergangene Woche hatte ich bei der routinemäßigen Montag-Besprechung aller Abt.-Leiter erstmalig den Eindruck, als ob der übermüdet wirkende Friedrich eine leichte Alkoholfahne mit sich führte.

Und nun frage ich Sie: was könnte ich tun, um diesen erstklassigen Konstrukteur so zu motivieren, daß er weiterhin mit Volldampf für unsere Firma arbeitet?»

Welche Antwort würden Sie – auf Grund der im ersten Kapitel erworbenen psychologischen Kenntnisse – diesem Teilnehmer geben» (Birkenbihl 1973, S. 33f)

Lösung der Test-Aufgabe Nr. 1 (ebd., S. 193f.)

«Wenn wir etwas über Friedrichs Persönlichkeitsstruktur sagen wollen, müssen wir uns die in der Fallstudie gegebenen Informationen ins Gedächtnis zurückrufen:

Friedrich ist ein fanatischer Arbeiter, der sogar einen beträchtlichen Teil seiner Freizeit im Konstruktionsbüro verbringt. Er ist nicht verheiratet und hat nicht einmal eine Freundin; sicherlich hat er auch keinen Freundeskreis, sonst würde er seine Freizeit dort verbringen. Von seinen Mitarbeitern wird er nur als Fachmann geschätzt – im übrigen ist er für sie der ‹Dandy›.

Psychologisch gesehen ergibt sich das Bild eines Menschen mit einem ausgeprägten Minderwertigkeitskomplex, d. h. mit einem sehr geschwächten Selbstwertgefühl. Sein ganzes Bestreben geht nur dahin, seiner Mitwelt zu beweisen, wie tüchtig bzw. genial er ist.

Ohne Zweifel hat Friedrich in seiner Kindheit und Jugend zu wenig ‹Streicheleinheiten› erhalten. D. h., er wurde nie gelobt; vielleicht ließen ihn seine

Eltern ‹links liegen› oder unterdrückten seine Persönlichkeitsentwicklung durch eine autoritäre und repressive Erziehung. Wie die Dinge liegen, ist Friedrich reif für eine psychotherapeutische Behandlung.

Wie wir gehört haben, ist zur Entwicklung eines «gesunden» Selbstwertgefühls die Wertschätzung anderer unabdinglich. Man könnte deshalb dem fragenden Seminarteilnehmer folgenden Rat geben:

1. Versuchen Sie, eine engere menschliche Beziehung zu Friedrich herzustellen.
2. Lassen Sie ihn immer wieder merken, daß Sie ihn nicht nur als begabten Konstrukteur, sondern auch als Menschen schätzen.
3. Lassen Sie sich ab und zu von ihm ‹beraten› auf Gebieten, die nicht zu seiner Arbeit gehören, wo er sich aber als Fachmann fühlt: z.B. in der Herrenmode oder beim Autokauf.
4. Veranlassen Sie seine Mitarbeiter, ihn zu privaten Gruppenaktivitäten einzuladen, z.B. zum regelmäßigen Kegelabend.
5. Schicken Sie ihn in ein paar gute Seminare, die das Sensitivity-Training zur Grundlage haben.
6. Stellen Sie ihm eine glänzende Karriere innerhalb der Firma in Aussicht und lassen Sie gleichzeitig durchblicken, daß er dazu noch etwas in Richtung ‹Menschenführung› dazulernen müßte.»

Was sind die Bestandteile dieses Gefüges von Ratschlägen und vermittelten Grundhaltungen?

1. Psychologisierung sachlicher und gesellschaftlicher Probleme. Die Enttäuschung des Mitarbeiters Friedrich wird mit keinem Wort auf dem Hintergrund der sachlichen und gesellschaftlichen Gegebenheiten analysiert (auf dem die Enttäuschung als verständliche und angemessene Reaktion erscheint), sondern lediglich auf dem Hintergrund seiner «Persönlichkeitsstruktur».

2. Anleitung zu vulgärer Persönlichkeitspsychodiagnostik. Statt den Leser anzuleiten, den Gesprächspartner in seinen Haltungen zu verstehen, wird der Leser angehalten, seinen Gesprächspartner zu analysieren. Statt den Leser anzuleiten, bei sich selbst zu schauen («Wie stelle ich mich zu dieser Situation, welche Gefühle, Interessen habe ich?») und so eine klare Ich-Aussage vorzubereiten, wird sein Blick auf den anderen (ab-)gelenkt.

3. Pathologisierung des Gesprächspartners. «Wie die Dinge liegen, ist Friedrich reif für eine psychotherapeutische Behandlung» – so schnell geht das, und ohne den Mann überhaupt einmal gesehen oder gar gesprochen zu haben. Eine klare Sach- und Beziehungsaussprache ist mit diesem erzeugten «Bild vom anderen» abermals sabotiert.

4. Der Gesprächspartner als Behandlungsobjekt. Die «Lösungen» enthalten folgerichtig keine Anleitung für eine Auseinandersetzung zwischen zwei gleichwertigen Subjekten, sondern Anleitungen zur psychologisch «geschickten» Behandlung eines (kranken) Objektes.

5. Verlogene Funktionalisierung (mit-)menschlicher Werte. Die Achtung und Wertschätzung des Mitmenschen wird – nachdem sie in der Beratungssituation systematisch untergraben worden ist – nun in heuchlerischer Weise wieder eingeführt – als Täuschungsmanöver und Mittel zum Zweck.

Es mag tröstlich sein, daß eine derartige konfliktverschleiernde Sozialtechnologie nicht erfolgreich sein kann. Sie ist nicht einmal im wohlverstandenen Interesse des ratsuchenden Haupt-Abteilungsleiters: Zum einen ist der «Funktionalitätsverdacht» bei unterstellten Mitarbeitern durchaus ausgebildet und verbreitet – sie «riechen den Braten»; jede Sekretärin hat schnell heraus, ob ein freundlicher Ton nur eine Art Schmieröl auf der Beziehungsebene darstellt, um den Motor der Arbeitsmotivation in Gang zu halten, oder ob er «gedeckt» ist durch achtungsvolle strukturelle Bedingungen und menschliche Haltungen. Zum anderen: Selbst wenn es gelingen sollte, den Mitarbeiter durch die empfohlenen Behandlungstechniken bei Laune zu halten – ist nicht der Preis zu hoch? Stellt nicht die Würdelosigkeit des Tuns und die Pervertierung mitmenschlicher Beziehungen einen Verrat an der eigenen Seele dar, der noch im Diesseits ein Fegefeuer persönlicher Krisen und Sinnverfehlungen zu entfachen droht?

Diese Gedanken mögen dazu beitragen, den Psychologen davor zu bewahren, unversehens einer Dienstleistungserwartung im Sinne der Punkte 1–5 zu erliegen und somit seine ureigene Aufgabe als Anwalt eines menschenwürdigen Seelenlebens zu verfehlen.

IV. Die Appellseite der Nachricht

Kommunikation heißt auch immer: Einfluß nehmen. Auf den ersten drei Seiten der Nachricht drückt der Sender aus, was mit ihm selbst, mit der Beziehung zum Empfänger und mit der Welt los ist. Auszudrücken, was ist – das ist die eine Funktion der Kommunikation. Die andere Funktion besteht darin, Wirkungen zu erzielen, einen Zustand hervorzubringen, der noch nicht ist oder einen Zustand zu verhindern, der einzutreten droht. Die Appellseite der Nachricht repräsentiert diesen Wirkungsaspekt. In diesem Kapitel wird von den Schwierigkeiten und Bemühungen die Rede sein, wirkungsvoll Einfluß zu nehmen; auch von den Widerständen eines Empfängers, der sich dem Einfluß entziehen will; und es wird von den Kunstfertigkeiten des Senders zu sprechen sein, die er erfindet, um sich dennoch – trotz des zu erwartenden Gegendruckes, den ein Appelldruck erzeugt – den Einfluß zu sichern. Im einzelnen sollen

☐ heimliche (verdeckte) Appelle
☐ paradoxe Appelle
☐ offene Appelle

in ihrem Wesen und ihrer Problematik beschrieben werden.

Zuvor jedoch möchte ich auf die eingangs erwähnte Grund-Antinomie der zwischenmenschlichen Kommunikation zu sprechen kommen.

1. Ausdruck und Wirkung – zwei Funktionen der Kommunikation

Ich habe Jahre gebraucht, um in der komplizierten Vielfalt der Kommunikationsprobleme etwas sehr Einfaches, Grundlegendes zu entdecken. Ein Grunddilemma der zwischenmenschlichen Kommunikation sehe ich nun darin, daß es immer zugleich um *Ausdruck* und um *Wirkung* geht und daß Sender wie Empfänger vor der Wahl stehen, auf welchen Aspekt sie sich schwerpunktmäßig hin orientieren. Und daß Kommunikation eine ständige Kompromißsuche zwischen diesen beiden Anforderungen darstellt und die Balance zwischen den beiden Polen eine geglückte Kommunikation ausmacht.

Ich möchte genauer beschreiben, was mit den beiden Polaritäten gemeint ist. Kommunikation dient der Mitteilung dessen, was ist. Kooperation und Mitmenschlichkeit leben davon, daß wir uns gegenseitig auf dem laufenden halten, was in uns vorgeht. Selbstausdruck und Anteilnahme gehören zu den vitalen Lebensbedürfnissen des Menschen.

Soweit gut. Kommunikation dient aber nicht nur dem Ausdruck dessen, was ist, sondern auch der Hervorbringung dessen, was sein soll. Indem ich etwas von mir gebe, möchte ich etwas erreichen, etwas bewirken; z.B. den anderen trösten (= ihm bessere Gefühle machen), ihn bei Laune halten, ihn (nicht) verletzen, ihn zu bestimmten Taten bewegen, es mir mit ihm nicht verderben.

Soweit auch gut. Zuweilen harmonieren Ausdruck und Wirkung in einer solchen Weise, daß die Ausrichtung auf das eine gleichzeitig eine optimale Ausrichtung auf das andere erlaubt. Beispiel: Ein Kind hat sich verletzt und drückt seinen Schmerz durch lautes Schreien aus; dieser Ausdruck von Schmerz ist gleichzeitig ein optimales Mittel für die erwünschte Appellwirkung: Alarmiert eilen die Eltern zur Hilfe herbei.

Aber keineswegs immer befinden sich Ausdruck und Wirkung in einer solchen Harmonie. So mag ein Kind bald lernen, daß der bloße Ausdruck des vorhandenen Schmerzes zuweilen nicht ausreicht, um die Umwelt in gewünschtem Maße zu mobilisieren. Und so schreit es dann bei einem kleinen Wehwehchen wie am Spieß. Hier fängt der Ausdruck an, um der Wirkung willen ein wenig korrumpiert zu werden. Die Korruption kann soweit gehen, daß bestimmte Gefühle (z.B. Trauer und Schmerz) wegen der katastrophalen Wirkung (Entzug von Liebe, Demütigungen) nicht mehr ausgedrückt, ja nicht einmal mehr gefühlt werden und statt dessen die «gute Miene zum bösen Spiel» zu einer unbewußt angelegten Charaktermaske wird.

Zwei Grundausrichtungen. Wiewohl wir annehmen können, daß wohl niemand auf der Welt nur ausdrucksorientiert oder nur wirkungsorientiert kommuniziert, sondern daß beide Ausrichtungen stets um ein ausbalanciertes Verhältnis ringen, möchte ich die beiden extremen Grundausrichtungen noch einmal deutlich herausstellen. Der ausdrucksorientierte Sender legt alles darauf an, das, was (in ihm) ist, auszudrücken; es kommt ihm nicht primär darauf an, eine bestimmte Wirkung zu erzielen – die Wirkung wartet er vielmehr ab und nimmt sie in Kauf.

Der wirkungsorientierte Sender hingegen fragt sich immer zunächst, teils bewußt, teils unbewußt: Was will ich erreichen bzw. verhindern? – und versucht dann, seine Nachricht so zu entwerfen, daß sie für diese Zielerreichung optimal erscheint. Die Antizipation der (vermutlichen) Wirkung ist primär handlungsleitend. Dabei nimmt er auch in Kauf, daß die Nachricht unter Umständen nicht das ausdrückt, was ist. Hier zählen Takt und Taktik, während bei der Ausdrucksorientierung Stimmigkeit und Wahrheit zum entscheidenden Kriterium werden.

Für den Empfänger kann die Frage sehr wichtig werden, ob der Sender ausdrucks- oder wirkungsorientiert kommuniziert. Weint der Sender, weil ihm einfach traurig zumute ist, oder «drückt er auf die Tränendrüse», um seine Ziele mit emotionalen Mitteln zu erreichen? – Oder, so mag sich ein Mitarbeiter fragen, lobt mich der Chef, weil er Freude an meiner Leistung hat, oder hat er in einem Kursus zur Motivationstechnik gelernt, daß ein Lob zur Leistungssteigerung beiträgt? In Abb. 75 ist dieser Gedanke in einem Schaubild veranschaulicht.

I. Langer spricht von «Funktionalitätsvergiftung», wenn der Sender seine Kommunikation überwiegend wirkungsorientiert anlegt oder (was ebenso vergiftend ist) der Empfänger dies unterstellt. So haben wir immer wieder erlebt: Wenn wir als Psychologen Trainingskurse gaben, dann unterstellten uns die Teilnehmer zu Beginn des Kurses in allem, was wir taten, heimliche Absichten. Selbst kleine Nachlässigkeiten (z. B. Schreibfehler an der Wandtafel) wurden heimlich unter dem Gesichtspunkt geprüft: «Was mögen sie damit erreichen wollen – sollen wir getestet werden?» Bevor die Beziehung nicht geklärt und Vertrauen nicht geschaffen ist, läßt sich ein solcher Funktionalitätsverdacht nicht einfach ausräumen. Wenn wir erklärten, dieser oder jener Fehler sei uns völlig absichtslos unterlaufen, dann wurde das Bekenntnis zur eigenen Fehlbarkeit als «noch besserer Trick» gewertet und der Funktionalitätsverdacht geradezu erhärtet.

Aus dem bisher Gesagten soll nicht der Eindruck entstehen, daß die ausdrucksorientierte Kommunikation die ehrlichere, «bessere», hingegen die wirkungsorientierte Kommunikation «falsch», manipulativ und grundsätzlich schlechter wäre. Beide Kriterien haben ihre Berechtigung und die Vernachlässigung jeweils einer ist zum Schaden. Wer (bewußt oder unbewußt) nur auf Wirkung orientiert ist und dabei den authentischen Ausdruck vernachlässigt, entfremdet sich von sich selbst und von anderen, macht den Mitmenschen zum

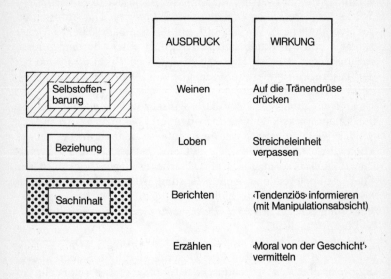

	AUSDRUCK	WIRKUNG
Selbstoffenbarung	Weinen	Auf die Tränendrüse drücken
Beziehung	Loben	Streicheleinheit verpassen
Sachinhalt	Berichten	‹Tendenziös› informieren (mit Manipulationsabsicht)
	Erzählen	‹Moral von der Geschicht'› vermitteln

Abb. 75: *Beispiele für Verhaltensweisen, die mehr oder minder ausdrucks- oder wirkungsorientiert a) gesendet, b) empfangen werden können.*

bloßen Objekt der Behandlung, der Manipulation. Wer nur auf den Ausdruck orientiert ist und sich nicht darum kümmert, was er damit anrichten könnte, handelt unverantwortlich, wird unter den Wirkungen zu leiden haben und verzichtet darauf, seine Sache zur Geltung zu bringen und Einfluß zu nehmen. Zwar wird in guten Beziehungen die Ausdrucksorientierung mehr und mehr überwiegen. Grundsätzlich aber gilt, daß es auf die geglückte Balance ankommt. Tatsächlich gehen die Bemühungen um «gute Kommunikation» in die Richtung von Kompromißbildungen: «Ich möchte sagen, was mich ärgert (= Ausdruck), aber ohne den anderen zu verletzen (= Wirkung).» Ruth Cohns Begriff der «selektiven Authentizität» (vgl. S. 120) enthält ebenfalls diesen Balancegedanken: Authentizität verweist auf den Ausdrucksaspekt, dagegen kommt in dem Begriff der Selektivität die Sorge um die Wirkung zur Geltung.

Zwei Arten von Kommunikationstrainings. Idealtypisch lassen sich zwei Arten von Kommunikationstrainings unterscheiden: Die eine, welche die Wirkungskompetenz, die andere, welche die Ausdruckskompetenz steigert. Mit Wirkungskompetenz ist gemeint: So kommunizieren, daß die gewünschte Wirkung am ehesten erreicht wird. So lernt man etwa in Rhetorikkursen, sich selbst gut und gewandt darzustellen, sein Anliegen schlüssig vorzutragen, so daß der Empfänger beeindruckt bereit ist, appellgemäß zu reagieren. Ein Kursus für Manager mag unter dem Leitwort stehen: «Wie motiviere ich meine Mitarbeiter?» – Hier wird gelernt, so zu kommunizieren, daß die Mitarbeiter am ehesten bereit sind, ihre Arbeitskraft der Firma energievoll zur Verfügung zu stellen. Ein Extrembeispiel für ein wirkungsorientiertes Training habe ich an Hand von Birkenbihl (1973) auf S. 204 ff besprochen.

Kurse dagegen, die tendenziell die Ausdruckskompetenz fördern wollen, sind mehr therapeutisch orientiert. Hier geht es darum, die Selbstwahrnehmung zu schärfen, mitzukriegen, was mit mir los ist, auf Körpersignale zu achten; hier geht es um die Fähigkeit zur Selbstoffenbarung und zum authentischen Sprechen. Die Betonung dieses Aspektes durch die Humanistische Psychologie ist in folgendem Zitat von Ruth Cohn (1981, mündlich) zu erkennen: «Dies ist mein Glaube: Wenn ich mich ausdrücke, ohne bewirken zu wollen, bewirke ich schon.»

Gemäß dieser Leitidee sind unsere «Kommunikationstrainings» im Laufe der Zeit mehr und mehr ausdrucksorientiert geworden, obwohl dies den Erwartungen der Teilnehmer oft nicht entgegenkommt – zumindest nicht den vordergründigen Erwartungen. Aus einer Arbeitswelt kommend, in der zählt, wer «sich verkaufen» kann und die Oberhand behält, erwarten sie vom Psychologen Tricks und Fähigkeiten, um jederzeit Herr der Lage zu sein.

Auf der anderen Seite gibt es auch eine große Sehnsucht nach offener mitmenschlicher Verständigung und eine Müdigkeit, den hektischen Wettstreit der Selbstdarstellungen und des Auftrumpfens, des Taktierens und Manipulierens weiter mitzumachen. – So scheiden sich dann die Geister, und oft geht es hoch her dabei. Letztlich muß – im Sinne der persönlichen Stimmigkeit (s. S. 121) – dann jeder selbst seine Balance zwischen Ausdrucks- und Wirkungsorientierung finden.

2. Von der Erfolglosigkeit mancher Appelle

Der appellierende Sender muß oft feststellen, daß sein Einfluß auf den Mitmenschen sehr begrenzt ist. Dies wäre dann nicht weiter erstaunlich, wenn der Empfänger dazu gebracht werden sollte, etwas zu tun, was gar nicht in seinem Interesse läge. Ein psychologisches Problem aber scheint dann vorzuliegen, wenn «gut gemeinte» Appelle wirkungslos verhallen oder gar Widerstand hervorrufen. Ich bespreche im folgenden einige Faktoren, die dazu beitragen, daß der Empfänger für Appelle teilweise sehr unempfänglich ist. Später wird zu zeigen sein, daß der Sender in Kenntnis dieser Faktoren allerlei Kunstfertigkeiten entwickelt, die Hürde des Appellwiderstandes zu umgehen – indem er nämlich Schleichwege und paradoxe Wege nimmt.

2.1 Beziehungsbedingte Appell-Allergie

Die Wirksamkeit eines Appelles hängt stark mit der Beziehung zwischen Sender und Empfänger zusammen. Ganz deutlich wurde dies am Beispiel der Mutter und der Tochter (s. S. 48): Die Tochter widersetzte sich nicht deshalb dem Appell («Zieh dir 'ne Jacke an»), weil sie ihn unvernünftig fand oder weil er ihren Interessen nicht entsprach, sondern sie widersetzte sich ihm nur deshalb, weil sie von der Mutter keine derartigen Appelle akzeptierte. – Nachrichten sind quadratisch – und wenn der Appell eine umstrittene Beziehungsdefinition im Schlepptau hat, besteht ihre Zurückweisung («Ich lasse mir von dir keine Vorschriften machen, habe keine Lust, nach deiner Pfeife zu tanzen!») nicht selten im Widerstand gegen den Appell. Dieser Widerstand, der auch die trotzige Form des «Nun-gerade-nicht!» annehmen kann, dient sozusagen der Ehrenrettung des Empfängers auf der Beziehungsseite.

Langer drückt es so aus: «Mit jedem Appell betrittst du ein Königreich!» – nämlich das Reich der Freiheit und Selbstinitiative des anderen. Das Bemühen des Empfängers, sein «Königreich» zu verteidigen, ist als «Reaktanz» sozialpsychologisch vielfach untersucht worden. In Erziehung und Partnerschaft gibt es viele reaktanzerzeugende Eingriffe in das Königreich des anderen. Vor allem, wenn das Königreich der eigenen Persönlichkeit klein ist, entsteht leicht eine Tendenz, dem anderen in vieles «hineinzureden», das Bemühen, die eigenen Vorstellungen dem anderen als Richtschnur aufzudrängen.

Übrigens hat die Appell-Allergie des Empfängers ein Gegenstück bei vielen Sendern: In der Angst, «autoritär» zu erscheinen, haben manche Erzieher, Lehrer, Vorgesetzte eine Scheu, Befehle zu geben und klare Anweisungen zu erteilen – auch wenn dies von der Situation her angemessen und rollengemäß ist. Dies führt dann leicht zu einer pseudo-demokratischen, durchaus unklaren und verwirrenden Kommunikation. Statt «Mach jetzt das und das!» klingt es dann oft «Vielleicht wäre es eine Möglichkeit, daß wir...» – Wenn das demokratische Angebot nicht stimmig ist mit dem Charakter der Situation und der Konstellation der Rollen, dann führt es zu einer allseitigen Kommunikationsverwirrung und Ratlosigkeit.

2.2 Appelle als untaugliches Mittel für «tiefgreifende» Änderungen

In vielen Fällen bleiben Appelle deswegen erfolglos, weil sie ein prinzipiell untaugliches Mittel zur Lösung des Problems darstellen. Angenommen, ein Mann ist sehr eifersüchtig und überwacht seine Frau mißtrauisch auf Schritt und Tritt. Sein Freund rät ihm: «Du darfst nicht so eifersüchtig und mißtrauisch sein! Davon geht eine Ehe kaputt.» Dieser Ratschlag ist zwar gut gemeint, dennoch eine ganz untaugliche Hilfe. Die Eifersucht sitzt zu «tief in den Knochen», als daß der Mann sie wie einen alten Hut ablegen könnte.

Genauso in dem folgenden Beispiel: Eine Angestellte fühlt sich von ihrem Vorgesetzten von oben herab («wie der letzte Dreck») behandelt und übermäßig ausgenutzt. Sie traut sich nicht, dagegen anzugehen und ihre Rechte zu vertreten. Ihr Mann sagt: «Du darfst dir das nicht bieten lassen! Sag ihm einfach deine Meinung.» Die Frau: «Ich bring es nicht fertig. Wenn ich etwas sagen will, kriege ich schon vorher solches Herzklopfen und bringe dann kein Wort heraus.» Der Mann: «Du mußt versuchen, ganz ruhig zu sein! Der kann dir doch gar nichts anhaben...» usw. So vernünftig die Argumente des Mannes auch sind: Wo die Angst in den Eingeweiden wohnt, hat die Vernunft keinen Zutritt. Eher erreichen die Appelle das Gegenteil: eine erneute Begegnung mit dem eigenen Unvermögen und eine verstärkte Entmutigung. – Halten wir fest: Wenn jemand Probleme mit sich selbst hat, wenn er auf Grund gefühlsmäßiger innerer Vorgänge sich ungünstig verhält, dann nützen keine Ratschläge, Empfehlungen und Ermahnungen. Sie nützen nicht nur nichts, sondern schaden sogar. Dies ist der Grund, warum ein Gesprächs-Psychotherapeut sich appellfrei verhält (vgl. Tausch 1979). Statt dessen hört er zu, versucht auf die Probleme einzugehen und sich in die Welt des Senders einzufühlen. In einem solchen therapeutischen Gespräch hat der Klient eine bessere Chance, an sich zu arbeiten und die inneren Barrieren abzubauen, die ihn daran hindern, das zu tun, was er vernunftsmäßig als richtig erkannt hat.

Genauso wenig wie gute Ratschläge ein therapeutisches Gespräch ersetzen, ersetzen sie soziale Lernvorgänge. Manche Erzieher verlangen von ihren Kindern, daß sie sich «anständig benehmen» und haben dabei recht komplexe Verhaltensweisen vor Augen: Z.B. für lange Zeit ruhig auf dem Stuhl zu sitzen, dem Gesprächsverlauf zu folgen, die eigene Meinung zu sagen und dabei auf den Vorredner Bezug zu nehmen, eine höfliche Form zu wahren usw. – Dies alles sind Verhaltensweisen, die gelernt und eingeübt sein wollen.

Niemand käme auf die Idee, von einem Kind zu verlangen, es möge die dritte Wurzel aus 369 ziehen, ohne ihm vorher ein entsprechendes Curriculum zu bieten. Hingegen scheint ein «anständiges Betragen» für viele Erzieher nicht eine Sache des schrittweisen Einübens als vielmehr eine Sache der Moral und des guten Willens zu sein. Erst langsam setzt sich die Einsicht durch, daß störendes Betragen nicht so sehr auf durch Strafpädagogik zu bekämpfender Bosheit beruht, sondern schlicht auf einem Lerndefizit, für das eine moderne, humanistische Pädagogik Angebote zum sozialen Lernen bereit zu halten hat. So gibt es Hinweise dafür, daß die «Raufbolde» unter den Schülern nicht so sehr einem vergrößerten «Aggressionstrieb» unterliegen, sondern daß ihnen schlicht keine Möglichkeiten der verbalen Auseinandersetzung zur Verfügung stehen. Wo faires Streiten weder im Elternhaus noch in der Schule auf dem Stundenplan gestanden hat, wird die Prügelei unter Umständen zum Kommunikationsersatz.

2.3 Appelle als Diebstahl eines Urhebererlebnisses

Ein 14jähriger Knabe, dessen Eltern das Wochenende auswärts verbringen wollten, hatte sich vorgenommen, den Garten umzugraben, um seinem heimkehrenden Vater eine freudige Überraschung zu bereiten. Beim Abschied sagte der Vater: «...und solltest du ganz große Langeweile haben, dann kannst du ja vielleicht einmal den Garten umgraben.» – Ein innerer Aufschrei der Enttäuschung – alles war verdorben. Der Junge konnte den Garten nicht umgraben, da ihm diese Handlung durch den Appell entwertet war.

Allgemein ausgedrückt: Eine Handlung ändert ihre psychologische Qualität, sobald sie appellgemäß erfolgt – wir werden auf diese belangvolle Tatsache noch zurückkommen. Es scheint ein grundlegender Wunsch von Menschen zu sein, sich zumindest in einigen Lebensbereichen als Urheber der eigenen Handlung zu fühlen, nicht weisungsgemäß, sondern selbstinitiiert zu handeln. Der gut gemeinte Appell beraubt den Empfänger dieses Urhebererlebnisses. Wenn durch ein lückenloses System von Regeln und Geboten die «guten Taten» vorgeschrieben sind, werden sie auf diese Weise eher gehindert als gefördert. Wenn alles Gute schon vorgeschrieben ist, weichen Jugendliche auf der Suche nach dem Urhebererlebnis auf infantiles oder destruktives Verhalten aus – die «Heldentat» erträgt keine Weisung.

2.4 Appelle machen spontanes Verhalten unmöglich

Wir haben im letzten Abschnitt gesehen, daß manche Handlungen sozusagen ihre ganze Substanz einbüßen, sobald sie appellgemäß erfolgen. Dieses ist regelmäßig dann der Fall, wenn es sich um Handlungen oder Verhaltensweisen handelt, die ihrem Wesen nach spontan erfolgen, also nur freiwillig, aus eigenem Antrieb heraus vollzogen werden können. Man spricht von einer «Sei-spontan-Paradoxie» (Watzlawick u. a. 1974), wenn ein Sender an einen Empfänger den Appell richtet, eine solche – ihrem Wesen nach spontane – Handlung auszuführen.

Beispiel: Ein Mann brachte seiner Frau nur selten Blumen mit – und wenn, dann nur, wenn sie ausdrücklich darum gebeten hatte. Nun sagt sie: «Ich möchte, daß du mir auch mal freiwillig, von dir aus, Blumen mitbringst!» Ein appellgemäßes Verhalten ist dem Mann gerade durch den Appell unmöglich gemacht worden.

Daß alle Motive und Gefühle ihrem Wesen nach Spontan-Verhaltensweisen sind, ist eine Tatsache, die von appellierenden Sendern häufig unbeachtet bleibt. Man kann von jemandem verlangen, daß er die Kohlen aus dem Keller holen solle – man kann von ihm nicht verlangen, daß er es *gern* tun solle! – «Du sollst mich lieben!» ist eine unmögliche Forderung.

Wie oft versuchen wohlmeinende Sender dem armen Empfänger negative Gefühle auszureden. Um den Melancholischen «aufzuheitern», führen wir ihm die schönen Seiten des Lebens vor Augen. Dieser wird dadurch noch trauriger, da er nun sieht, wie «unvernünftig» seine Reaktionen sind. «Sei doch nicht so traurig (wütend, empfindlich, haßerfüllt, eifersüchtig usw.)!» ist ein Appell, der nicht nur untauglich für die gewünschte Veränderung ist, sondern paradoxerweise eher das Gegenteil bewirkt. Dieser Umstand (das Erwirken des Gegenteils) läßt sich in bestimmten Fällen therapeutisch nutzen – ich komme darauf zurück (s. S. 242f).

Untaugliche an sich selbst gerichtete Appelle. Unfruchtbare, eine eher gegenteilige Wirkung erzielende Appelle richten wir zuweilen nicht nur an andere, sondern auch an uns selbst. Etwa wenn wir von uns selbst verlangen, fröhlich und entspannt zu sein, während wir uns traurig und verspannt fühlen. Es ist daher eine Grundregel in jeder therapeutischen Situation, zuzulassen und zu erlauben, was ist. Aus Gefühlszuständen kommt nur der heraus, der wirklich hindurchgeht. Wenn schlechte Stimmungen zugelassen, ausgedrückt und somit «gelebt» werden, haben wir wieder freie (seelische) Bahn für andere, gute Stimmungen. Hingegen führt jeder Versuch künstlicher Aufheiterung (Scherze, Witze) meist tiefer in das Elend hinein.

Ihrem Wesen nach spontane Phänomene sind auch der Schlaf und die Sexualität. Wer unter Einschlafschwierigkeiten leidet, richtet nicht selten den Appell an sich: «Du mußt jetzt wirklich einschlafen!» und verwendet vielleicht noch allerlei Mittel, um das Einschlafen zu fördern (Schafe zählen). Einschlafen aber geschieht «von selbst», Versuche zur Selbstappellierung verhindern eher den gewünschten Effekt, als daß sie sein Eintreten erleichtern. Der Schlaf ist (wie alle Spontanphänomene) wie eine Taube: Greift man nach ihr, fliegt sie davon; hält man lediglich die ausgestreckte Hand auf, setzt sie sich unter Umständen nieder.

Das gleiche bei der Sexualität: Wer, wenn es «nicht klappt», sich durch selbstappellierende Mittel («nun konzentriere dich mal, reiß dich zusammen!») anzufeuern und zu zwingen versucht, erliegt der Gefahr, ein sonst gut erprobtes Mittel für einen falschen Bereich zu übernehmen. Mit dem Appell zur Selbstüberwindung können wir uns unter Druck setzen, manch Unangenehmes zu leisten. Sexuelle Potenz hingegen folgt nicht diesem Druck, sondern wird dadurch endgültig verhindert.

2.5 Appelle, die den «Seelenfrieden» stören

Vielfach entwickeln die Empfänger von Nachrichten einen erheblichen Widerstand nicht nur gegen den in der Nachricht enthaltenen Appell, sondern auch gegen die korrespondierende Sachaussage. Solche Aussagen würden, wenn sie sich als richtig erwiesen, seinen Seelenfrieden stören, ihn ins unreine mit sich selbst bringen.

Betrachten wir ein paar Beispiele und versuchen wir sodann, das diesen Beispielen Gemeinsame herauszuarbeiten:

Erstes Beispiel: Herr Maus ist starker Raucher. Er empfängt die Nachricht: «Rauchen ist gesundheitsschädlich, fördert Lungenkrebs und Herzinfarkt.» Herr Maus reagiert unwirsch: «Ach was! Mit Statistik kann man alles beweisen. Und sterben müssen wir doch alle – oder??» *Zweites Beispiel:* Herr Marder hat seine Kinder streng erzogen – damit aus ihnen anständige Menschen werden, hat er sie häufig geschlagen, wenn es ihm angebracht erschien. Auf einem Vortrag hört er nun die Auffassung eines Pädagogen: «Die Prügelstrafe demütigt das Kind und verstärkt seine Minderwertigkeitsgefühle. Leicht entsteht eine ängstliche und feindselige Haltung gegenüber der Umwelt, und am Vorbild des Erziehers lernt das Kind, gegenüber Schwächeren Gewalt anzuwenden.» – Herr Marder ist sehr aufgebracht, als er das hört. «Haben Sie eigentlich selber Kinder?» fragt er den Vortragenden. «Solche Weisheiten vom grünen Schreibtisch haben doch mit der Praxis nichts zu tun.» *Drittes Beispiel:* Herr Ratte hat sich einen neuen Wagen der Marke X-Luxus gekauft. Ein Kollege sagt zu ihm: «Ich habe jetzt gehört, der neue X-Luxus soll noch ziemlich viele Kinderkrankheiten haben.» Herr Ratte: «Ach, weißt du, geredet wird viel. Wer sagt denn das?» Der Kollege: «Ich glaube, Schulze sagte so etwas.» Herr Ratte: «Was hat Schulze schon Ahnung von Autos! Der ärgert sich doch nur, weil er mit seiner X-510 so reingefallen ist!» Ein anderer Kollege: «Ich habe gelesen, daß der X-Luxus in einem Test recht gut abgeschnitten hat.» Herr Ratte: «Ah, hochinteressant – könnten Sie mir den Artikel mal mitbringen?»

Worin liegt das Gemeinsame in allen diesen Beispielen? In allen Fällen stand der Inhalt der Nachricht in Widerspruch zu bestimmten Verhaltensweisen oder Überzeugungen des Empfängers. Der Appell, der in den Nachrichten steckte, war entweder schwer zu befolgen (z.B. Rauchen aufgeben) oder aber konnte überhaupt nicht befolgt werden, weil das (gemäß der Nachricht) «falsche» Verhalten bereits vollzogen und nicht mehr rückgängig zu machen war (z.B. Auto X-Luxus kaufen oder Kinder prügeln). Man spricht von einer *kognitiven Dissonanz*, in die der Empfänger gerät – die neue Nachricht paßt ihm nicht in den Kram. Was gut in den Kram paßt, das sind Nachrichten, die den eigenen Lebensstil und die eigenen Handlungen als gerechtfertigt und «gut» erscheinen lassen. So wird der Reiche, der in Saus und Braus lebt, empfänglich sein für Nachrichten, die den Erfolg eines Menschen auf seine Tüchtigkeit und seine Anstrengungen zurückführen. Und er wird sehr unempfänglich sein für Nachrichten, die den privaten Reichtum als Resultat ungerechter gesellschaftlicher Verhältnisse ansehen. Der Empfänger hat große Augen und große Ohren für alles, was seine Art zu leben und zu handeln rechtfertigt. Alles andere wehrt er ab oder deutet es in seinem Sinne um. Schon die Wahrnehmung tritt hier in den Dienst der Sicherung des Seelenfriedens, genauso der Verstand und die Art zu kommunizieren.

Welche Möglichkeiten hat der Empfänger, mit Dissonanz erzeugenden Nachrichten umzugehen? Es gibt drei Möglichkeiten: 1. Die Dissonanz aushalten und bestehen lassen; eine selten gewählte Lösung, denn der gestörte Seelenfrieden versetzt den Empfänger in einen recht quälenden Zustand. 2. Das Verhalten bzw. die alte Überzeugung ändern, so daß eine Übereinstimmung mit der dissonanzerzeugenden Nachricht und ihrem Appell erreicht wird; also z. B. das Rauchen aufzugeben. Dies ist, wie jeder Raucher weiß, nicht einfach. Gerade «eingefleischte» Verhaltensweisen lassen sich nicht leicht ändern. Und bereits vollzogene Verhaltensweisen lassen sich gar nicht wieder rückgängig machen (das Auto X-Luxus kann nicht mehr umgetauscht werden). 3. Widerstand gegen die Nachricht und ihren ärgerlichen Appell. Hierzu stehen dem Empfänger verschiedene Abwehrmaßnahmen zur Verfügung: Er kann versuchen, unliebsame Nachrichten einfach zu überhören. Dazu eignet sich auch das Vermeiden von solchen Situationen, in denen mit hoher Wahrscheinlichkeit Dissonanz erzeugende Nachrichten gesendet werden. Ein alter Sozialdemokrat besucht so leicht keine CDU-Wahlveranstaltung, ein Konservativer stellt keine Fernsehsendungen an, die als «links» gelten usw. Und Leuten, die ganz andere Ansichten vertreten und einen ganz anderen Lebensstil propagieren, geht man tunlichst aus dem Wege.

Für den Fall, daß man sich Dissonanz erzeugenden Nachrichten nicht entziehen kann, gilt es, gut gerüstet zu sein: Informationen und Gegenargumente parat zu haben, die den Sender «widerlegen». Manche Sachauseinandersetzung, manche «Diskussion» lebt von der Hartnäckigkeit der Kontrahenten, denen es vor allem um ihren dissonanzfreien Zustand geht.

Wenn alles nichts hilft, läßt sich der Seelenfrieden durch Herabsetzung des Senders leidlich wiederherstellen («Was hat Schulze schon Ahnung von Autos. Der ärgert sich ja nur ...», s. S. 219). Diese Abwehrtechnik ist praktisch, denn es werden «zwei Fliegen mit einer Klappe geschlagen»: Zum einen, wenn ich dem Sender

Unfähigkeit oder einen anderen Defekt unterstelle, brauche ich den Sachinhalt und Appell der Nachricht nicht mehr ernst zu nehmen; ich empfange sie auf der Selbstoffenbarungsseite und nehme sie als Dokument dieses Defektes. In totalitären Staaten ist es eine geläufige Praxis, Dissonanz-Erzeuger für verrückt zu erklären und in psychiatrischen «Pflegeanstalten» einzusperren. Zum anderen: Der Dissonanz-Erzeuger hat mich in einen quälenden Zustand versetzt, er ist für mich eine Quelle von Frustration. Indem ich ihn herabsetze, haben auch meine Rachewünsche ein Ventil gefunden.

3. Verdeckte Appelle (Appelle «auf leisen Sohlen»)

«Es leuchtet ein, daß jemand das Verhalten eines anderen durch Worte oder andere Information beeinflussen kann; aber daß diese Beeinflussung ohne Bewußtsein von Sender und Empfänger erfolgen kann, ist weniger bekannt.» – So der Psychotherapeut Beier (1966), der untersucht hat, wie die Klienten ihre unbewußten Wünsche nicht direkt ausdrücken, sondern durch die Art, etwas von sich zu geben, beim Empfänger ein ganz bestimmtes emotionales Klima erzeugen, das ihn bereit macht, von sich aus wunschgemäß zu reagieren.

Beispiel: Zwei erwachsene Geschwister hatten eine harte Auseinandersetzung über eine Erbschaftsangelegenheit gehabt – bisher ohne Ergebnis. Die Schwester wollte ihren Anteil ausgezahlt haben; dem Bruder wollte es das Herz brechen, wenn das Elternhaus, das er selbst bewohnte, verkauft werden müßte. – Als die beiden sich beim nächstenmal wiedertrafen, sagte er: «Wie bin ich froh, dich wiederzusehen – nach unserem letzten Gespräch war ich so niedergeschlagen und habe tagelang nicht geschlafen.» – Die Schwester brachte es daraufhin nicht über das Herz, wieder von der Erbschaftsangelegenheit anzufangen. Der Bruder hatte mit seiner Nachricht ein emotionales Klima von Versöhnung und Mitleid erzeugt, durch das es der Schwester «irgendwie» unmöglich war, «ihm das heute wieder anzutun». Und so beschloß sie insgeheim und kaum bewußt, heute nur «erfreuliche Themen» anzuschneiden.

Wer den unbewußten Wünschen des Senders auf die Spur kommen will, muß auf seine Gefühle als Empfänger achten. Greifen wir hierzu auf ein weiteres Beispiel von früher (S. 34) zurück: Jemand weint. Zunächst sind wir geneigt, dieses Weinen als Ausdruck von Traurigkeit zu nehmen; das heißt: Wir empfangen das Weinen auf der Selbstoffenbarungsseite. Möglicherweise haben wir damit aber nicht die ganze psychologische Bedeutung des Weinens verstanden. Was geschieht mit mir, wenn der andere anfängt zu weinen? Ich bin betroffen, mein Zorn von eben ist verraucht, ich habe Mitleid, ich gebe nach, «mein Herz schmilzt», ich wende mich dem Weinenden zu, um ihn zu beruhigen und zu trösten, höre auf, ihn mit meinen Ansprüchen und «Wahrheiten» zu quälen. Und wenn dies Sinn und Zweck des Weinens gewesen wäre? Der Weinende würde diese Unterstellung entrüstet von sich weisen: Das Weinen sei einfach über ihn gekommen, mitnichten handele es sich um eine von ihm benutzte Strategie, auf den anderen Einfluß zu nehmen.

Der Weinende lügt nicht wider besseres Wissen. Ihm ist die Strategie, die er benutzt, nicht bewußt. Vermutlich hat ihm diese Strategie in seiner Kindheit genützt: In bedrohlichen Situationen hat sie ihm das Schlimmste erspart («Lernen am Erfolg»).

Am Beispiel des Weinens haben wir eine psychologische Arbeitsmethode kennengelernt, deren Kennzeichen in einer finalen Blickrichtung besteht. Damit ist gemeint: Um ein Verhalten zu verstehen oder zu erklären, wird nicht nach den (in der Vergangenheit liegenden) Ursachen gefragt, sondern nach den (vielfach unbewußten) Zielen, für die das Verhalten dienlich ist. Bei dieser von Alfred Adler sehr betonten «Wozu»-Frage wird allen Verhaltensweisen ein (oft unbewußter) Zweck unterstellt. Diesem Zweck kommt man am besten auf die Spur, wenn man die Reaktionen der Umwelt auf dieses Verhalten betrachtet. Am Beispiel des Weinens haben wir diese Betrachtung vorgenommen, indem wir uns in den Empfänger hineinversetzt und gefragt haben: »Was löst das Weinen in mir aus?» Über den gefühlsmäßig empfundenen Appell sind wir der geheimen Zielsetzung des Senders auf die Spur gekommen und haben damit ein tieferes Verständnis für sein Verhalten erreicht.

Wenden wir diese Arbeitsmethode der finalen Blickrichtung auf ein paar Beispiele an, um uns darin einzuüben, den *geheimen Appellcharakter* von manchen Nachrichten und Handlungen zu entdecken:

Selbstmordversuche. Jemand versucht sich umzubringen. Auf der Selbstoffenbarungsseite ein Zeugnis von Verzweiflung und seelischem Elend. Der Sender scheint ferner die Absicht kundzutun, Schluß zu machen. Bei näherem Zusehen erweist sich aber häufig der Selbstmordversuch als eine Nachricht mit Appell-Botschaft an die Umwelt: «Helft mir, laßt mich nicht allein, kümmert euch um mich!» Die rechtzeitige Errettung erweist sich damit nicht als «Panne», sondern als zumindest unbewußt eingeplant. – Ebenso haben Selbstmordankündigungen oft starken Appellcharakter, etwa wenn der eine Partner sich vom anderen trennen will und dieser sagt: «Dann bringe ich mich um!» Hier kommt der Appell («Laß mich nicht allein!») allerdings keineswegs «auf leisen Sohlen», sondern lautstark und eindringlich – der Empfänger fühlt sich entsprechend erpreßt.

Angstzustände. Eine 23jährige Frau bekommt gegen Abend starke Angstzustände, wenn der Mann später nach Hause kommt (Schulte und Thomas 1974): Mit der Angst verbunden sind Schweißausbrüche und Magenschmerzen, gelegentlich steigert sich die Angst bis zur Ohnmacht. Wenn der Mann nach Hause kommt, versucht er seine Frau zu beruhigen, geht sorgend auf sie ein und verspricht, Rücksicht zu nehmen und abends nur in dringenden Ausnahmefällen später nach Hause zu kommen. – Der Therapeut merkt bald, daß hier eine *finale Angst* vorliegt: Die Angst erfüllt ihren Zweck. Sie erweist sich als erfolgreiche Strategie, um mit der eigenen Lebensunsicherheit halbwegs fertigzuwerden. Sie wirkt. Damit ist nicht behauptet, daß die Frau die Angstzustände nur vortäuschen würde, um ihren Mann an die Kette zu legen. Die Angstzustände sind durchaus real. Behauptet wird lediglich folgendes: Die Angstzustände haben eine starke Appellwirkung auf einen wichtigen Empfänger. Da dieser appellgemäß handelt, erweist sich die Angst als erfolgreich und – vom Sender aus betrachtet – als sinnvoll. Die Angst-Therapie hat nun vor allem zwei Dinge anzustreben: 1. Die Angst darf keinen Erfolg mehr haben. Der Mann wird angewiesen, die Angstzustände seiner Frau nicht mehr mit liebevoller Zuwendung zu verstärken, d.h. «das Spiel» nicht mehr mitzuspielen. 2. Das Selbstgefühl der Frau muß gestärkt werden. Ihre heimliche Überzeugung: «Ich bin nur lebensfähig mit einem starken Behüter an meiner Seite» muß durch Selbstvertrauen ersetzt werden.

Kommunikationspsychologisch interessant ist vor allem der erste Schritt: Indem der Empfänger die appellgemäße Antwort unterläßt, trägt er bei zur Therapie des Symptoms. Ich komme darauf zurück.

Empfindlichkeiten. Viele unserer Mitmenschen sind (allzu) empfindlich, z.B. gegen Kritik. Sie sind «immer gleich beleidigt», reagieren mit gekränkter Leidensmiene oder mit aufgebrachter Aggressivität. Auf der Selbstoffenbarungsseite geben sie damit ein Dokument ihres mangelnden Selbstwertgefühles kund. Gleichzeitig senden sie auf der Appellseite eine Art «Gebrauchsanweisung» für ihre Person: «So und so mußt du mich behandeln, und so und so darfst du nicht mit mir umgehen!» In der Regel wirkt der Appell, die Empfänger sind sich einig: «Den muß man wie ein rohes Ei behandeln!» – womit sie gleichzeitig zu erkennen geben, daß sie das Spiel mitspielen wollen.

Allerlei kindliche Unarten. Was stellen Kinder nicht alles an! Sie machen ohrenbetäubenden Lärm, schlagen ihre Geschwister, machen alles kaputt, kasperln herum, haben Wutanfälle, stören in der Schule mit allerlei Techniken, brüllen wie am Spieß, wenn sie sich etwas wehgetan haben. Haben unsere Kinder den Satan im Leib, muß man versuchen, diesen herauszuprügeln? Der «Satan» hat Appellcharakter. Die kindlichen Unarten verschwinden nicht selten, wenn kein Empfänger da ist, an den sich der Appell erfolgreich richten kann. Er lautet: «Wende deine Aufmerksamkeit mir zu!» Denn ignoriert zu werden ist viel schlimmer als ausgeschimpft, ermahnt, angeschrien zu werden. Kinder sind sehr schöpferisch im Erfinden von immer neuen Aufmerksamkeitserregungs-Techniken, sie versuchen es mit Charme ebenso wie mit Wehleidigkeit und zerstörerischem, aggressiven Gehabe. Sie haben schnell heraus, was Mutter oder Vater besonders «auf die Palme bringt». – Erneut stellt sich für den Empfänger die Frage: Wie soll ich reagieren, soll ich das Spiel mitspielen?

Allerlei Hilflosigkeiten, Unfähigkeiten und Schwächen. Auf der Selbstoffenbarungsseite haben wir die Plusmacherei kennengelernt: Imponiergehabe und das Verbergen von Schwächen und Fehlern. Zuweilen aber wird auf der Selbstoffenbarungsseite ganz das Gegenteil gesendet: «Mit mir ist nichts los!» – «Ich kann das nicht!» – «Ohne dich wäre ich aufgeschmissen!» – vgl. S. 113 f.

Entmutigte Menschen setzen einiges daran, ihre Mitmenschen (und sich selbst) von ihrer Unfähigkeit zu überzeugen – ihre «Schwäche» fordert appellativ die «Stärke» der anderen heraus und erweist sich so als eigentlich recht stark und machtvoll.

3.1 Was macht verdeckte Appelle so vorteilhaft?

Warum sind Appelle «auf leisen Sohlen» derart an der Tagesordnung? Welche Vorteile wiegen den Nachteil auf, daß sie sich als für den Empfänger zu leise erweisen könnten und somit ihre Wirkung verfehlen? Vor allem an zwei Vorteile ist zu denken:

1. Verdeckte Appelle sind häufig *erfolgreicher* als offen geäußerte; deshalb nämlich, weil sie den Empfänger in eine *emotionale Stimmung versetzen,* die ihn bereiter macht, appellgemäß zu reagieren. Hätte in dem obigen Beispiel der Bruder seinen Wunsch direkt geäußert («Ich möchte heute nicht noch einmal über die Erbschaftsangelegenheit sprechen!»), dann hätte die Schwester vermutlich ihr Interesse dagegengesetzt und darauf bestanden – eine Auseinandersetzung auf der Erwachsenenebene wäre ihm nicht erspart geblieben. Schon ein Kind lernt unter Umständen, daß der direkte Wunsch («Gib mir einen Bonbon!») weniger Erfolg verspricht («Warte bis nach dem Mittagessen!») als etwa ein bekümmertes und wehleidiges Gesicht («Das arme Kind – hier hast du einen Bonbon!»).

2. Für verdeckte Appelle muß der Sender *nicht die Verantwortung übernehmen* – er kann notfalls dementieren (auch vor sich selbst), den Wunsch geäußert zu haben. So kann das Aussenden von heimlichen Appellen dazu dienen, sich die Verletzung zu ersparen, die durch die Zurückweisung eines offen vorgetragenen Wunsches entstehen würde. Beier ist der Ansicht, daß die verdeckten Appelle eines Menschen seine Verwundbarkeitsregionen anzeigen: Wünsche, für deren Äußerung es früher harte Zurückweisung und Bestrafung gegeben hat, sind sozusagen in den seelischen Untergrund gegangen und melden sich nur noch in getarnter Form. Beier schreibt:

Wahrscheinlich wird die Fähigkeit, den Empfänger gefühlsmäßig zu verpflichten und Appelle in versteckter Form zu senden, in der Kindheit erlernt und dient dazu, das Kind vor Verwundungen zu schützen. Wenn ein Kind merkt, daß der Ausdruck gewisser Gedanken und Wünsche Reaktionen nach sich zieht, mit denen es nicht fertig werden kann, lernt es, diese Gedanken und Wünsche zu verbergen. Zukünftig wird es ebenfalls lernen, sie auf solche Art und Weise zu äußern, daß sie vom Empfänger nicht völlig verstanden werden; es entdeckt zum Verstecken die Zweideutigkeit. Es entwickelt also eine Geschicklichkeit, um sich die Bloßstellung seiner verwundbaren Absichten zu ersparen und um Reaktionen zu vermeiden, mit denen es nicht fertig wird. Wunschbereiche, die einer solchen Tarnung bedürfen, verweisen auf die Regionen der Verwundbarkeit eines Menschen.» (Beier 1966, S. 280, sinngemäße Übersetzung: S. v. Th.)

Der verdeckte Appell ist somit als Strategie anzusehen, die der doppelten Zielsetzung gerecht wird: Etwas erreichen, und dabei nicht entdeckt werden wollen. Die unbewußte Devise lautet: Es tun, aber es hinterher nicht gewesen sein. Für dieses Ziel eignen sich gut diskordante, d. h. in sich unstimmige Nachrichten (vgl. S. 36). Beispiel von Beier: Ein Junge, dessen Vater es aus Zeitgründen mehrfach verweigert hatte, ihm das Radfahren beizubringen, erklärte: «Ich hab keine Lust, Radfahren zu lernen!» Gleichzeitig aber nutzte er jede Gelegenheit, sich demonstrativ in die Nähe von Rädern zu begeben, über Räder zu sprechen usw. – Die verdeckte Botschaft ist geeignet, Schuldgefühle beim Vater zu erwecken, während die manifeste Botschaft genau das Gegenteil enthält. Hier haben wir jene auf S. 38 beschriebene Doppelbindung, bei der der Empfänger nur verlieren kann, wie immer er auch reagiert.

Je verwundbarer ein Individuum ist, desto «fähiger» muß es sein, andere in dieser indirekten Art emotional zu beeinflussen. Menschen, die auf Grund früherer Verwundungen sehr darauf angewiesen sind, die Reaktionen ihrer Mitmenschen unter Kontrolle zu halten, müssen alles daran setzen und unter Umständen «schwere Geschütze» auffahren, *um ihren Einfluß sicherzustellen und gleichzeitig die Urheberschaft dieses Einflusses zu leugnen.* Neurotische Symptome sind unter Umständen solche schweren Geschütze: Angstzustände, Anfälle von Jähzorn, Zwangshandlungen usw. üben auf den Mitmenschen einen starken Druck aus, gleichzeitig eignen sie sich zur Leugnung der Urheberschaft (denn der Leidende «kann ja nichts dafür»). Natürlich leidet der «erfolgreiche» Neurotiker auch an seinen Symptomen; er ist bereit, einen Preis zu zahlen. Der Preis besteht nicht nur in den Unannehmlichkeiten, die das Symptom selbst bereitet, sondern oft auch darin, daß der verdeckt Appellierende nicht wirklich das bekommt, was er braucht: Mit Verhaltensstörungen, Wutausbrüchen u. a. erwirkt ein Kind zwar Zuwendung, doch nicht liebender, sondern strafender Art. Dies ist besser als nichts, aber doch nicht «das». Ebenso erwirkt ein Kollege, der durch ewig bissige Bemerkungen und überhebliche Kommentare seine Kollegen gegen sich aufbringt, zwar viele Reaktionen und eine immer wiederkehrende Mittelpunkts-Position. Die Devise seiner privaten Logik lautet: «Lieber gehaßt als ignoriert werden, wo mein Bedürfnis nach Zuwendung doch so groß ist!» Jedoch erweist sich dies auf die Dauer als kümmerliche Ersatzbefriedigung für das «Eigentliche».

3.2 Appellwidriges Reagieren des Empfängers

Wie soll nun der Empfänger auf die geheimen Appelle reagieren? Es ist schon mehrfach angedeutet worden: Durch ein appellgemäßes Verhalten läuft der Empfänger Gefahr, ein problematisches Verhalten zu stabilisieren, ungewollt (oder gewollt?) zum «Lernen am Erfolg» beizutragen. Es ist oft eine schmerzliche Einsicht für die Eltern von gestörten Kindern und für die Lebenspartner neurotischer Menschen, daß sie durch ihr eigenes Verhalten die Störung wenn nicht hervorbringen, so doch zumindest stärken und zur Aufrechterhaltung der Symptome beitragen. Das neue Lernziel für den Empfänger lautet daher in bestimmten Fällen: appellwidrig reagieren. Dies ist gar nicht so einfach, denn unsere Antworten auf geheime Appelle erfolgen fast automatisch: Jemand weint – ich spüre den Impuls, ihn (sie) in den Arm zu nehmen; jemand «stellt sich dämlich an» – ich spüre den Impuls zu sagen: «Gib her, laß mich das machen!» Ein Kind fällt mir mit ständigen Provokationen auf den Wecker – mir «platzt der Kragen» und ich lasse ein «Donnerwetter» los; Astrid petzt («Resi hat ihren Atlas in die Ecke gepfeffert!», s. Abb. 14) – der Lehrer antwortet: «Ich werde gleich mal sehen, was da los ist!» In allen Fällen spielen die Empfänger das Spiel mit und leisten dadurch ihren Beitrag zur Wehleidigkeit, zur Inkompetenz, zum Tyrannisieren, zum Verpetzen ihrer Mitmenschen. Wie sieht die Alternative aus? Was bedeutet es, appellwidrig zu reagieren bzw. «das Spiel nicht mitzuspielen»?

Der *erste Schritt* besteht darin, daß der Empfänger eine Bewußtheit entwickelt für die heimlichen Vorgänge: Indem er in sich hineinhorcht, welche Gefühle und Handlungsbereitschaften der Sender in ihm auslöst, erhält er einen Hinweis darauf, «woher der Wind weht». Entscheidend ist jetzt, diesen Wind zwar zu spüren, ihm aber nicht zu erliegen.

Im *zweiten Schritt* hat sich der Empfänger die Frage zu stellen: Welches heimliche Interesse könnte mich dazu verleiten, das Spiel mitzuspielen? Vielleicht ist es mir nur unterlaufen – aber auch in achtlosen automatischen Reaktionen steckt ja oft eine verborgene Zielstrebigkeit. Vielleicht war es mir gar nicht so unlieb, auf das Spiel des Senders immer wieder hereinzufallen – so daß wir beide an einem Strang gezogen haben, der uns jetzt zum Strick zu werden droht?

Dieser zweite Schritt leitet die Eigenanteilsklärung des Empfängers ein. Alle psychologischen Ratgeber, die diesen Schritt auslassen, müssen mit ihren gutgemeinten Empfehlungen scheitern.

Erst im *dritten Schritt* stellt sich die Frage nach der Alternative. Ein appellwidriges Verhalten, d. h. eine Reaktion des Empfängers, die den heimlichen Absichten des Senders nicht entspricht, nennt Beier «a-sozial». Diese Weigerung, das Spiel mitzuspielen, ist allerdings nur dann heilsam und therapeutisch, wenn sie eingebettet ist in einen wohlwollenden Kontext – wenn der Sender merkt, der andere will ihm wohl und drückt mit seiner Weigerung keine feindselige Haltung aus. Allgemein gesprochen: *Konfrontation ist heilsam auf der Basis von Akzeptierung*.

«A-soziale» Verhaltensweisen können verschiedene Gestalt annehmen. Eine von Psychologen an Pädagogen häufig gegebene Empfehlung lautet: Ignoriere störendes und sonstwie problematisches Verhalten – gehe nicht darauf ein. Dies ist jedoch nur eine Möglichkeit, das Spiel nicht mitzuspielen. Dreikurs (1971) empfiehlt dem Erzieher in bestimmten Fällen die «psychologische Enthüllung»: Damit ist ein behutsames Ansprechen desjenigen Zieles gemeint, auf das das Verhalten des Kindes gerichtet zu sein scheint («Kann es sein, daß du möchtest, daß ich mich mit dir mehr beschäftige?»). – Eine weitere Möglichkeit ist: den herausgehörten Appell explizit zu machen und zurückzufragen, ob der Sender diesen Wunsch habe ausdrücken wollen. So könnte die Schwester im obigen Beispiel ihrem Bruder erwidern: «Ich höre heraus, du möchtest, daß ich dich mit der Erbschaftsangelegenheit heute in Frieden lasse – stimmt das?» Dadurch wird eine bewußte Auseinandersetzung auf der Erwachsenenebene gefördert. (Zu weiteren, im therapeutischen Kontext gebräuchlichen, appellwidrigen Reaktionen: vgl. Beier 1966.)

3.3 Geheimer Appellcharakter von Sachdarstellungen

Im letzten Abschnitt haben wir einige Verhaltensweisen betrachtet, deren Botschaften der Empfänger üblicherweise auf die Selbstoffenbarungsseite lokalisiert. Wir haben gesehen, wie ein zusätzliches «Appell-Ohr» nicht nur vor undurchschauter Manipulation schützt, sondern auch einen diagnostisch tieferen Zugang zur Person des Senders eröffnet.

Die bisher betrachteten Appelle waren «heimlich», weil die Hauptbotschaft auf der Selbstoffenbarungsseite zu liegen schien. Die nun zu betrachtenden Appelle verdanken ihre Heimlichkeit dem Umstand, daß die Hauptbotschaft auf der Sachseite zu liegen vorgibt. Nehmen wir eine Aussage wie: «Die unterschiedliche Intelligenz der Menschen ist weitgehend durch die Erbanlagen vorbestimmt.»

Ein naiver Empfang dieser Nachricht würde darin bestehen, den Sachinhalt zur Kenntnis zu nehmen und als Wissensbestand und Entscheidungsgrundlage aufzunehmen. Dagegen trägt ein *ideologiekritischer Empfang* dem Umstand Rechnung, daß jede Nachricht vier Seiten hat und daß um der Appell-Wirkung willen manche Sachdarstellung tendenziös ist. Der erste Schritt einer ideologiekritischen Empfangsweise besteht somit in der Aufdeckung des verdeckten Appelles. In unserem Beispiel könnte er in der Aufforderung bestehen, mit der «Gleichmacherei» aufzuhören und Bemühungen um frühe Chancengleichheit (z.B. kompensatorische Vorschulprogramme) als illusionär aufzugeben. Weiter ist zu fragen: Wer (= welche Gruppen) kann ein Interesse daran haben, daß ein solcher Appell Anklang findet? Und: Gehört der Sender der Nachricht zu diesen Gruppen oder unterliegt er ihrem Einfluß (z.B. ihrer Bezahlung)?

Für den Fall, daß gewichtige Anhaltspunkte für eine solche Interessen-Appell-Verschränkung sprechen, ist die Nachricht «ideologieverdächtig» (s. Abb. 76).

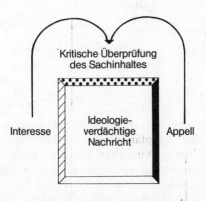

Abb. 76: *Ideologiekritischer Empfang einer Nachricht: den Appell aufspüren und als Dokument der Interessenlage des Senders auffassen. Diese Appell-Interessen-Verschränkung begründet den Ideologieverdacht und führt zu einer kritischen Überprüfung des behaupteten Sachinhaltes.*

Ein solcher Aufweis von Anhaltspunkten entbindet jedoch nicht von der Pflicht, den objektiven Wahrheitsgehalt der Nachricht zu untersuchen. Ideologisch ist sie nämlich nur, wenn sie objektiv falsch oder einseitig ist. So hat sich Manes Sperber (1978, S. 10) vom ideologiekritischen Argwohn seiner politisch engagierten Jugendjahre abgekehrt:

«Seit damals (1937) frage ich nicht mehr, wem eine Wahrheit nützlich oder schädlich sein könnte; um sie zu äußern und zu verteidigen, genügt es mir, sie als solche erkannt zu haben. Die Möglichkeit, daß sie auch dem Gegner in den Kram passen könnte, vermindert ihren Wert ebenso wenig wie sie diese oder jene liebgewordene Gewißheit zu erschüttern oder gar zu zerstören vermöchte. Die Wahrheit ist nicht funktionell, nicht taktisch und nicht parteiisch, aber brauchbar und leider auch leicht mißbrauchbar.»

3.4 Einige Strategien der Werbung

Welche Strategien verfolgen die berufsmäßigen Beeinflusser, die Werbefachleute? Eine Analyse bundesrepublikanischer Werbesendungen (Schulz von Thun u. a. 1975) ergab: Direkte, offen ausgesprochene Appelle («Trink Coca-Cola!») waren eher selten. Statt dessen standen drei Prinzipien im Vordergrund, die von grundlegender Bedeutung sind: 1. Vormachen, 2. Konsequenzen darlegen und 3. Assoziationen stiften:

Vormachen

In einem Großteil der Werbesendungen werden Personen gezeigt, die das vom Sender gewünschte Verhalten (Kauf- oder Konsumverhalten) vormachen. Gerechnet wird mit der Imitationsbereitschaft des Empfängers. Diese ist, wie Untersuchungen bestätigen, um so größer, je attraktiver und ansehnlicher die vormachende Person (= das sog. Verhaltensmodell, kurz: Modell) wirkt. Tatsächlich sehen die Modelle in den Werbespots überwiegend jung, gepflegt und hübsch aus. Wir stoßen hier auf die Tatsache, daß die Imagepflege auf der Selbstoffenbarungsseite der Nachricht auch die Chancen auf der Appellseite erhöht.

Das Lernen am Modell spielt auch eine sehr große Rolle in der Erziehung. Hervorhebenswert ist, daß Eltern und Erzieher auch dann – und gerade dann – auf das Kind Einfluß nehmen, wenn sie darauf gar nicht abzielen. Etwa dann, wenn sie rauchen und trinken, wenn sie bei «rot» über die Straße laufen, wenn sie bei Konflikten einander in einer gereizten Form herabsetzen und beschimpfen, wenn sie bestimmten Themen ausweichen oder wenn sie übertriebene Angst vor gewissen Ereignissen erkennen lassen. Ein berühmter Witz verdeutlicht die Problematik (s. Abb. 77). Ein Vater legt aufgebracht seinen Sohn über das Knie, der seinen jüngeren Bruder geknufft hatte. Während er ihn prügelt, ruft er: «Ich werde dich lehren, Schwächere zu schlagen!»

Tatsächlich ist er just dabei, seinen Sohn dieses zu lehren, nämlich durch sein eigenes Verhaltensmodell. Vormachen ist wirksamer als alles «Predigen».

Abb. 77: *Ein Vater «lehrt» seinen Sohn, Schwächere «nicht» zu schlagen.*

Konsequenzen in Aussicht stellen
In den Werbesendungen wird fast immer gezeigt oder gesagt, welche Vorteile das Konsumverhalten dem Empfänger (angeblich) einbringt. Nach dem Gebrauch einer bestimmten Zahnpasta hat der junge Mann mit seinem Mundgeruch kein Problem mehr und erlebt ein Rendezvous mit einem entzückenden jungen Mädchen. Eine glückliche Familie am Frühstückstisch: «Die Liebe ihrer Kinder erreichen Sie durch Homa-Gold!» (Margarine). Das neue Bohnermittel macht alles blitzblank und erzeugt ringsum fröhliche Gesichter.

Die Darlegung von Konsequenzen ist ein sehr allgemeines Prinzip und beruht auf der Erkenntnis, daß Verhaltensweisen sich am Erfolg orientieren, durch angenehme Konsequenzen gefördert und durch unangenehme unterdrückt werden. Die Einhaltung von Verhaltensnormen wird durch Modellverhalten in Verbindung mit Konsequenzdarlegung weitgehend sichergestellt: «Wer eine fremde bewegliche Sache einem anderen in der Absicht wegnimmt, dieselbe sich rechtswidrig anzueignen, wird wegen Diebstahls bestraft.» Dieser Paragraph aus dem deutschen Strafgesetzbuch enthält den Appell: «Du sollst nicht stehlen!» Die Wirksamkeit dieses Appells ist in Verbindung mit der Strafandrohung zu sehen. Aber auch jegliche Überredungs- und Überzeugungsversuche enthalten Konsequenzdarlegungen.

Wenn der Sender Konsequenzen in Aussicht stellt, legt er seiner Sendung bestimmte Annahmen über die Motivation des Empfängers zugrunde. Denn was würde es nützen, Konsequenzen in Aussicht zu stellen, die den anderen nicht «hinter dem Ofen hervorzulocken» vermögen? Teilweise unterscheiden sich die Menschen erheblich darin, was für sie erstrebenswert und vermeidenswert ist. Eine bestimmte laute Musik versetzt den einen in einen glückseligen Rausch, der andere hält sich entsetzt die Ohren zu. Die Aussicht, gelobt zu werden, ist für ein Kind aus der Unterschicht oft kein nachhaltiger Anreiz – auf einen Bonbon dagegen spricht es an, beim Kind aus der Mittelschicht ist es umgekehrt.

Für welche Dinge ein Mensch empfänglich ist, hängt zunächst von seiner Lerngeschichte ab und dann auch davon, in welchen Bereichen seine Bedürfnisse weitgehend befriedigt sind und in welchen nicht.

Tendenziell gilt die *Maslowsche Regel*, daß mit der Befriedigung lebensnotwendiger materieller Bedürfnisse (genügend Luft, Essen, Schlaf, materielle Sicherung) mehr psychische Bedürfnisse nach Liebe, Anerkennung und Selbstverwirklichung in den Vordergrund treten. Wer einigermaßen verdient, kann mit Geld nicht mehr so sehr «hinter dem Ofen hervorgelockt» werden, wohl aber mit der Aussicht auf Prestige und Ansehen. Unsere Werbefachleute werden analysiert haben, auf welcher Stufe der Maslowschen Pyramide die Bedürfnisse der Käufer von heute stehen. In vielen Fällen werden Konsequenzen für das Kaufverhalten in Aussicht gestellt, die in einem *Prestigezuwachs* oder in der *Verbesserung zwischenmenschlicher Beziehungen* bestehen (Schulz von Thun u. a. 1975). Solche Vorteile liegen zwar selten in der Natur des Kaufgegenstandes begründet, treffen dafür aber besser in das Zentrum zeitgenössischer Sehnsüchte, zumindest bei den zahlungskräftigen Empfängern.

Assoziationen stiften

Ob ich auf etwas zustrebe oder mich davon abwende, das hängt stark davon ab, welche Gefühle der Gegenstand in mir auslöst. Die Art der Gefühle wiederum hängt davon ab, welche Erfahrungen ich damit gemacht habe, genauer gesagt: in seiner Gegenwart gemacht habe. Angenommen, ein Kind bekommt vom Arzt eine Spritze «verpaßt», es tut weh. Eine Woche später beim Friseur fängt das Kind an zu weinen. Nanu? Der Friseur hat einen weißen Kittel an, wie der Arzt. Das Kind hat «in Gegenwart» eines weißen Kittels schmerzhafte Erfahrungen gemacht – der an sich harmlose Kittel ist zum Auslöser von Angst geworden.

Dieser Vorgang heißt «Klassische Konditionierung», gemeint ist die Verknüpfung eines Reizes (Kittel) mit einer Reaktion (Angst). Wir leben in einer Welt von weißen Kitteln. Kaum etwas, was uns begegnet, läßt uns gefühlsmäßig neutral. Auf Grund früherer Verknüpfungserfahrungen werden bestimmte Gefühle ausgelöst, und die Gefühle versetzen uns in bestimmte Handlungsbereitschaften (z. B. schafft Angst Flucht- und Vermeidungsbereitschaft). Dieser Mechanismus läßt sich gut zur Beeinflussung nutzen. Unsere Werbefachleute sagen sich: Wir können nicht davon ausgehen, daß der Empfänger bei unserem Produkt von vornherein positive gefühlsmäßige Reaktionen (und eine entsprechende Handlungs-, nämlich Kaufbereitschaft) hat. Wie können wir aus unserem «harmlosen weißen Kittel» einen Kittel machen, der – nun allerdings positive – gefühlsmäßige Reaktionen hervorruft? Antwort: Indem wir ihn mit angenehmen Reizen koppeln. – Und so findet der Empfänger schöne Frauenbeine neben einem Autoreifen und eine Schnapsflasche vor dem Hintergrund einer reinen «gesunden» Berglandschaft vor. Merkt der Empfänger, daß sich hier eine Assoziation von Alkohol und Gesundheit einschleicht? Entsprechende Verknüpfungen finden statt zwischen Zigaretten und dem Duft einer großen, weiten Welt und zwischen Zitronenbrause und unbeschwerter Jugendlichkeit.

3.5 Die appellhaltige Begriffswelt

Die systematische Neu-Herstellung solcher Assoziationen ist das Geschäft der Werber und Propagandisten. Dagegen ist die Nutzung bereits vorhandener Assoziationen unser aller Geschäft, und zwar durch den Gebrauch der Sprache. Jedes Wort, das wir aussprechen, enthält nicht nur die lexikalische Bedeutung für das, was es bezeichnet, sondern hat allerlei Gefühlsanteile im Schlepptau, die sich aus vergangenen Erfahrungen ergeben. Diese Gefühlsanteile machen die Wertung aus, die wir mit dem Wort verbinden. Wertungen aber stellen keinen ästhetischen Luxus dar, den wir uns leisten, sondern haben eine ganz praktische Funktion: Sie steuern und rechtfertigen unser Verhalten, sie enthalten Appelle. Betrachten wir den Vorgang an einem Beispiel. Angenommen, jemand hat mit Personen, die auf der Straße stehen und um Geld bitten, folgende Erfahrungen gemacht: Immer, wenn ein solcher Mensch zu sehen war, machte die Mutter mit ihrem Kind einen kleinen Bogen und sagte: «Das ist ein Bettler, er ist faul und läßt sich von anderen Leuten Geld geben.» Dieses Kind lernt nicht nur das Wort Bettler wie eine Vokabel, sondern auch die Ablehnung, die sich mit dem Wort von nun an verbindet:

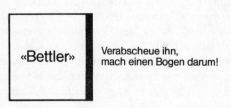

«Bettler»   Verabscheue ihn,
            mach einen Bogen darum!

Abb. 78: *Beispiel für appellhaltige Begriffe.*

Bei späterer Verwendung des Wortes wird die alte Ablehnung auf neue so bezeichnete Personen übertragen. Nehmen wir an, jemand sagt: «Per-Anhalter-Fahren ist doch nichts anderes als eine moderne Form von Bettelei!» Das Wort «Bettler» bzw. «Bettelei» hat hier den Transport von Gefühlen übernommen und enthält den entsprechenden Appell, einen «kleinen Bogen» um die so bezeichneten Personen zu machen, d. h. nicht anzuhalten.

Wir stoßen hier auf die Tatsache, daß die Wörter, die uns zur Darstellung von Sachverhalten zur Verfügung stehen, auf Grund von früheren Verknüpfungen fast sämtlich diese gefühlsmäßig wertenden Anteile im Schlepptau haben und somit in sich selbst bereits appellhaltig sind. Eine Zeitlang tobte durch die Nachrichtenmedien der Streit, ob von Baader-Meinhof-«Gruppe» oder von Baader-Meinhof-«Bande» zu sprechen sei. Abgesehen von der politischen Selbstoffenbarung, die in der Wortwahl lag, war der Streit deswegen so belangvoll und hartnäckig, weil mit der gewählten «Sprachregelung» unterschiedliche Appelle an die Bevölkerung verbunden waren: «Bande» enthält den eindeutigen Appell: «Setz dich davon ab, unterstütze diese Leute weder durch die Tat noch durch deine stille Sympathie!»

Abb. 79: *Zwei Bezeichnungen mit unterschiedlichen damit verbundenen Appellen.*

Aus diesen Überlegungen ist der Schluß zu ziehen: Da die Sprache, die uns zur Darstellung von Sachverhalten zur Verfügung steht, appellhaltig ist, können wir nicht nicht Einfluß nehmen. Wie jemand die Sachverhalte dieser Welt sprachlich darstellt, dies ist abhängig von seiner «Brille», mit der er die Welt sieht; und diese Brille wiederum ist abhängig von seinen Interessen. Jede sprachliche Darstellung enthält nun den Versuch, auch dem Empfänger diese Brille aufzusetzen. Denn umgekehrt ist die Brille auch Resultat der sprachlichen Darstellung – der Begriffe und Kategorien nämlich, die mir zur Verfügung stehen und meine Wahrnehmung ausrichten. Die Begriffe und Kategorien werden mir aber zur Verfügung gestellt von denen, die vor mir da sind und von denen, die sprachlich «am Drücker» sind (Inhaber der Medien und der Bildungsinstitutionen). In der ständigen Wechselwirkung von interessengeleiteter Brille und sprachlicher Darstellung (s. Abb. 80) haben diese Personen sozusagen den Vorteil des ersten Zuges.

So kann es kommen, daß ich die Welt teilweise mit der Brille derer sehe, die ganz andere Interessen haben als ich. In der Herstellung eines solchen «falschen Bewußtseins» sehen Systemkritiker eine

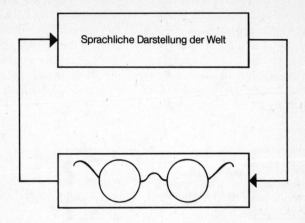

Abb. 80: *Wie ich die Welt sprachlich darstelle, hängt von meiner (interessenge-leiteten) «Brille» ab. Umgekehrt nimmt die mir zur Verfügung stehende Sprache Einfluß auf meine «Brille».*

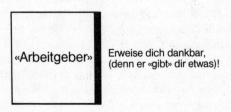

Abb. 81: *Die Appellseite des Begriffes «Arbeitgeber».*

Hauptfunktion der Schule im kapitalistischen System. – Als Einzelbeispiel dafür, wie die zur Verfügung gestellten und von allen übernommenen Sprachregelungen Appelle mit einseitiger Interessenausrichtung enthalten, wird gern das Begriffspaar Arbeitgeber–Arbeitnehmer angeführt: Das Wort Arbeitgeber legt nahe, daß hier jemand «gibt», und enthält den Appell an den «Nehmenden»,

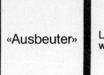

「«Ausbeuter»」 Laß dir das nicht bieten, wehre dich!

Abb. 82: *die Appellseite des Begriffes «Ausbeuter».*

dankbar zu sein und keine allzu fordernde oder gar klassenkämpferische Haltung einzunehmen.

Mit gleicher Berechtigung könnte man das Begriffspaar genau umgekehrt verwenden: Arbeitgeber für den, der seine Arbeitskraft gibt, nämlich zur Verfügung stellt; und Arbeitnehmer für den, der die Arbeit(sleistung) in Empfang nimmt und für seine Zwecke verwertet.

Das sprachliche Gegenstück zeigt sich in der Bezeichnung «Ausbeuter». Die gefühlsmäßigen Anteile, die dieser Begriff im Schlepptau hat, legen den Appell nahe: «Wehre dich! Laß das mit dir nicht machen!»

Wie überhaupt die herabsetzende sprachliche Etikettierung von Menschen oder Gruppen die «Erlaubnis» und die Aufforderung zur Gewalttätigkeit enthält (Judensau, linke Gammler, Bullen, Ungeziefer usw.). Mit Recht spricht man von emotionalen Appellen, wenn die Handlungsaufforderung nicht argumentativ begründet wird, sondern wenn durch Verwendung von Begriffen und Formulierungen diejenigen Gefühle (und Handlungsbereitschaften) geweckt werden, die diese Begriffe – wie wir es nannten – «im Schlepptau» haben.

4. Paradoxe Appelle

4.1 «Vom Anbefehlen des Gegenteils»

Wir haben bisher als selbstverständlich unterstellt, daß in jedem (offenen oder verdeckten) Appell die Richtung zum Ausdruck kommt, in die der Empfänger sich bewegen soll. Dies scheint banal und selbstverständlich. Wenn ich möchte, daß der andere kommen soll, dann werde ich sagen: «Komm her!» und nicht: «Bleib, wo du bist!» Wenn ich möchte, daß der Empfänger ein bestimmtes Getränk kauft, dann werde ich in einer Werbesendung jemanden zeigen, der es trinkt und sagt: «Herrlich erfrischend!» – dagegen werde ich nicht zeigen, wie er sagt: «Schmeckt scheußlich!» und sich hinterher erbricht.

So scheint es zunächst widersinnig, Appelle in die Gegenrichtung überhaupt in Betracht zu ziehen. Sehen wir uns aber ein von Adler (1973) mitgeteiltes Beispiel an (s. Abb. 83):

Die zweijährige Tochter tanzt auf dem Tisch herum. Entsetzt ruft die Mutter: «Komm sofort herunter!» – die Tochter tanzt weiter – Appell wirkungslos. Der dreijährige Bruder ruft: «Bleibe oben!», sofort steigt die Kleine herunter.

Abb. 83: *Unterschiedliche Appell-Strategien von Mutter und Tochter.*

Alfred Adler kommentiert diesen Vorfall: «Es ist gar keine Frage, daß man einem Kinde beibringen kann, darin seine Größe zu fühlen, wenn es das Gegenteil tut, was einer ihm rät» (1973, S. 44). Wir hatten schon erörtert, daß der um seine Selbstachtung besorgte Empfänger sich unter Umständen einem Appell nicht deshalb widersetzt, weil er ihm ungelegen kommt, sondern weil er ihn als unzulässigen Eingriff in sein «Königreich» erlebt und die Befolgung als Eingeständnis einer persönlichen Niederlage. Umgekehrt kann die Nicht-Befolgung als Beweis der eigenen Unabhängigkeit erlebt werden und somit als Gelegenheit, die eigene «Größe zu fühlen» (schon dadurch, daß dem appellierenden Sender ein Mißerfolg beschert wird). – Adler sprach von der Erscheinung des *gegenteiligen Erfolges:* «Es wäre oft nicht schwer, Kinder wie auch Erwachsene durch Anbefehlen des Gegenteils auf den richtigen Weg zu bringen» (1973 a, S. 220). Die Möglichkeit eines «gegenteiligen Erfolges» beruht auf der Tatsache, daß mit einem Appell oft ein Druck verbunden ist, der einen Gegendruck beim Empfänger hervorruft. Und zwar, wie wir gesehen haben, besonders dann, wenn sich mit dem Appell gleichzeitig die «Oberhand-Frage» stellt und/oder wenn der Appell beim Empfänger eine Veränderung intendiert, die diesem unbequem oder unmöglich ist. Satirisch gemeint, aber mit einem «Körnchen Wahrheit» ist der mit dem Datum des 15. Oktober 1810 datierte «allerneuste Erziehungsplan», den Heinrich von Kleist in den Berliner Abendblättern vorstellte:

«...sind wir gesonnen, eine sogenannte Lasterschule, oder vielmehr eine Gegensätzesche Schule, eine Schule der Tugend durch Laster, zu errichten.

Demnach werden für alle einander entgegenstehenden Laster Lehrer angestellt werden, die in bestimmten Stunden des Tages, nach der Reihe, auf planmäßige Art, darin Unterricht erteilen: In der Religionsspötterei sowohl als in der Bigotterie, im Trotz sowohl als der Wegwerfung und Kriecherei und im Geiz und in der Furchtsamkeit sowohl als in der Tollkühnheit und der Verschwendung.

Diese Lehrer werden nicht bloß durch Ermahnungen, sondern durch Beispiel, durch lebendige Handlung, durch unmittelbaren praktischen, geselligen Umgang und Verkehr zu wirken suchen...

In der Unreinlichkeit und Unordnung, in der Zank- und Streitsucht und Verleumdung wird meine Frau Unterricht erteilen. Liederlichkeit, Spiel, Trunk, Faulheit und Völlerei behalte ich mir vor.» (Sämtliche Werke o. J., S. 946)

Diesem Plan vorangestellt sind Überlegungen zum «gemeinen Gesetz des Widerspruchs»:

«...das Gesetz, das uns geneigt macht, uns, mit unserer Meinung, immer auf die entgegengesetzte Seite hinüberzuwerfen. Jemand sagt mir, ein Mensch, der am Fenster vorübergeht, sei so dick wie eine Tonne. Die Wahrheit zu sagen, er ist von gewöhnlicher Korpulenz. Ich aber, da ich ans Fenster komme, ich berichtige diesen Irrtum nicht bloß, ich rufe Gott zum Zeugen an, der Kerl sei so dünn als ein Stecken» (ebd., S. 943).

Tatsächlich läßt sich in Diskussionen häufig beobachten, daß bei einem komplexen Diskussionsgegenstand mit positiven und negativen Aspekten leicht eine *Polarisierung* eintritt der Art, daß wenn der Sprecher A die positiven Aspekte betont, sich gleich ein Sprecher B findet, der, gleichsam *die noch freie Position einnehmend,* die negativen Aspekte dagegenhält. Jeder Spruch erzeugt seinen Widerspruch. Dieser Vorgang enthält Chancen und Gefahren. Die Chancen liegen darin, daß die verschiedenen Aspekte eines Sachgegenstandes durch die verschiedenen Gesprächsteilnehmer sozusagen ihre «Anwälte» bekommen und daß die «ganze Wahrheit» somit erst in der Kommunikation zutage tritt; daß die Synthese formulierbar wird, wenn These und Antithese gut vertreten waren. Die Gefahr hingegen ist, daß die Anwälte der Aspekte sich als Vertreter von Halbwahrheiten bekämpfen, ein Beziehungsgraben aufreißt und die Kommunikation in den Zustand der «heillosen Verflochtenheit» von Sach- und Beziehungsebene gerät (vgl. S. 200).

Das «gemeine Gesetz des Widerspruchs» läßt sich gut in folgendem Gesprächsexperiment demonstrieren: Ein Sender, der sich in einer schwierigen Entscheidungssituation befindet, trägt einen «Ja-aber-Standpunkt» vor (Beispiel: «Ich möchte ja gern ein Kind, aber wird die Belastung nicht zu groß sein?»). Reagiert nun der Empfänger, indem er sich für den «Ja-Standpunkt» stark macht («Kinder machen doch soviel Freude!»), dann wird der Sender eher in die Bedenken hineingetrieben und den «Aber-Standpunkt» weiter ausbauen («Aber sie binden einen auch sehr an!»). – Übernimmt der Empfänger hingegen den Aber-Standpunkt («Die Belastungen sind enorm – du verlierst jede Freiheit, bist nur noch für die Kinder da!»), dann werden des Senders Energien mit größerer Wahrscheinlichkeit in den Ja-Standpunkt hineinfließen («So schlimm ist es auch wieder nicht, außerdem bereichern Kinder das Leben doch auch!»).

4.2 Lösungen erster und zweiter Ordnung

Auf Grund etwas anderer Überlegungen kommen die Psychotherapeuten und Kommunikationspsychologen Haley (1978) sowie Watzlawick, Weakland und Fisch (1974) zu einer Beeinflussungsmethode, die wir Appelle in die Gegenrichtung genannt haben. Für den vorliegenden Zweck können ihre Gedanken vereinfacht wie folgt zusammengefaßt werden:

Probleme bestehen darin, daß gewisse wünschenswerte Ereignisse oder Zustände nicht oder zu wenig vorhanden sind oder darin, daß etwas nicht Wünschenswertes (zuviel) vorhanden ist. Beispiel: In einem Raum ist es zu kalt (= zuwenig Wärme), der 12jährige Sohn macht seine Hausaufgaben nicht (= zuwenig Einsatz für die Schule), Herr X hat einen Raucherkatarrh (= zuviel Rauchen). Die naheliegende und häufig erfolgreiche Lösung solcher Probleme besteht in der *Einführung des Gegenteils*: Dem kalten Raum wird Wärme zugeführt; der 12jährige wird angehalten, mehr Einsatz für die Schule zu bringen; Herr X erhält vom Arzt ein Rauchverbot. Kennzeichnend für diesen Lösungstyp ist, daß, wenn die getroffene Maßnahme sich als zu schwach erwiesen hat, durch *ein Mehr derselben Maßnahmen* schließlich der Erfolg sichergestellt wird: Hat die Wärmezufuhr nicht ausgereicht, muß noch mehr geheizt werden; haben sanfte Ermahnungen des 12jährigen nicht genug bewirkt, setzen die Eltern «mehr Druck dahinter» usw.

Wesensmerkmale dieser *Lösung erster Ordnung* ist also die Einführung des Gegenteils und im Falle mangelnden Erfolges die Verstärkung derselben Maßnahmen. Für uns von Bedeutung ist der Fall, daß die Lösungs-Maßnahme in einer kommunikativen Beeinflussung besteht. Lösungen erster Ordnung sind dann gleichbedeutend mit «Appellen in die gewünschte Richtung».

Nun gibt es aber Probleme, für die eine Lösung erster Ordnung unangemessen ist; wo die Einführung des Gegenteils nichts bewirkt und ein Mehr derselben Maßnahmen alles nur noch schlimmer macht. Oftmals wird in solchen Fällen der Lösungsversuch selbst zum Hauptproblem.

Beispiele (in Anlehnung an Watzlawick u. a. 1974):

Dem Problem des Alkoholismus versuchte man (z. B. in den USA) beizukommen, indem man den Konsum einschränkte (Einführung des Gegenteils) und schließlich ganz verbot (Mehr derselben Maßnahmen). «Doch das ‹Heilmittel› der Prohibition erweist sich als das größere Übel als die zu behandelnde Krankheit» (Watzlawick u. a. 1974): Schwarzbrennereien, kriminelle Verteilerorganisationen, Korruption, Gangstertum, Gesundheitsschäden durch unreinen «Fusel».

Der Melancholische ist betrübt und sieht mit seiner negativen Brille nur die unvorteilhaften Seiten des Lebens. Freunde und Verwandte versuchen ihn «aufzuheitern» und führen ihm die schönen Seiten des Lebens vor Augen

(Einführung des Gegenteils). Wie wir wissen, sind Appelle ein untaugliches Mittel zur Veränderung gefühlsmäßiger Zustände (vgl. S. 215). Der Melancholische wird noch trauriger, da man ihm zeigt, wie «unvernünftig» seine Reaktionen sind. Freunde und Verwandte verdoppeln nun ihre Anstrengungen (Mehr derselben Maßnahme), und am Ende ist aus der ursprünglichen Traurigkeit eine schlimme Depression geworden.

Ein Ehemann wünscht in der Ehe «seine Freiheit» zu bewahren und geht zuweilen allein fort. Die Frau ist darüber beunruhigt und sendet Appelle in die gewünschte Richtung: Vorwürfe, Vorschläge, aus diesem oder jenem Grund zu Hause zu bleiben usw. Der Mann fühlt infolge dieses Drucks seine Ehe als eine Art Fessel (oder Gefängnis). Je mehr die Frau ihn bedrängt, desto stärker wird dieses Gefühl und desto größer sein Wunsch nach Freiheit und desto häufiger seine «Ausbrüche» – um sich selbst (und seiner Frau) diese Freiheit zu beweisen.

Auch bei dem letzten Beispiel liegt auf der Hand, daß ein «Mehr derselben Maßnahmen» (Vorwürfe, Versuche der Einflußnahme) genau das Gegenteil des gewünschten Effektes bewirken; und daß die einzig aussichtsreiche Lösung (aus der Sicht der Frau) darin besteht, «weniger derselben Maßnahmen» zu verwirklichen: Wenn sie (durch ihr gesamtes Verhalten) signalisiert: «Es ist o.k., wenn du gehst!» – dann wird sein Wunsch hinfällig, aus einem «Gefängnis auszubrechen» – denn es ist ja gar kein Gefängnis mehr!

Aus den bisherigen Überlegungen ergibt sich: Bei manchen Problemen helfen Lösungen erster Ordnung nicht nur nicht, sondern tragen derart zur Verschärfung des Problems bei, daß die Lösung selbst zum eigentlichen Problem wird. Diese Einsicht führt zu einer neuen Lösungsstrategie. Sie lautet: Wenn du ein Problem vor dir hast, das offenbar schwierig zu lösen ist, dann prüfe, ob nicht die Hartnäckigkeit des Problems durch falsche Lösungsversuche erster Ordnung bedingt ist. Ist dies der Fall, dann richte deinen Lösungsversuch nicht gegen das Problem selbst, sondern gegen diese falschen Lösungsversuche. Oftmals wird dadurch das Problem nicht nur entschärft, sondern auf überraschende Art vollends gelöst. Watzlawick u.a. (1974) sprechen von Lösungen zweiter Ordnung. Wesensmerkmal solcher Lösungen: Sie richten sich nicht gegen die Schwierigkeit selbst, sondern gegen die Lösungsversuche erster Ordnung, die aus der bloßen Schwierigkeit ein «dickes» Problem machen.

4.3 Symptomverschreibungen

Wir haben gesehen, daß Appelle in die Gegenrichtung den Versuch einer Lösung zweiter Ordnung darstellen. In der psychotherapeutischen Praxis nehmen solche paradoxen Appelle oft die Form einer «Symptomverschreibung» an. Der Klient wird nicht ermahnt, das Symptom aufzugeben. Denn Appelle fruchten nichts bei Reaktionen, die keiner willkürlichen Steuerung unterliegen. Statt dessen wird der Klient angewiesen, das Symptom auszuführen! Ein paar Beispiele hierfür:

Jemand hatte Schwierigkeiten einzuschlafen. Seine Lösungsversuche bestanden darin, den Schlaf durch allerlei Techniken herbeizuführen («Schafe zählen», Selbstsuggestionen usw.). Schlaf aber muß sich spontan ereignen, läßt sich durch bewußte Willensakte nicht herbeiführen – ja, die Willensanstrengungen verhindern geradezu das Einschlafen. So wurde aus der Schwierigkeit ein ernstes Problem (verschärft durch Medikamente). Eine Lösung zweiter Ordnung richtet sich gegen die versuchten Fehllösungen und besteht in dem Appell des Therapeuten: «Halten Sie die Augen offen und versuchen Sie wach zu bleiben. Erst wenn der Schlaf Sie übermannt, dürfen Sie die Augen schließen!» Durch diesen Appell in die Gegenrichtung wird der Klient an seinen Lösungsversuchen (erster Ordnung) gehindert. Damit wird die Hauptbarriere für das spontane Einschlafen beseitigt.

Ein Ehepaar, das sich nicht mehr versteht, wird angewiesen, sich täglich zweimal, sagen wir von 8 bis 8.10 Uhr und von 19.45 bis 19.55 Uhr, in gereizter, feindseliger Art zu streiten.

Ein Patient mit einem bestimmten Tic erhält die Anweisung, diesen Tic in exzessiver Weise absichtlich auszuführen.

Um zu verstehen, wieso Symptomverschreibungen geeignet sein können, den Klienten von seinem Symptom zu heilen, müssen wir einen kurzen Einblick in das Wesen der sog. Sei-spontan-Paradoxie nehmen:

Paradoxe Appelle als Krankmacher und als Gesundmacher. Manche Appelle, die Eltern an ihre Kinder, Vorgesetzte an ihre Mitarbeiter, (Ehe-)Partner aneinander richten, sind paradox. «Sei doch nicht immer so nachgiebig, immer tust du genau das, was ich dir sage!» sagt ein Mann zu seiner Freundin. Das Paradoxe an dieser Aufforderung liegt darin, daß die Freundin dem Appell nur nachkommen kann, indem sie ihm nicht nachkommt. Denn kommt sie ihm nach, dann hat sie schon wieder das getan, was er ihr auftrug. Will sie dem Appell aber nicht nachkommen (und somit Eigenständigkeit zeigen), dann muß sie ihr altes, nicht-eigenständiges Verhalten beibehalten. Das Teuflische an solchen paradoxen Appellen ist, daß der Empfänger – was er auch tut – immer nur verlieren, d. h. ein Verhalten zeigen kann, das der Sender ihm hinterher vorwerfen kann.

Kommunikationsforscher meinen herausgefunden zu haben, daß derartige «Sei spontan!»-Paradoxien gehäuft in Familien mit schizophrenen Mitgliedern gesendet werden, daß solche Appelle vermutlich gefährliche «Krankmacher» sind, da sie dem (zur Metakommunikation unfähigen) Empfänger keinen Ausweg lassen.

Umgekehrt lassen sich paradoxe Appelle aber auch als «Gesundmacher» verwenden, wenn man sie gezielt gegen Symptome einsetzt, die naturgemäß auch spontan sind und durch «Verschreibungen» daher irgendwie «unmöglich» werden. Das Ehepaar, das sich «auf Befehl» streiten soll, wird feststellen, daß es nicht recht gelingen will. Wenn aber die Ausführung eines Symptoms nicht gelingt, ist dies die Heilung (oder doch wenigstens ein erster wichtiger Schritt). In ähnlicher Weise führt das absichtliche Herbeiführen des Tics dazu, daß dieser seinen spontanen Charakter verliert. Der Klient wird «Herr» über sein Symptom, ist ihm nicht mehr ausgeliefert.

4.4 Paradoxe Appelle als taktisches Manöver zur Oberhand-Sicherung

Die bisher dargestellten Überlegungen lassen sich zusammengefaßt auf einen etwas einfacheren Nenner bringen: Eine Handlung ändert ihre psychologische Qualität, wenn sie appellgemäß erfolgt. Dieser Umstand läßt sich taktisch nutzen, und zwar dann – wie wir gesehen haben – wenn die Handlung in ihrem Wesen spontan ist. Durch Instruktion verliert sie ihren Charakter oder wird ganz unmöglich. Dasselbe gilt für Handlungen, die als Beweis für die eigene Unabhängigkeit und Unbeeinflußbarkeit dienen sollen. Das Verhalten von Kindern und Jugendlichen ist vielfach von diesem Motiv bestimmt, besonders wenn die Erzieher mit deutlich autoritärem Anspruch auftreten. In dem Augenblick, wo der Zweijährigen gesagt wird: «Bleib sofort da oben und tanz weiter!», verändert sich der Charakter ihrer Handlung: Bis eben die dreiste Demonstration einer «Ich-mach-was-ich-will-Haltung» wird sie nun zu einer Befehlsausführung (die dann auch prompt «verweigert» wird). Der Gebrauch paradoxer Appelle jedoch ist in der Erziehung und im mitmenschlichen Zusammenleben überhaupt ein zweischneidiges Schwert, so «erfolgreich» sie unter Umständen auch sein können. «Es wäre oft nicht schwer, Kinder wie auch Erwachsene durch Anbefehlen des Gegenteils auf den richtigen Weg zu bringen. Nur liefe man dabei Gefahr, alle Gemeinschaftsgefühle zu untergraben, ohne die Selbständigkeit des Urteils zu fördern; und ‹negative Abhängigkeit› ist ein größeres Übel als Folgsamkeit.» (Adler 1973 a, S. 220)

In Ausnahmefällen hingegen mögen paradoxe Appelle eine Notlösung zur Sicherung der Oberhand darstellen. Trage ich einer lärmenden Schulklasse auf, sie solle starken Lärm machen – so mögen folgende Vorteile dieses Verhalten in Betracht kommen lassen: 1. Ich gewähre der Klasse, was sie (im Augenblick) offenbar braucht. 2. Reagiert sie appellgemäß, dann immerhin unter meinem Kommando. Ich benötige ein Minimum an Oberhand, auch und gerade dann, wenn ich schrittweise partnerschaftliche Umgangsformen einzuführen bestrebt bin. – Reagiert die Klasse hingegen appellwidrig, habe ich, was ich will und kann das Geschehen leichter steuern. – Ein Beispiel von Zulliger beschreibt Röhm: Permanente Prügeleien unter den Schülern fanden nun unter Anleitung des Lehrers statt: «Der Streit wird hier ausgetragen. Einer haut dem anderen eine herunter, ringsum. Wer genug hat, kann sich melden und darf dann heimgehen! Los!» (Zulliger 1970, zitiert nach Röhm 1972, S. 128)

5. Offene Appelle

Verdeckte und paradoxe Appelle stellen den Versuch dar, die Spuren der eigenen Absichten zu verwischen. Dies kann, wie wir gesehen haben, um der Wirkung willen mit gutem Grund geschehen. Wo allerdings der Wunsch besteht, jenseits von Manipulation und Geschicklichkeit sich eine Welt der klaren, ehrlichen, herrschaftsfreien Beziehungen aufzubauen, dort gehört der offene Appell, also der direkte Ausdruck von Wünschen und Aufforderungen, zu den tragenden Säulen einer solchen Kommunikation. In vielen Fällen kann der offene Appell nachgerade zum «Heilmacher» einer «kranken» Kommunikation werden (s. S. 249). So wissen etwa Ehetherapeuten zu berichten, daß manche Partnerschaft daran krankt, daß die Partner ihre Wünsche nicht oder nur in ganz verschlüsselter Form mitteilen. Der Sender legt damit gleichzeitig die Saat für die eigene Enttäuschung; die Nicht-Erfüllung der Wünsche durch den Empfänger mag schlicht auf seiner Uninformiertheit beruhen.

Viele der «guten Gründe», die den Sender halbbewußt veranlassen, den direkten, offenen Appell zu vermeiden, erweisen sich bei näherem Hinsehen als selbstgebaute Hindernisse auf dem Weg zu einer befriedigenden Mitmenschlichkeit. Bevor wir den aussichtsreichen Umgangsstil betrachten, der mit dem offenen Appell verbunden ist, wollen wir uns einige dieser «guten Gründe» ansehen, die den Sender oft zu Indirektheit und Unklarheit verführen.

5.1 Gründe für die Vermeidung offener Appelle im zwischenmenschlichen Umgang

Selbstoffenbarungsangst. Wer Appelle sendet, gibt damit eigene Interessen und Wünsche preis. Jeder Appell hat somit eine Selbstoffenbarungs-Komponente, die der Sender bekanntlich gern verbirgt (vgl. S. 100ff). Manche Appelle enthalten eine Bitte um Hilfe, einen Wunsch nach Kontakt oder «gar» das Bedürfnis nach «unnormalen» sexuellen Praktiken. Indem der Sender seinen Appell sehr indirekt gibt, hat er einerseits die Chance, daß der Empfänger die Signale versteht und «von sich aus» darauf eingeht. Der Sender kann dies dann «über sich ergehen lassen»; er hat, was er will, ohne durch Preisgabe seiner Bedürfnisse eine (vermeintliche) Prestige-Einbuße erlitten zu haben. Andererseits kann er – auf Nachfrage «Möchtest du etwa, daß ich...?» – den Appell dementieren («Mit keinem Wort habe ich von dir verlangt...») und sich so vor Entlarvung schützen.

Angst vor Zurückweisung. Bei jedem Appell besteht die Möglichkeit, daß der Empfänger das Ansinnen zurückweist. Der um sein Selbstwertgefühl besorgte Sender würde diesen «Korb» als Zurückweisung seiner Person erleben. Indem er indirekt und verschlüsselt appelliert, gibt er dem Empfänger die Möglichkeit, den Appell zu «überhören» und erspart sich damit eine ausdrückliche Zurückweisung.

«Kinder mit 'nem Willen...» Viele haben in ihrer Erziehung gelernt, sich mit eigenen Wünschen zurückzuhalten («Kinder mit 'nem Willen kriegen was auf die Brillen!»). So wirkt dann das Gefühl «Es steht mir gar nicht zu, meine Wünsche zu äußern und zu vertreten» als eine Art Dauerbremse. Dies ist oft ein Teil des Leidens derer, die auf Grund ihrer Gehemmtheit und Schüchternheit um Psychotherapie ersuchen. Sie lernen in einem Assertiven Training (Übungen zur Selbstbehauptung), ihre Interessen selbstbewußt und deutlich zu vertreten. Die Übungen sind so gestaffelt, daß am Anfang leichte Aufgaben zu bewältigen sind (z. B. jemanden um Feuer bitten), dann mit zunehmenden Erfolgserlebnissen immer schwierigere (z. B. im Restaurant ein Gericht zurückgehen lassen, wenn es unzumutbare Mängel aufweist).

Unklares Ausmaß an «Zumutung». Vor jedem Appell schätzt der Sender unter Berücksichtigung vieler Umstände ab, ob es dem Empfänger zuzumuten ist, dem Wunsch nachzukommen. Wenn dies eindeutig zu verneinen ist, kann ein dennoch geäußerter Appell geradezu als aggressive Handlung aufgefaßt werden. Oft aber bewegt sich ein Appell im Grenzbereich von Zumutbarkeit und Unzumutbarkeit, auch davon abhängig, wie die Motivationslage des Empfängers beschaffen ist. Ein indirekter, verschleierter Appell testet die Zumutbarkeit, ohne als aggressive Handlung eine Verschlechterung der Beziehung zu riskieren. Beispiel: Nach einer gemeinsamen Unternehmung wollen A und B abends nach Hause. B besitzt ein Auto. Ist es zumutbar, daß er A nach Hause fährt? A läßt einen «Versuchsballon» steigen: «Wie komme ich denn jetzt nach Hause – fährt hier irgendwo eine Straßenbahn?»

Ermöglichung von «Freiwilligkeit». Wie wir gesehen haben, verändert eine Handlung ihren Charakter, wenn sie appellgemäß erfolgt (S. 237). Oftmals wird sie für den Empfänger infolge des Appells unattraktiv. Was soll der Sender tun, der dies weiß, aber trotzdem Einfluß nehmen möchte? Der Sender kann versuchen, einen Appell so indirekt zu geben, daß der Empfänger ihn (scheinbar) «überhören» – und anschließend «freiwillig» appellgemäß handeln kann. Wenn ein Gastgeber sagt: «Es war ein schöner Abend...» und durch das «war» zu erkennen gibt, daß er einen Abschluß nun durchaus für angebracht hält, dann kann der Gast nach einiger Tarnungszeit «von sich aus» zum Aufbruch blasen: «Sei nicht böse, Kurt, aber wir müssen jetzt gehen.»

Befürchtung, daß dem Empfänger der Mut zum «Nein» fehlt. In vielen Fällen möchte der Sender einen Wunsch nur dann erfüllt bekommen, wenn der Empfänger es auch «wirklich gerne» tut oder wenn es ihm zumindest «nicht allzuviel ausmacht». Eigentlich läge nichts näher, als dies durch eine Frage zu erkunden. Aber manche

Empfänger halten eine Ablehnung für beziehungsschädlich und kommen dem Appell in falsch verstandener Nächstenliebe nach, vielleicht innerlich grollend. Genau dies aber fürchtet der Sender. Was tut er? Entweder verzichtet er ganz darauf, seinen Wunsch vorzutragen, oder er begnügt sich mit einer schwachen Andeutung, um dem anderen eine implizite Ablehnung zu ermöglichen, die im «Überhören» der Appellseite besteht.

Romantische Vorstellung von «Liebe». Manche Menschen sehen es als Beweis der echten Liebe an, wenn es gelingt, dem anderen «die Wünsche von den Augen abzulesen», also auf den offenen Appell gar nicht angewiesen zu sein. In ihren Augen würde der ausgedrückte Wunsch seine Erfüllung entwerten. – Obwohl nicht zu leugnen ist, daß ein solcher Von-den-Augen-Ablesestil das Gefühl von inniger Verbundenheit begründen und verstärken kann, besteht hier die Gefahr der «Konfluenz» (des Zusammenfließens), d. h. der unentwirrbaren Verflechtung von eigenen Phantasien und Wünschen des anderen. Beispiel für konfluenten Umgangsstil: «Wollen wir heute ins Kino gehen?» fragt der Mann, in der Meinung, er müsse seiner Frau ‹mal wieder etwas bieten›. Sie bejaht, um ihm einen Gefallen zu tun.

Vermeidung von Verantwortung. Ein Abteilungsleiter steht bei seinen Mitarbeitern in dem Ruf, nie klar zu sagen, was er wirklich will, das sie tun sollen. «Er bittet mich zu einem Gespräch, macht lange, umständliche Ausführungen (= auf der Sachseite der Nachricht), und ich rätsel immer nur, was er von mir will (= welcher Appell in seiner Nachricht steckt). Ich ahne es manchmal, aber er läßt sich da auch nie festlegen!» – berichtet einer seiner Mitarbeiter. Vermutlich hat sich dieser Abteilungsleiter einen Kommunikationsstil angewöhnt, der ihn aus folgendem Dilemma befreit: Einerseits möchte er Einfluß nehmen. Andererseits besteht aber immer die Möglichkeit, daß sich Entscheidungen als falsch herausstellen, daß die Sache «schief» geht, oder daß die Entscheidung für andere Personen nachteilig ist und man sich «Feinde macht». Für solche Fälle ist es am besten, die Urheberschaft der betreffenden Entscheidung dementieren zu können, notfalls sogar gekonnt «aus allen Wolken zu fallen». Die Appelle werden so gesendet, daß sie zwar dem Empfänger die Richtung weisen, daß aber der Sender hinterher nicht darauf «festgenagelt» werden kann. Eine (oft unbewußt eingesetzte) Strategie, der Verantwortung zu entgehen. Auch hier wieder: es tun, aber es hinterher nicht gewesen sein...

5.2 Der offene Appell als Heilmacher einer kranken Kommunikation

Der offene Appell (= einen Wunsch direkt äußern) steht im Gegensatz zu

☐ den taktischen Schleichwegen (verdeckte und paradoxe Appelle);
☐ dem konfluenten Umgangsstil (vgl. S. 245), wo zwischen meinen und deinen Wünschen nicht klar unterschieden wird und die gemachten Vorschläge die vermeintlichen Wünsche des anderen enthalten;
☐ den unausgedrückten Wünschen. Diese verwandeln sich in Gift und kommen nicht selten als Vorwürfe (= Wünsche hinterher!) zum Ausdruck.

Überhaupt steht der offene Wunsch im Gegensatz zu jeder
☐ rückwärtsblickenden Klage («Hättest du nicht...»). Statt diesem «Blick zurück im Zorn» hat der offene Wunsch den Blick nach vorn.

Also sollten die Energien in die Zukunftsgestaltung und nicht allzusehr in die Klage über das Gewesene hineinfließen. Beispiel (s. Abb. 84): «Würdest du heute das Geschirr spülen?» ist besser als «Könntest du nicht wenigstens heute mal das Geschirr spülen?» Die zweite Version enthält einen Vorwurf als korrelierte Botschaft (vgl. S. 65ff) und macht es dem Empfänger schwer, dem Appell frohen Herzens nachzukommen, schon deshalb, weil dies mit dem Eingeständnis einer Schuld zusammenfallen würde.

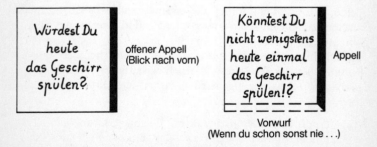

Abb. 84: *Offene Appelle sind nur dann «Heilmacher», wenn sie kein Beziehungs-«Gift» im Schlepptau haben.*

Wie häufig kommt es vor, daß der Empfänger dem Appell selbst gern nachkommen würde, aber die *mitgesendete Atmosphäre* seine Bereitschaft zerstört. Die Folge: ungehorsame Kinder und trotzige Ehepartner.

Der Empfänger seinerseits kann sich diese Überlegungen zunutze machen, indem er, konfrontiert mit Beschwerden und Anklagen, die Frage nach dem Appell stellt: «Ich höre viel Ärger über das, was gewesen ist – wie möchten Sie, daß wir in Zukunft verfahren sollen?» Durch diese kleine Weichenstellung kann das Gespräch eine ganz neue Richtung nehmen.

5.3 Notwendige mit dem offenen Appell verbundene Grundhaltungen

Ich habe den offenen Appell als ein kommunikationspsychologisches Heilmittel empfohlen. Jedoch ist dies schnell empfohlen und schwierig in die Tat umzusetzen. Ich möchte jetzt einige Voraussetzungen und einige notwendige Grundhaltungen ansprechen, die sich mit dem offenen Appell verbinden müssen – sonst besteht die Gefahr neuer Schwierigkeiten.

Mit sich selber klar sein. Der offene Appell setzt voraus, daß der Sender sich darüber im klaren ist, was er will. Diese Voraussetzung scheint selbstverständlich, ist in der Realität aber häufig nicht gegeben. So ist es oft leichter, sich den Wünschen anderer zu fügen (und sich ggf. hinterher zu beschweren), als selbst klare eigene Wünsche ins Spiel zu bringen. Ruth Cohn (1975) empfiehlt, klein anzufangen: Ihre Übung lautet: «Ich muß tun, was ich will – für 10 Minuten. – Ein therapeutisches Spiel für Psychotherapeuten, Patienten und andere Leute.» Sie empfiehlt ferner, dieses Spiel zunächst allein im eigenen Zimmer zu spielen – die Anwesenheit anderer macht das Spiel um eine Stufe schwieriger.

Auch hier stehen wir wieder vor der Tatsache, daß eine gute Kommunikation die innere Klarheit voraussetzt. Allerdings kann das Aussprechen der eigenen Unklarheit ein Mittel zur Selbstklärung sein.

Appell mit Informationscharakter. Folgende Grundhaltung muß sich mit dem offenen Appell verbünden, um zu einem konstruktiven Umgangsstil zu führen:

☐ Ich sage meinen Wunsch, damit du informiert bist. Ich sage ihn um der Transparenz der Situation willen, nicht, um ihn unbedingt durchzusetzen. Genauso möchte ich wissen, was du willst, wiederum nicht um mich gleich zu fügen, sondern um Entscheidungen auf der Grundlage vollständiger Informationen treffen zu können.

Unter diesem Vorzeichen hat der offen vorgetragene Wunsch nichts mit Egoismus zu tun. «Du hast zehn Semester Egoismus studiert!» beklagte sich der Partner einer Psychologie-Studentin, die während ihres Studiums gelernt hatte, klar zu sagen, was sie will. Dies mag ein zutreffender Vorwurf gewesen sein, in Verbindung mit der obigen Grundhaltung jedoch wäre er unberechtigt. Der klare Wunsch enthält nicht den Willen seiner unbedingten Durchsetzung, «altruistisch» kann man hinterher immer noch sein.

Der hier empfohlene Umgangsstil sei an einem kleinen Alltagsbeispiel verdeutlicht: Ein Gastgeber sagt zu seinen Gästen, die sich anschicken, ein Mittagsschläfchen zu halten:

«Ich würde gerne noch ein wenig Flöte üben, würde euch das stören?»

Bevor wir hören, wie die Gäste antworten, halten wir uns vor Augen, wie unüblich ein solch offener Appell ist. 99% aller Gastgeber würden ihn nicht vortragen, mit etwa folgenden Gedanken:

«Zwar würde ich jetzt gerne Flöte üben, aber das kann ich meinen Gästen nicht antun, bestimmt würde es sie stören. Wenn ich fragen würde, würden sie bestimmt antworten: ‹Nein, nein, das stört uns nicht!› – aber nur, weil sie mir keine Umstände bereiten möchten.»

Und so halten die 99% der Gastgeber ihren Wunsch zurück, fangen an, sich etwas eingeengt zu fühlen und legen selbst den Grundstein für die Lebensweisheit: «Gäste sind wie Fische – nach drei Tagen fangen sie an zu stinken.»

Wie antwortete der Gast?

«Ja, stören würde es mich schon.»

Ebenso ein Appell mit Informationscharakter («das heißt nicht, daß du nicht üben sollst!»). 99% aller Gäste hätten «altruistisch» geantwortet: «Nein, nein, spiel nur! Laß dich durch mich überhaupt nicht einschränken!» – und hätten gedacht: «Muß er denn unbedingt in der Mittagszeit üben!?»

Erst jetzt, nachdem die Wünsche offenliegen, kann eine Lösung gefunden werden. Aber ich behaupte: Ganz gleich, wie die Lösung ausfällt (Üben, Nicht-Üben, Später-Üben, Kurz-Üben, Woanders-Üben) – *die wichtigste Lösung ist bereits erreicht:* Sie liegt auf der kommunikativen Ebene –, Gast und Gastgeber sind miteinander im Kontakt und fühlen sich frei, ihre Wünsche auszudrücken. In einer solchen «Luft» läßt sich atmen, stinken die Fische nicht so rasch!

Verantwortung des Empfängers. Nachdem der Appell offen ausgedrückt worden ist, sind zwei Reaktionen des Empfängers möglich: Ja oder Nein. Wenn er dem Appell nachkommt (ja), ist es wichtig, daß er sodann die Eigenverantwortung für die appellgemäße Handlung übernimmt und sich nicht hinterher darauf beruft: «Du hast es ja so gewollt – ich kann nichts dafür!» Wenn ich in gleichberechtigten Beziehungen die Freiheit habe, einem Appell nachzukommen oder nicht nachzukommen, dann beruht ein appellgemäßes Verhalten auf meiner Entscheidung und enthält meine Urheberschaft. Verantwortung für appellgemäße Handlungen zu übernehmen: dieses wichtige Lernziel stellt sich dem Erwachsenen – hier muß Hans lernen, was das (zum Gehorsam verpflichtete) Hänschen noch nicht hat lernen können.

Im Falle der Ablehnung: Es ist im Sinne des hier vorgeschlagenen Umgangsstiles, daß der Empfänger den Mut zu einem klaren «Nein» findet, wenn er dem Appell nicht nachkommen will. So paradox es klingt, nur das klare, direkte *Nein* ermöglicht den offenen Appell auf seiten des Senders. Denn als Sender «riskiere» ich den offenen Appell ja häufig nur dann, wenn ich sicher sein kann, daß der andere auch wirklich «ja» *meint*, wenn er «ja» *sagt*.

Entsprechend sollte der Sender das klare «Nein» wertschätzen, mag er auch über den Inhalt der Antwort enttäuscht sein. Kann ich zugleich enttäuscht (über den Inhalt) und froh (über den Prozeß) sein? Ja, ich kann.

Analog dazu sollte der Empfänger nach seinem *Nein* kein Ressentiment über die «Zumutung» des Appells hegen. Statt dessen sollte der Empfänger von der Haltung beseelt sein: «Zwar will ich dem Appell nicht nachkommen (Ablehnung des Inhaltes), aber ich finde es in Ordnung, daß du deine Wünsche sagst» (Zustimmung zum Prozeß).

Der hier beschriebene Appell-Umgangsstil läßt sich auf folgende Kurzformel bringen:

Es ist erlaubt und erwünscht, daß der Sender seine Wünsche deutlich anmeldet – und es ist erlaubt und erwünscht, daß der Empfänger dem Appell unter Umständen nicht nachkommt.

Die dazu notwendigen Grundhaltungen sind in Abb. 85 noch einmal zusammengestellt. Sie sind erst zu erwerben, wir bringen sie selten «von Haus aus» mit. Auch garantiert dieser Umgangsstil keine Harmonie – im Gegenteil, vorhandene Konflikte werden sichtbarer als zuvor. Aber er begünstigt klare Lösungen und überhaupt eine «klare Luft», in der sich atmen und leben läßt.

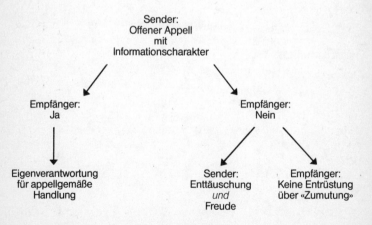

Abb. 85: *Notwendige Grundhaltungen bei Sender und Empfänger für einen offenen Appell-Umgangsstil.*

Nachwort für Psychologen

und für all die, die mit Psychologie in Berührung kommen

1. Chancen und Gefahren einer «psychologischen» Kommunikation

Was das heutige Leben auf dem Erdball so gefährlich macht, ist das gigantische Auseinanderklaffen zwischen technologischem Vermögen und zwischenmenschlichem Unvermögen. Es ist dringend geboten (wenn nicht schon zu spät), in der Fähigkeit zur Verständigung aufzuholen. Dieses Buch enthält Richtungsschilder und Handwerkszeug für die zwischenmenschliche Kommunikation.

Was können wir damit anfangen? Sind von der Wissenschaft heilsame Anstöße zu erwarten – oder laufen wir Gefahr, in einer Verwissenschaftlichung des mitmenschlichen Umgangs einer neuen Entfremdung Vorschub zu leisten? Manchmal kommt mir diese Sorge, wenn ich sehe, daß durch eine allzu flüchtige Begegnung mit der Psychologie anstatt neuer Haltungen neue Verhaltensschablonen platzgreifen. Diese Sorge habe ich 1980 in der Zeitschrift *Psychologie heute* (Nr. 9) in einer Satire zum Ausdruck gebracht. Um deutlich zu machen, in welcher Richtung ich das vorliegende Buch nicht mißverstanden haben möchte, sei die Satire hier noch einmal abgedruckt. Darin ist auch eine Frage berührt, die an mich oft gestellt wird: «Können Sie als Psychologe überhaupt noch spontan, sozusagen als Mensch, reagieren?»

Bewunderung, Argwohn und etwas Angst steckt in dieser Frage. Bewunderung darüber, daß der Psychologe (vermeintlich) so souverän über der Sache des zwischenmenschlichen Geschehens steht und alles durchschaut, was sich abspielt. Gleichzeitig die Angst, «daß er mich sogleich durchschaut, was immer ich auch von mir gebe». Und Argwohn, daß sich zu dem Psychologen keine normale mitmenschliche Beziehung herstellen läßt, daß man nie den Menschen antrifft, sondern immer den Psychologen, dessen Verhalten weniger seinen innersten menschlichen Kern widerspiegelt als vielmehr die wissenschaftlichen Leitlinien, nach denen er es ausrichtet. Der Verdacht also, nicht mehr den Menschen selbst, sondern sein wissenschaftliches Handwerkszeug anzutreffen.

Ich habe das Thema schon einmal in Verbindung mit der Meta-kommunikation berührt und möchte es jetzt vertiefen. Hier zunächst die Satire:

2. «Bleiben Se Mensch, Herr Psychologe!» – Eine Satire

Ach, wie bin ich froh, durch Selbsterfahrung, Encounter-Groups und themenzentrierte Interaktion, durch Kommunikationstrainings, Meditation und – gottlob – auch Gestalttherapie einen besseren Zugang zu mir selbst und zu meinen Mitmenschen gefunden zu haben! Früher habe ich einfach so dahingelebt, anderen nur mit halbem Ohr zugehört, eine normale Fassade von mir gezeigt – und bin einer wirklichen Begegnung mit mir selbst und anderen aus dem Weg gegangen!

Ich will aber auch folgendes nicht verschweigen: Seit ich auf dem Wege bin, kommt es zuweilen vor, daß mich mein persönliches Wachstum, mein Persönlichkeitsfortschritt von all jenen Mitmenschen entfernt, die noch nicht soweit sind.

So hatte ich neulich ein Rendezvous mit Maria, einem an sich wirklich netten Mädchen, das auf seine Art überaus natürlich ist. Wir saßen in einer Kneipe beim Bier, und sie plauderte fröhlich über dies und das. Allerdings waren die Inhalte etwas external und ich-fern. Ich horchte in mich hinein und merkte, daß ich mich von ihrer lebendigen Art mehr angerührt fühlte als von den Inhalten ihrer Erzählungen – und beschloß, ihr ein Feedback zu spenden.

Wie jeder weiß, bedarf es einiger Qualifikation, um ein Feedback richtig zu geben. Früher hätte ich wahrscheinlich gar nichts gesagt und ein anderes Thema angefangen – oder ich hätte ihr durch eine Du-Botschaft irgendeinen Stempel aufgedrückt und mich selbst her-ausgehalten mit meinen Gefühlen. Jetzt aber hatte ich die einschlägi-gen Feedback-Regeln im Kopf (es soll beschreibend und nicht wertend, ferner möglichst konkret sein, unmittelbar erfolgen und vor allem in der Ich-Form gegeben werden).

Natürlich habe ich diese Regeln weitgehend in meine Persönlich-keit integriert, so daß ich sie mir nicht einzeln aufsagen muß, bevor ich ein Feedback gebe. Dies nämlich würde meine Spontaneität um einiges behindern. So hatte ich denn auch ziemlich schnell die Formulierung auf der Zunge:

«Mich berührt sehr deine lebendige Art, aber Segelclubs und das alles interessieren mich weniger.»

Fast wäre mir der Satz in dieser Urform herausgerutscht, gottlob merkte ich im letzten Moment, daß die beiden Feedback-Teile durch das Spaltwort «aber» verbunden waren, wodurch bekanntlich der erste Teil entwertet wird. Getreu der Gestaltregel von Fritz Perls ersetzte ich im letzten Moment das «aber» durch ein «und». So fuhr es aus mir heraus:

«Mich berührt sehr deine lebendige Art, und Segelclubs und das alles interessieren mich weniger.»

Wobei ich die während des ersten Teils («mich berührt sehr deine lebendige Art») gefühlte Nähe nonverbal durch leichte Aufnahme von Körperkontakt unterstrich.

Natürlich schaute sie etwas verwirrt – ich kenne und erwarte dies schon bei Menschen, die noch keine Selbsterfahrung und kein Training erlebt haben. So ist es mehr als verständlich, daß sie nicht vorbereitet sind, Dinge so direkt anzusprechen; auch Körperkontakt ist bei solchen Menschen noch ein großes Tabu. Es ist deswegen außerordentlich wichtig, sie nicht zu überfordern.

Ich konnte also nicht davon ausgehen, daß sie von sich aus nun ebenfalls ein Feedback nach den Regeln der Kunst zurückgeben würde. Um eine wirkliche Begegnung zu fördern, erlaubte ich mir daher eine kleine Intervention und fragte:

«Was macht das jetzt mit dir?» Etwas irritiert sagte sie: «Ja, was interessiert dich denn – ich mein, man kann doch nicht dauernd nur Tiefschürfendes reden!»

Da haben wir es! – durchfuhr es mich, da haben wir es, dieses anonyme «man», hinter dem sich doch wohl ganz persönliche Erfahrungen und Gefühle verbergen. Wie schon bei ihren externalen Gesprächsinhalten finden wir hier dieselbe Tendenz vor, nämlich die eigene Person herauszuhalten. Ich beschloß, ihr durch aktives Zuhören einen kleinen Dienst zu erweisen, ihr zu helfen, die hinter dem «man» verborgene Ich-Botschaft nach und nach ans Licht zu heben – steckt doch schließlich hinter einem «man kann nicht» in der Regel ein stark gefühlsbeladenes «ich will nicht»!

Erst wollte ich sagen: «Es fällt dir schwer, über Dinge zu sprechen, die dich persönlich berühren und die etwas tiefer gehen?» – doch dann, während ich schon ansetzte zu sprechen, folgte ich einer Eingebung und suchte die Sache nicht ganz so drastisch auszudrücken und benutzte einige Abschwächungen, um ihr eine nicht-defensive Auseinandersetzung zu erleichtern:

«Ist es ein bißchen so, daß es dir manchmal etwas leichter fällt, über Dinge zu reden, die ein klein wenig weiter wegliegen und dich persönlich nicht ganz so berühren?»

Sie runzelte die Stirn und fragte: «Sag mal, was meinste denn damit?»

Diesmal antwortete ich wie aus der Pistole geschossen: «Du überlegst, was das sein könnte, und es fällt dir auf Anhieb nicht so recht was ein?»

Maria rückte mit ihrem Körper ab und nahm dabei ihre Hand unter der meinen heraus, so daß der von mir im Zusammenhang mit «Mich berührt deine sehr lebendige Art» herbeigeführte Körperkontakt wieder gelöst war. Ich selbst hatte die Stellung unserer Hände schon eine Zeitlang als etwas versteift und «eingefroren» erlebt, als nicht mehr ganz so stimmig wie zum Zeitpunkt des Zustandekommens, hatte aber keine Möglichkeit gesehen, meine Hand wieder zu entfernen, ohne womöglich den fälschlichen Eindruck der Ablehnung ihrer Person zu hinterlassen.

Sie sagte: «Also manchmal spinnst du ein bißchen!»

Das war nun reine Abwehr, noch dazu in Form einer Du-Botschaft. Aber man muß sich immer vor Augen halten, daß Maria nicht darin geübt ist, über persönliche emotionale, vielleicht unliebsame Erfahrungsinhalte zu sprechen. So ist dieses Verhalten als Verteidigung in einer vermeintlichen Notlage nur allzu verständlich. Auch kam mir zum Bewußtsein, daß ich durch mein einfühlendes Verstehen in den letzten Äußerungen vielleicht eine Spur zu «therapeutisch» gewirkt habe – so daß sie sich auf der Beziehungsebene womöglich wie ein Patient behandelt gefühlt haben mag.

Nun stand ich am Scheidewege: Sollte ich durch Metakommunikation die Störung ansprechen und eine Beziehungsklärung anstreben? Oder sollte ich ein Stück Selbsteinbringung realisieren, also ganz als Mensch von mir selbst sprechen und so ein Modell sein für Selbstöffnung, um es ihr zu erleichtern, sich ebenfalls ein wenig zu offenbaren?

Ich entschied mich für letzteres. Schon aus dem Grunde, weil ich mich am wohlsten fühle, wenn ich ganz ich selbst sein kann.

Also sagte ich: «Weißt du, mir geht es selber manchmal so, daß ich so alles Mögliche rede, so oberflächliches Zeug, was mit mir selber gar nichts zu tun hat – vielleicht weil ich irgendwie Angst habe, wenn ich zuviel von mir persönlich erzähle, dann werde ich vielleicht abgelehnt.»

Da sie nichts sagte, fuhr ich fort und setzte gleichsam noch einen

I-Punkt auf das Vorherige: «...oder daß ich mich vielleicht sogar selbst ablehne!»

Obwohl ich unwillkürlich ein ganz ernstes Gesicht und einen bedeutungsvollen Ausdruck bekam, zuckte Maria nur mit den Schultern und sagte: «Das ist doch normal – noch ein Bier? Ich muß auch bald gehen.»

Irgendwie fühlte ich mich nicht ganz angenommen, fand ihre Reaktion etwas undankbar angesichts meiner Selbstoffenbarungsleistung. Immerhin hatte ich doch ziemlich viel von mir preisgegeben. – Wegen dieses Gefühls und weil es mir schien, daß sie etwas von der Lebendigkeit verloren hatte, die ich anfangs an ihr schätzte, hielt ich es jetzt für an der Zeit, die Ebene zu wechseln und durch Metakommunikation an der Störung zu arbeiten:

«Weißt du – mir fällt es nicht ganz leicht, das jetzt auszusprechen, und ich merk, wie ich mir einen kleinen Ruck dazu geben muß – also ich möchte mal ansprechen, wie wir hier miteinander reden, also wie ich das erlebe: Ich fühle irgendwie eine unsichtbare Wand zwischen uns und daß ich immer dagegen anrenne und dich nicht wirklich erreiche – verstehst du? Ich höre zwar mit den Ohren, was du sagst, aber ich spüre nicht richtig etwas von dir...»

An dieser Stelle passierte etwas Unglaubliches. Ohne jede Vorankündigung griff Maria plötzlich zu ihrem Glas – und goß mir mit Schwung ihr ganzes Bier aufs Hemd. Und lachte etwas albern und sagte: «Damit du mal was von mir spürst, haha!»

Und stand auf, um zu gehen.

Es gab in meinem neuen Leben kaum einen Augenblick, wo ich so sehr wie jetzt in Versuchung war, in mein altes Verhalten zurückzufallen. Früher hätte ich wohl gebrüllt und mit «Du widerliche Sau!» eine rüde Du-Botschaft ausgestoßen. Natürlich weiß ich heute, daß ich durch ein derartiges Verhalten nur etwas Herabsetzendes *über sie* sagen würde und dabei ganz im unklaren ließe, was denn überhaupt *in mir* vorgeht.

Da mir nach Metakommunikation und Verständnis im Augenblick überhaupt nicht zumute war – man bedenke das widerwärtig nasse Hemd auf der Haut – und da ich auch und gerade als Psychologe zu meinen Gefühlen im Hier und Jetzt stehen möchte, entschloß ich mich zur sofortigen Echtheit und sagte ganz spontan mit lauter Stimme, ohne dabei im mindesten zu lächeln: «Ich bin jetzt sehr wütend, Maria!!»

Da Maria wortlos ging (Aggressions- und Fluchttendenzen sind typische Reaktionen auf Situationen, in denen man sich unzulänglich fühlt), war es mir nicht mehr möglich, meine Störung anzumelden und hilfreich auf sie einzugehen. Ich fühle, daß noch etwas Unerledigtes zwischen uns ist, und wir werden daran beim nächstenmal wohl arbeiten müssen. Auch nahm ich mir vor, die Sache in meiner Supervisionsgruppe vorzutragen, um meinen eigenen Anteil an dem Geschehen zu klären (hatte sie mich nicht doch an der einen Stelle an meine Mutter erinnert?).

Jedenfalls zeigt die Geschichte sehr deutlich, wie schwierig sich die Kommunikation mit jemandem gestaltet, der noch nicht so weit ist, dem das seelische Rüstzeug für eine wirkliche Begegnung noch fehlt.

3. Eine «déformation professionelle»?

Ich möchte nicht mißverstanden werden mit dieser Satire. Ich bin nicht dagegen, sondern dafür, daß die Begegnung mit Psychologie zur Persönlichkeitsbildung beitrage. Denn was nützt es, wenn der Psychologe allerlei wissenschaftliche Erkenntnisse und methodisches Rüstzeug hat, aber im Umgang mit sich selbst und mit anderen genauso unbeholfen ist wie seine Klientel? Wir haben an die Eigenart unseres Faches zu denken, daß sich die Vermittlung von Psychologie vor allem auch durch die persönliche Begegnung vollzieht und *daß die Persönlichkeit des psychologischen Vermittlers ein wesentlicher Teil seiner Botschaft und seines Handwerkszeuges ist.* Wenn wir unserer Klientel die Erweiterung der Selbstkenntnis und der mitmenschlichen Fähigkeiten bieten wollen, müssen wir in der Tat bei uns selbst anfangen.

Mein Unbehagen setzt da ein, wenn dieser Prozeß, für den es keine Alternative gibt, auf Abwege führt. Der Held der Satire begegnet uns in einem pseudo-professionellen weißen Imponier-Kittel, hinter dem sich menschliche Unbeholfenheit verbirgt und nicht wirklich auszudrücken wagt. Statt der üblichen Alltagsfassade finden wir eine neue Psycho-Fassade vor.

Ich habe im Zusammenhang mit der Satire von einer «déformation professionelle» des Psychologen gesprochen, also von einer berufsbedingten charakterlichen Verschrobenheit. Jedoch hat Ruth Cohn zu Recht darauf hingewiesen, daß es sich in Wahrheit um eine (allerdings häufige) «déformation non-professionelle» handele, also um ein Fehlverständnis von Psychologie, das durch mangelhafte Ausbildung bedingt ist. Sie schreibt: «Deinem Helden fehlen professionell die Lehre von Empathie, von selektiver Echtheit und vom Globus (sonst aber geht's ihm gut!)!» (Persönliche Korrespondenz, 1980)

Untersuchen wir nun im einzelnen, was schiefgegangen ist.

4. Psycho-Jargon

Die erste Gefahr sehe ich darin, daß bestimmte Verhaltensweisen, die ursprünglich als Ausdruck einer Grundhaltung zu verstehen sind, sich von dieser Grundhaltung lösen und zu einem neuen «Psycho-Knigge» werden, dessen korrekte Einhaltung sich in der tadellosen Beherrschung eines klischeehaften Psycho-Jargons zeigt, welcher oft zur Grundlage eines Überlegenheitsgefühles wird. Der neue psychologische Verhaltensstil (z.B. tadellos formulierte Ich-Botschaften, aktives Zuhören, Metakommunikation, das flotte, geübte Sprechen vom «eigenen Anteil» usw.) gleicht dann einem geschmückten aufgeputzten Wagen, der hinter die alten Zugpferde gespannt wird: Persönlichkeitszugpferde, die in die alte Richtung laufen und dem Ziel der Überlegenheit und der Kaschierung von Unsicherheit zustreben.

Ohne Zweifel: Der Gedanke, der hinter dem Konzept der Ich-Botschaft (vgl. S. 79f) steht, ist persönlichkeitserweiternd und mitmenschlich konstruktiv: Der Gedanke nämlich, daß die Art, wie ich meine Umwelt und meine Mitmenschen wahrnehme und bewerte, sehr stark meine innere Verfassung widerspiegelt. Nicht nur bei projektiven Tests ist der Blick in die Welt immer auch ein Blick in den eigenen Spiegel. Und so ist die Leitfrage «Was ist es in mir, daß ich so und so auf dich oder auf dieses oder jenes reagiere?» gewiß geeignet, Selbsterkenntnis zu fördern und mitmenschliche Verständigung zu erleichtern. – Die diesem Grundgedanken entsprechende operationalisierbare und trainierbare Verhaltensweise – «das Senden von Ich-Botschaften» – läuft jedoch Gefahr, eine mitmenschliche Ursprünglichkeit durch eine professionelle Art, sich mitzuteilen, zu ersetzen und den Ausdruck der Emotionalität in eine routinierte Form zu gießen. Wer «Ich-Botschaften sendet», steht als Kommunikations-Profi über dem Geschehen und hat sich nicht selten aus der ursprünglichen Betroffenheit entfernt. Und so enthält unter Umständen die kommunikationspsychologisch verpönte Du-Botschaft (etwa ein gereiztes «Du bist ein furchtbarer Quälgeist») ein authentischeres Bekenntnis zur eigenen Gereiztheit als die konzeptgemäß formulierte Ich-Botschaft («Ich möchte im Augenblick etwas für mich sein und fühle mich von dir jetzt sehr gestört!»). Natürlich wäre es wünschenswert, wenn der Sender bereit und fähig ist, bei Bedarf seinen inneren Ich-Zustand nachträglich zu erläutern.

Ein zweites Beispiel: ähnlich wie die Ich-Botschaft, so ist auch eine andere psychologische Verhaltensweise von dem Schicksal bedroht, sich von einer Grundhaltung zu entfernen und zur Technik zu verselbständigen: das aktive Zuhören (vgl. S. 57), das «Verbalisieren emotionaler Erlebnisinhalte», das ein einfühlendes Verstehen ermöglichen soll und darauf abzielt, sich in die phänomenale Welt des anderen einzufinden. Es besteht kein Zweifel, daß eine solche Empathie therapeutisch grundlegend und mitmenschlich wertvoll ist (vgl. Rogers 1980), und wer sich durch Psychologie in seinen empathischen Fähigkeiten erweitert, hat einen großen Schritt getan. Wenn jedoch diese empathische Haltung infolge eines Verhaltenstrainings sich in einem mechanischen, stereotypen «Spiegeln» zeigt, führt dies zu einer bemitleidenswerten Verarmung mitmenschlicher Kommunikation. Wirkliche Empathie drückt sich in vielfältiger Weise aus, bedarf keiner sprachlichen Stereotypie. Und wenn Psychologen dann noch anfangen, dieses Verhalten in Situationen «anzuwenden», in denen das einfühlende Verstehen weder stimmig ist mit ihrer eigenen inneren Verfassung noch mit der Beziehung zum anderen noch mit dem Charakter der Situation, dann kann aus der ursprünglich wertvollen Einstellung eine hilflose Verschrobenheit werden – oder ein heimliches Kampfmittel (s. u.).

☐ *«Stimmigkeit hat Vorrang!»* – Diese Oberregel (vgl. S. 121) sollte die erste Lektion jedes psychologischen Trainings sein, in dem Verhaltensweisen eingeübt werden.

5. Therapeutisches Verhalten als Manipulations- und Kampfmittel

Bisher habe ich die Gefahr beschrieben, daß «psychologische» Verhaltensweisen sich von ihrer Grundhaltung ablösen und – mechanisch verwirklicht – zu einem bloßen Psycho-Jargon verkommen, der die Vielfalt der kommunikativen Möglichkeiten verarmen läßt und nicht zur Erweiterung der Individualität, sondern zu einer bloßen Uniformierung des Verhaltens führt. Dies wäre schade, aber noch nicht sehr gefährlich. Anders sieht es aus, wenn diese Verhaltensweisen sich nicht nur von den genannten Grundhaltungen lösen, sondern in den Dienst ganz anderer, geradezu ins Gegenteil verkehrter Haltungen gestellt werden.

Jede Nachricht hat – wie auf S. 209ff ausgeführt – einen Ausdrucks- und einen Wirkungsaspekt. «Ich habe Durst» drückt einen bestehenden Zustand aus, enthält gleichzeitig aber auch den Versuch, einen gewünschten Zustand herzustellen (Appellaspekt: «Gib mir zu trinken!») Die alltäglich üblichen Kommunikationstechniken (z. B. positive Selbstdarstellung, höflicher Tonfall usw.) betonen den Wirkungsaspekt: den anderen beeindrucken, bei Laune halten usw. Gegenüber dieser üblichen «Maskerade» betont das Authentizitätsprinzip in der Humanistischen Psychologie den Ausdrucksaspekt: Ausdrücken, was in mir vorgeht, unter Verminderung der Wirkungskontrolle.

Und nun passiert (nicht nur in der Satire) folgendes: Ein Verhalten, das durch seinen Phänotypus vorgibt, ausdrucksorientiert zu sein (z. B. die Ich-Botschaft), ist genotypisch, nämlich von der Absicht her, wirkungsorientiert («um ihr die Selbstöffnung zu erleichtern...», s. S. 258). Da ist die alte, übliche Fassade ehrlicher gewesen – sie gibt (metakommunikatorisch) nicht vor, etwas anderes zu sein, und jeder kann sich darauf einstellen.

So werden Verhaltensweisen, die von der Grundidee her ausdrucksorientiert sind und existentielle, herrschaftsfreie Dialoge und Begegnungen fördern wollen, zu neuen Manipulationsinstrumenten und zu Techniken der Oberhand-Sicherung. *Der alte Wolf erscheint hier im Schafspelz einer humanistisch-therapeutischen Orientierung.*

6. Der Doppelcharakter psychologischer Verhaltensweisen

Halten wir fest: Die operationalisierbaren und trainierbaren psychologischen Verhaltensweisen haben einen Doppelcharakter: Je nachdem, vor welchen Wagen sie gespannt werden, können sie in den Dienst der mitmenschlichen Verständigung oder in den Dienst der Selbstdarstellung, Manipulation und Interessendurchsetzung treten.

Dieser Doppelcharakter kommt eindrucksvoll in dem folgenden Traum meines Freundes und Kollegen Jens Hager zum Ausdruck:

Ich werde auf der Straße von einer Gruppe von Rockern aufgegriffen und abgeführt. Sie bringen mich in ein Gebäude, ich bin in ihrer Gewalt. Sie klagen mich an, schlimme Dinge begangen zu haben, und da ich ihnen ausgeliefert bin, droht mir der Tod. Statt mich zu rechtfertigen oder zu verteidigen, höre ich aktiv zu. Dies rettet mich: Sie lassen mich schließlich frei.

Besser kann der Doppelcharakter des aktiven Zuhörens kaum zum Ausdruck gebracht werden: Einerseits ein wirksames Instrument zur Durchsetzung eigener Interessen, hier sogar zur Rettung des eigenen Lebens: Wir haben einen Psychologen vor uns, der durch «geschicktes» Verhalten das erreicht, was er erreichen will. Dies ist die eine Seite. Die andere: Enthält nicht der Versuch, die Welt des anderen einfühlend zu verstehen, die einzige Chance, eine Verständigungsbrücke zwischen verfeindeten Welten zu schlagen? Der Versuch, die Beweggründe, den Unmut des anderen nachzuvollziehen, die einzige Möglichkeit, Gewalt und Totschlag abzuwenden?

7. Die «gemachte» Ursprünglichkeit

Das Problem hat noch einen anderen Aspekt. Die Humanistische Psychologie hat eindrucksvoll dargelegt, daß Fassaden und Manipulationstechniken das Miteinander nicht fördern, daß statt dessen das Finden des eigenen Selbst und seine authentische Vertretung in ursprünglicher, echter Weise die Persönlichkeit erweitert und die Mitmenschlichkeit fördert.

Nun passiert aber folgendes: Nachdem derartige Formen des menschlichen Ausdrucks dort, wo sie geschehen, als konstruktiv erkannt worden sind, werden sie nun zum Ziel von Bemühungen. Wie wir aber seit Kleists «Marionettentheater» (sämtliche Werke o. J.) wissen, ist das, worum man sich absichtsvoll bemüht, nicht mehr dasselbe wie das, was (von selbst) geschieht. So kann auch «Echtheit» geradezu unmöglich werden durch den gutgemeinten Vorsatz «Ich will jetzt echt sein!» – Ebenso ist es nicht dasselbe, ob ein Therapeut oder Trainer sich selbst einbringt oder ob er «Selbsteinbringung realisiert», da sich dies in Untersuchungen als günstig herausgestellt hat. Das «rein Menschliche» wird hier zum professionellen Werkzeug.

Ich habe nichts gegen professionelle Werkzeuge – sie sind notwendig. Nur wenn sie vorgeben, gerade dies nicht zu sein, wird die Sache schief.

Aus dem Paradies der ersten Naivität für immer vertrieben, sind wir Psychologen auf der Suche nach der zweiten Naivität. Die Psychologie, einst Befreiungshilfe aus alten Ketten, droht nun selbst zur Fessel zu werden. Eindrucksvoll schrieb mir dazu Karin v. d. Laan:

«Was ich mir wünsche: Eine lebendige Verbindung herstellen, so daß ich alle Kommunikationsregeln vergesse.»

Und an einer anderen Stelle:

«Die Unwahrhaftigkeit ist es auch, die mich quält, wenn in Therapiegruppen ‹Echtheit und Gefühl› praktiziert wird ... Die Aussage ‹Ich bin jetzt sehr wütend› ist ... einfach unwahr, sie stimmt in sich selbst nicht. Das besonders Schlimme daran ist, daß hier eine raffinierte Vortäuschung von Ehrlichkeit vorliegt, die sich auch noch mit Naivität tarnt. Dagegen kann man sich nicht so leicht wehren, die Verlogenheit ist überhaupt schwer aufzudecken. Sie kann einen ganz ratlos machen.»

Der Weg zur zweiten Naivität ist weit. Mögen uns unsere Mitmenschen, die Marias in unserer Umgebung, verzeihen, wenn uns unterwegs – hoffentlich nur als Übergangsphänomen – allerlei Verschrobenheiten unterlaufen!

Kann die Psychologie zur Verbesserung der zwischenmenschlichen Kommunikation beitragen? Meine Überzeugung: Ja, sogar entscheidend. Und zwar dann, wenn sie deutlich macht, daß es um *Haltungen* und nicht in erster Linie um Verhalten (und schon gar nicht um Formulierungen) geht.

Es sind diese Haltungen, die der Empfänger zwischen den Zeilen herausliest und die seelisch wirksam werden. So sind Kommunikation und Persönlichkeitsbildung zwei Seiten derselben Medaille.

Literatur

Adler, A.: Menschenkenntnis. Frankfurt/M. 1966.

Adler, A.: Individualpsychologie in der Schule. Frankfurt/M. 1973.

Adler, A.: Zur Erziehung der Eltern. In: Adler, A.: Heilen und Bilden. Frankfurt/M. 1973a.

Bandler, R., Grinder, J., und Satir, V.: Mit Familien reden – Gesprächsmuster und therapeutische Veränderung. München 1978.

Beier, E. G.: The Silent Language of Psychotherapy. Chicago 1966.

Berne, E.: Spiele der Erwachsenen. Reinbek 1967.

Bernfeld, S.: Sisyphus oder die Grenzen der Erziehung. Frankfurt/M. 1967.

Birkenbihl, M.: Kleines Arbeitshandbuch für Ausbilder und Dozenten – Train the Trainer. München 1973.

Brunner, E. J.: Rauschenbach, T., und Steinhilber, H.: Gestörte Kommunikation in der Schule – Analyse und Konzept eines Interaktionstrainings. München 1978.

Brusten, M., und Hurrelmann, K.: Abweichendes Verhalten in der Schule. München 1973.

Bühler, K.: Sprachtheorie. Jena 1934.

Cohn, R.: Von der Psychoanalyse zur Themenzentrierten Interaktion. Stuttgart 1975.

Cohn, R.: Interview in *Psychologie heute*, 1979, 3.

Dörner, K., und Plog, U.: Irren ist menschlich oder Lehrbuch der Psychiatrie/Psychotherapie. Wunstorf 1978.

Dreikurs, K.: Psychologie im Klassenzimmer. Stuttgart 1971 (5).

Duhm, D.: Angst im Kapitalismus. Lambertsheim 1972.

Ellis, A.: Die rational-emotive Therapie – das innere Selbstgespräch bei seelischen Problemen und seine Veränderung. München 1977.

Flesch, R. A.: The Art of Readable Writing. New York 1949.

Fürstenau, P.: Zur Psychoanalyse der Schule als Institution. In: Fürstenau, P. u. a.: Zur Theorie der Schule. Weinheim und Basel 1969.

Gordon, T.: Familienkonferenz. Hamburg 1972.

Hager, J., und Laan, K. v. d.,: Transaktionale Analyse. Unveröffentl. Seminarpapier. Berlin 1979.

Haley, J.: Gemeinsamer Nenner Interaktion. München 1978.

Halpern, H.: Abschied von den Eltern. Hamburg 1978.

Harris, T. A.: Ich bin o.k. – du bist o.k. Reinbek 1975.

Heckhausen, H.: Lehrer-Schüler-Interaktion. In: Weinert, F. E. u. a.: Funkkolleg Pädagogische Psychologie 1. Frankfurt/M. 1974.

Hesse, H.: Demian – die Geschichte von Sinclairs Jugend. Frankfurt/M. 1972.

Jacobi, H.: Alfred Adlers Individualpsychologie und dialektische Charakterkunde. Frankfurt/M. 1974.

Jacobsgaard, C.: Bedarfsanalyse bei Hauptschülern der 9. Klasse über Veränderungswünsche im Kommunikationsbereich. Unveröffentl. Diplomarbeit. Hamburg 1977.

Kleist, H. v.: Allerneuester Erziehungsplan (aus den Berliner Abendblättern). In: Heinrich von Kleist – Sämtliche Werke. Gütersloh o. J.

Kleist, H. v.: Über das Marionettentheater (aus den Berliner Abendblättern). In: Heinrich von Kleist – Sämtliche Werke. Gütersloh o. J.

Kraußlach, J., Düwer, F. W., und Fellberg, G.: Aggressive Jugendliche. München 1976.

Langer, I., und Schulz von Thun, F.: Messung komplexer Merkmale in Psychologie und Pädagogik. München 1974.

Langer, I., Schulz von Thun, F., und Tausch, R.: Sich verständlich ausdrücken. München 1981 (2. überarb. Auflage).

Mandel, A., Mandel, K. H., Stadter, E., und Zimmer, D.: Einübung in Partnerschaft durch Kommunikationstherapie und Verhaltenstherapie. München 1971.

Miller, A.: Am Anfang war Erziehung. Frankfurt/M. 1980.

Miller, S., Nunnally, E. W. und Wackman, D. B.: Alive und Aware. Minneapolis 1975.

Minsel, W.-R.: Praxis der Gesprächspsychotherapie. Graz 1974.

Peick, P.: Das 4-Seiten-Modell der Kommunikation als Instrument der Supervision im therapeutischen Gespräch. Unveröffentl. Diplomarbeit. Hamburg 1979.

Perls, F.: Gestalttherapie in Aktion. Stuttgart 1974.

Petzold, H.: Gestalttherapie und «direkte Kommunikation» in der Arbeit mit Elterngruppen. In: Petzold, H.: Kreativität und Konflikte. Paderborn 1973.

Petzold, H., und Paula, M. (Hg.): Transaktionale Analyse und Skriptanalyse (Aufsätze und Vorträge von Fanita English). Hamburg 1976.

Portele, G.: «Lob der dritten Sache» (Oder was wir von Brecht und was wir von den Alternativlern lernen können). *Gruppendynamik im Bildungsbereich,* 1978, *3,* S. 2–9.

Redlich, A., und Ott, C.: Veränderung der Interaktion in Schulklassen statt Stigmatisierung durch Einzelbehandlung. *Die Deutsche Schule,* 1980, *6,* S. 379–388.

Redlich, A., und Schley, W.: Kooperative Verhaltensmodifikation. München 1979.

Richter, H. E.: Patient Familie. Reinbek 1970.

Richter, H. E.: Lernziel Solidarität. Reinbek 1974.

Rogers, C. R.: Entwicklung der Persönlichkeit. Stuttgart 1979.

Rogers, C. R.: Encounter-Gruppen – das Erlebnis der menschlichen Begegnung. München 1974.

Rogers, C. R.: Empathie – eine unterschätzte Seinsweise. In: Rogers, C. R.

und Rosenberg, R. L.: Die Person als Mittelpunkt der Wirklichkeit. Stuttgart 1980.

Rogoll, R.: Nimm dich, wie du bist. Freiburg i. Br. 1976.

Röhm, H.: Kindliche Aggressivität. Starnberg 1972.

Satir, V.: Selbstwert und Kommunikation. München 1975.

Schulte, B., und Thomas, B.: Verhaltensanalyse und Therapieplanung bei einer Patientin mit multiplen Ängsten. In: Schulte, B. (Hg.): Diagnostik in der Verhaltenstherapie. München 1974.

Schulz von Thun, F.: Verständlich informieren. *Psychologie heute,* 1975, *5,* S. 42–51.

Schulz von Thun, F.: Psychologische Vorgänge in der zwischenmenschlichen Kommunikation. In: Fittkau, B., Müller-Wolff, H.-M. und Schulz von Thun, F. (Hg.): Kommunizieren lernen (und umlernen). Braunschweig 1977.

Schulz von Thun, F.: Kommunikation, innerbetriebliche. Enzyklopädisches Stichwort in: Personal-Enzyklopädie Bd. 2. München 1978.

Schulz von Thun, F.: Ist Humanistische Psychologie unpolitisch? In: Völker, U. (Hg.): Humanistische Psychologie. Weinheim und Basel 1980.

Schulz von Thun, F.: Bleiben Se Mensch, Herr Psychologe! *Psychologie heute,* 1980a, *9,* S. 12–17.

Schulz von Thun, F., Steinbach, I., Tausch, A.-M., und Neumann, K.: Das Werbefernsehen als Erzieher von Millionen Zuschauern – eine vergleichende Studie BRD–DDR. *Psychologie in Erziehung und Unterricht,* 1974, *21,* S. 355–364.

Schulz von Thun, F., Enkemann, J., Leßmann, H., und Steller, W.: Verständlich informieren und schreiben. Trainingsprogramm Deutsch für Schüler. Freiburg-Basel-Wien 1975.

Schulz von Thun, F., und Götz, W.: Mathematik verständlich erklären. München 1976.

Schumacher, E. F.: Rat für die Ratlosen – vom sinnerfüllten Leben. Reinbek 1977.

Schwäbisch, L., und Siems, M.: Selbstentfaltung durch Meditation. Reinbek 1976.

Selvini-Palazzoli, M. u. a.: Der entzauberte Magier. Stuttgart 1978.

Signer, R.: Verhaltenstraining für Lehrer. Weinheim und Basel 1977.

Sperber, M.: Individuum und Gemeinschaft. Frankfurt/M. 1978.

Tausch, R., und Tausch, A.-M.: Erziehungspsychologie. Göttingen 1977 (8).

Tausch, R., und Tausch, A.-M.: Gesprächspsychotherapie. Göttingen 1979 (7).

Thomann, C.: Meine Lehrzeit bei Ruth Cohn. *Z. f. Humanistische Psychol.,* 1980, *4,* S. 47–51.

Tillmann, K.-J.: Unterricht als soziales Erfahrungsfeld. Frankfurt/M. 1976.

Tolstoi, L. N.: Anna Karenina. München o. J. (Goldmann 7537).

Watzlawick, P., und Beaven, J. H.: Menschliche Kommunikation, Bern–Stuttgart 1969.

Watzlawick, P., Weakland, J. H., und Fisch, R.: Lösungen. Bern–Stuttgart–Wien 1974.

Yalom, I. D.: Gruppenpsychotherapie. München 1974.

Zorn, F.: Mars. Frankfurt/M. 1979.